DICCIONARIO DE LINGÜÍSTICA

ARIEL LINGÜÍSTICA

GIORGIO RAIMONDO CARDONA

DICCIONARIO
DE LINGÜÍSTICA

Edición española a cargo de
Mª TERESA CABELLO

EDITORIAL ARIEL, S. A.

BARCELONA

Título original:
Dizionario di linguistica

Traducción de
M.ª Teresa Cabello

1.ª edición: junio 1991

© 1988: Armando Armando, Roma

Derechos exclusivos de edición en castellano
reservados para todo el mundo
y propiedad de la traducción:
© 1991: Editorial Ariel, S. A.
Córcega, 270 - 08008 Barcelona

Diseño colección: Hans Romberg

ISBN: 84-344-8210-X

Depósito legal: B. 20.003 - 1991

Impreso en España

1991. — Talleres Gráficos HUROPE, S. A.
Recaredo, 2 - 08005 Barcelona

INTRODUCCIÓN

«La terminologie est une question de goût, elle ne touche pas aux réalités.»

L. HJELMSLEV,
Principes de grammaire générale,
Copenhague, 1928, p. 57

1. Motivos y límites de un diccionario

A cada autor de un diccionario lo mueve —sean cuales sean las declaraciones de modestia o las atenuaciones sobre la exigencia— la convicción de ser útil a alguno de sus lectores; aunque el género del diccionario no carece, en el fondo, de una perversa fascinación, nadie se sometería a la fatiga, todo menos que entusiasmante, de acumular fichas y citas si no lo sostuviese la esperanza de que un trabajo de este tipo, tan poco creativo y tan fácilmente expuesto a críticas, podrá ser apreciado al menos por quien no habrá recurrido a él en vano.

Este diccionario de terminología lingüística (denominado por razones de brevedad, *Diccionario de lingüística*, de aquí en adelante *DL*) se propone, por lo tanto, ser útil; y quiere serlo más que su predecesor, publicado en 1969. La primera edición de este diccionario, que apareció con el título de *Linguistica generale* en la colección de «Glosari di lingua contemporanea» dirigida por Carlo Bascetta, se limitaba a un ámbito más circunscrito y su finalidad era, paradójicamente, más ambiciosa y, a la vez, más factible; se ocupaba sólo de términos de lingüística general o, lo que es lo mismo, de lingüística teórica.

Limitación dentro de la limitación, gran parte de los textos a los cuales es indispensable hacer referencia en un trabajo de lingüística general estaban aún por traducir, de manera que para gran parte de la terminología extranjera no existía una tradición de equivalentes italianos. Como es sabido, una terminología lingüística italiana se formó sustancialmente con Ascoli y su escuela a finales del siglo pasado y supuso un muy notable esfuerzo de adecuación que aprovechó a fondo las posibilidades del italiano; si bien circunscrita a un área limitada del estudio del lenguaje (la evolución de los sonidos de la lengua), la terminología ascoliana comprende unas 700 unidades. La gran mayoría de los términos se siguen usando en lingüística histórica con sus significados originarios (*apofonía, articulación, aspirada, oclusiva*); alguno de ellos, incluso, ha vuelto a ser usado con acepciones diversas (*significación, estructural, transformación*, otros, sin embargo, han pasado a ser irremediablemente obsoletos (baste pensar en términos como *aggregative* o *ammuchianti* aplicados a las lenguas sintéticas, *indurata* aplicado al sonido espiratorio convertido en oclusivo o *diciferamento, fononomía, palatile*, etc.); y, sea como sea, el área cubierta terminológicamente no es ya la totalidad de la lingüística sino una de sus pequeñas zonas. De hecho, la terminología no es más que el reflejo, percibido inmediatamente, de un interés por la investigación; en Italia han escaseado completamente tratados generales sobre los problemas de la descripción lingüística que puedan ser comparados a los de un Paul, un Jespersen o un Bally; obras éstas que han dejado una huella profundísima en la terminología —y ya antes, naturalmente, en la sistematización conceptual— alemana, inglesa y francesa respectivamente y que han constitudo un puente indispensable entre los tradicionales intereses exclusivamente históricos y las corrientes descriptivas estructurales.

La terminología que se tomaba en consideración en la edición de 1969 era, sobre todo, la del estructuralismo de los años sesenta y resultaba, por lo tanto, relativamente homogénea; sin embargo, los diferentes autores de los que se tomaban las definiciones eran seleccionados desde un punto de vista más bien angosto, que privilegiaba a algunos teóricos en detrimento de buena parte de la lingüística descriptiva militante. Una vez agotada esta edición, consideraciones de diverso tipo han ido aplazando progresivamente una reedición; me disuadía de ello, sobre todo, la velocidad con que se iban difundiendo en Italia las disciplinas lingüísticas, en direcciones y líneas hasta entonces desconocidas para nosotros; velocidad que parecía condenar cualquier reedición al inmediato envejecimiento. Hoy, después de casi veinte años, la situación es bien diversa; la efervescencia del campo se ha apagado del todo y el sector se ha paralizado, si no estancado. La lingüística ha perdido la función de disciplina guía que parecía tener aún en los años sesenta a pesar de que se va introduciendo ampliamente, de manera ramificada, en otras muchas disciplinas —sobre todo en las más inmediatas, a las que ha dado mucho más de lo que ha recibido— y en los conocimientos generales. Términos que una vez eran específicos han pasado a ser del dominio de todos, por lo menos en ciertos niveles (*sincrónico* y *diacrónico*, por ejemplo, o *sistema, estructura* o los varios *-emas*), con un proceso de osmosis que posee sus equivalentes sólo en la difusión de la terminología filológica (*aparato, edición, variante*) o psicoanalítica (*complejo, fijación*); es sintomático que en toda la lexicografía más reciente se le reserve a la lingüística un espacio a menudo más amplio. Las obras de los autores más importantes han sido traducidas todas y actualmente ya casi no se traduce; ni se usa, en favor de actividades más comprometidas, la teológica y continua referencia a los autores. Por los demás, un léxico especial crece y se estratifica con el tiempo hasta el punto en que no tiene sentido preguntarse quién es el que ha dicho tal cosa: lo que ha sucedido con las ciencias o con el deporte ha sucedido también con la lingüística; todo ha sido cubierto por la pátina del uso, que lleva a la desaparición de las marcas de fábrica o de las firmas del artífice.

Por lo que respecta al campo de la lingüística, se han consolidado áreas que antes parecían aún marginales respecto a la lingüística propiamente dicha y áreas de investigación relativamente nuevas (como la de los estudios tipológicos); confusas en cuanto a su estatuto teórico (es el caso de la sociolingüística), se han afirmado, en detrimento de otras antes hegemónicas (la lingüística histórica); asimismo, se ha reducido enormemente la producción de neologismos terminológicos aunque haya sido a favor de sustanciales innovaciones; y, sobre todo, se ha difundido la conciencia de la particularísima naturaleza de la lingüística; alrededor de un núcleo central y todavía primario se colocan áreas de intereses diversas que, sin ser *la* lingüística en sentido pleno, se pueden asimilar a ésta perfectamente; de manera que hoy es muy difícil, o quizá simplemente inútil, delimitar con un trazo neto lo que es dominio de la lingüística y lo que no lo es. En un ámbito mucho más vasto, que va desde la sociología del lenguaje al análisis del texto narrativo, caracterizado por una notable movilidad e intercambiabilidad, nadie puede realmente ignorar sin menoscabo para sí mismo lo que ocurre en las otras áreas. Y esto se puede aplicar tanto a la situación general como a la italiana en particular; situación en la que, además, se puede señalar como hecho nuevo el notable aumento cuantitativo en la enseñanza universitaria (y, por consiguiente, de estudiantes y profesores) de disciplinas lingüísticas, a lo largo de todo el abanico de orientaciones posibles. Al mismo tiempo, otro elemento entra a formar parte del cuadro y es la diversa preparación lingüística de un estudiante principiante respecto al de hace algún decenio; el estudio de las lenguas clásicas en la enseñanza superior constituía hasta hace poco la ocasión para entrar en contacto con un buen número de conocimientos técnicos de fonética, morfología, estilística, etc.: conceptos (y términos) como *aoristo, contracción, elisión*, etc., podían llegar a formar parte de los conocimientos técnicos de cualquier estudiante. Lo que permitía, en un diccionario de terminología lingüística, dar por descontadas al menos las nociones tradicionales, propias de la gramática y de la retórica griega y latina. Como es fácil demostrar, esto ha dejado de ser verdad, y para un estudiante términos como *tmesis* o *hipérbaton* no resultan más transparentes de lo que lo pueden ser *sociolecto* o *narratario*; por este motivo, en esta nueva versión han sido introducidos todos los términos de la gramática tradicional que pueden aún figurar en un contexto lingüístico; sobre todo porque parte de esta terminología ha vuelto a ser utilizada explícitamente por algunos recientes teóricos; piénsese a la teoría de los casos de Ch. J. Fillmore, o al siempre más frecuente recurso a las figuras y a la terminología de la retórica incluso en ámbitos de discurso no especializados, como es el caso de los lenguajes especiales de la política, de la publicidad o de las comunicaciones de masa en general. Pero se ha pensado también en las exigencias de quien simplemente se acerca al estudio de una lengua o de una filología, occidental o —como ocurre cada vez más a menudo— oriental.

Este *DL* intenta registrar *sub specie terminologiae* este estado de cosas; quiere ser una ayuda para los estudiantes que se acercan por primera vez a las disciplinas lingüísticas, para los profesores, para quienquiera que se tope con algo lingüístico y, naturalmente, quiere ser un diccionario y no una enciclopedia de nociones lingüísticas y mucho menos un manual con los argumentos dispuestos por orden alfabético. Sólo así se puede hacer perdonar sus amplias dimensiones o la andadura a menudo discursiva. En empresas de este tipo se puede ser obstaculizado incluso para siempre por la siempre loable voluntad de hacerlo mejor; de aquí la necesidad de cerrar el texto y saberse imponer cortes y exclusiones.

Existen, naturalmente, otros diccionarios de terminología lingüística, traducidos al italiano y editados por autores competentes, pero de un diccionario a otro el espacio lexicográfico cubierto nunca es exactamente el mismo; varían los criterios, los textos de referencia, las tendencias de los autores, el límite mismo dentro del que la obra ha sido compuesta; un diccionario nacido en ambiente francófono o anglófono no puede ser simplemente parafraseado en otra lengua porque, aparte de las inevitables adaptaciones de detalle, cambia el peso que tienen las diversas áreas dentro de una tradición de estudio; piénsese en la difusión que tienen hoy la gramática generativa, la sociolingüística o el análisis del discurso en los países de lengua inglesa respecto al desarrollo del análisis del texto y de la teoría de la enunciación en Francia.

2. Alguna que otra cuestión teórica

Un diccionario, obra de metalenguaje, tendría que presuponer una única teoría subyacente de referencia, a la cual remitir coherente y homogéneamente las diferentes definiciones. Es lo que ocurre con una obra coherente como el diccionario de semiótica de Greimas y Courtés (1979), que es, al mismo tiempo, un solvente programa teórico. Pero en el caso de este *DL* obtener una coherencia rigurosa resultaría imposible; precisamente para ser útil, el diccionario debe recoger términos de las más diversas procedencias, escuelas y metodologías. No es difícil observar que muchos términos y nociones se encuentran en esferas sinónimas o reflejan simplemente modos apenas diversos para enfrentarse a un mismo problema; más genéricamente, las mismas premisas de las que derivan ciertas exposiciones terminológicas podrían no ser aceptadas; pero cada intervención en este sentido supondría una actitud valorativa o selectiva que resultaría impropia en una obra pensada para una inmediata consulta. En la inevitable personalización que cada selección comporta, el autor deja para sí un margen muy reducido. En los mismos criterios se ha inspirado la elección de las voces: entre una quizá imposible homogeneidad y rigor del metalenguaje, a costa de una cierta rigidez, y un desarrollo más legible y discursivo, lo que puede suponer alguna que otra variación, se ha preferido la segunda orientación.

Una cuestión no secundaria en un diccionario como éste es que, a pesar de partir de los términos, como en cada vocabulario de una lengua determinada, después se deben explicar de algún modo conceptos y, haciendo esto, necesariamente nos tenemos que mover transversalmente a través de más de una lengua (griego, latín, alemán, francés, inglés, ruso y, ocasionalmente, alguna otra) ya que muy raramente el concepto es originario de nuestra tradición. La crítica más evidente que se podría hacer es decir que si se explica la evolución, por ejemplo, de *fono* no se tendría que hablar de *phone*; pero la de las terminologías científicas es, en buena parte, una única historia, y las diferencias entre lengua y lengua son a menudo del mismo orden de las que existen entre autor y autor dentro de una misma tradición; es como si nos encontráramos delante de un mismo concepto con más de un significante (*phonème* y *fonema*); esta característica, que parece contradecir el principio de la precisación de los contenidos por parte de cada lengua, es propia de las terminologías científicas que poseen un autonomía respecto al resto de la lengua, gracias, entre otras cosas, a la común base grecolatina, y que pueden resultar intercambiables de lengua a lengua.

3. Estructura del *DL*

Por lo tanto, resultará oportuno decir con claridad lo que no se encontrará en este diccionario.

El archivo se basa en un apoyo sistemático en un conjunto de textos de diversos títulos representativos de áreas y escuelas o particularmente ricos desde un punto de vista terminológico, y en un conjunto de diccionarios especializados; lo cual ha sido después completado, además de con expolios no sistemáticos de monografías y revistas, con el recurso a lo que un generativista llamaría la competencia nativa del propio autor del *DL* que, en cierto sentido es, y tiene que serlo, un hablante (casi) nativo del idiolecto o tecnolecto representado.

La finalidad es, por lo tanto, exclusivamente terminológica; se trata de un diccionario de un tecnolecto particular, y no de una enciclopedia de argumentos lingüísticos; no se encontrarán nombres propios ni adjetivos derivados de nombres propios (*bloomfieldiano, saussuriano*), ni nombres de lenguas y pueblos con sus derivados (*iberismo, lusismo*); no se trata más o menos extensamente cada uno de los conceptos, sino que se trata el término en sus diferentes acepciones.

Se han recogido términos de uso relativamente general, es decir, no específicos de la tradición gramatical de una lengua en particular (por ejemplo, *plural fracto, forma cóncaba, raíz trilittera*, propios de las lenguas semíticas), así como no se han acogido los términos característicos de un solo autor y no aceptados nunca por otros; criterio que reduce considerablemente la contribución terminológica de Hjelmslev (con más de un centenar de términos nuevos), de Tesnière o del mismo Benveniste. De la gramática generativa transformacional (que por sí sola ofrece material para un léxico especializado de casi 1.600 términos como el de Palmatier) se registran sólo los términos más importantes, y, sea como sea, ninguno de los que se refieren sólo a la gramática del inglés.

No han sido considerados los términos del lenguaje corriente de las ciencias humanas, a pesar de estar dotados de una tradición particular en lingüística (por ejemplo, *criterio, explicativo, explícito, hipótesis*).

De la terminología tradicional de la métrica y de la escritura se han recogido sólo aquellos términos que poseen una relevancia para la producción lingüística en general y no aquellos que se pueden encontrar sólo en contextos especializados; análogamente, se ha elegido un pequeño número de voces del extensísimo vocabulario de la retórica clásica.

De los términos relativos a la fonética articulatoria no se han archivado los que más estrechamente se refieren al aspecto anatómico de la producción de la palabra (*glotis, faringe*, etc.), pero luego son recuperados en las voces dedicadas a sus derivados (*glotal, faríngeo*, etc.), ni los relativos a la fonética instrumental (*sonagrama*, etc.).

4. Corpus de textos

El conjunto de textos que se ha tenido presente quiere responder, sobre todo, a criterios de representatividad; comprende clásicos de la lingüística (como Saussure o Bloomfield), textos más recientes que se han convertido en un reconocido punto de referencia (como Bach y Harms) y, finalmente, manuales con un buen nivel; por desgracia, resulta raro que se conciban obras de este tipo directamente en italiano (y la *Introduzione alla fonetica* de L. Canepari es la excepción); se han elegido, de todas maneras, obras de las que existe una traducción italiana atendible, no teniendo en cuenta las traducciones que calcan demasiado claramente el original.

Teniendo que ejemplificar una lengua especial, en muchos casos se han añadido a la forma de diccionario de un término breves contextos de uso que precisan mejor su valor.

OBRAS GENERALES, MANUALES, ESTUDIOS PARTICULARES

Austin, J. L. (1911-1960), *How to do things with words*, Oxford University Press, Oxford, 1962. Trad. it. *Quando dire è fare*, Marietti, 1974. (Trad. esp. *Acciones y palabras*, Madrid, 1971.)

Bach, E., y Harms, R. T. (ed.), *Universals in linguistic theory*, Holt, Rinehart & Winston, Nueva York, 1968. Trad. it. *Gli universali nella teoria linguistica*, ed. de G. R. Cardona, Boringhieri, Turín, 1978.

Bally, Ch. (1865-1947), *Linguistique générale et linguistique française*, Berna, 1944². Trad. it. *Linguistica generale e linguistica francese*, ed. de C. Segre, trad. de G. Caravaggi, Il Saggiatore, Milán, 1963.

Bartoli, M., *Introduzione alla neolinguistica*, Ginebra, 1925.

Baudouin de Courtenay, J. (1845-1929), Di Salvo (1975).

Beaugrande, R. de, y Dressler, W. U., *Einfürung in die Texlinguistik*, Tübingen, 1981. Trad. it. *Introduzione alla linguistica testuale*, Il Mulino, Bolonia, 1984.

Benveniste, E. (1902-1976), *Problèmes de linguistique générale* (I), Gallimard, París, 1966. Trad. it. *Problemi di linguistica generale*, trad. de M. V. Giuliani, Il Saggiatore, Milán, 1971. (Trad. esp. *Problemas de lingüística general*, México, 1971.)

—, *Problèmes de linguistique générale*, II, Gallimard, París, 1974.

Berruto, G., *La sociolinguistica*, Zanichelli, Bolonia, 1974.

—, *La semantica*, Zanichelli, Bolonia, s.d.

Bertinetto, P. M., *Tempo, aspetto e azione nel verbo italiano. Il sistema dell'indicativo*, Accademia della Crusca, Florencia, 1986.

Bloomfield, L. (1887-1949), *A set of postulates for the science of language*, «lg», 2 (1926), pp. 153-164. Trad. (it.) de G. C. Lepschy en Bolelli (1965: 486-505).

—, *Language*, Holt, Rinehart & Winston, Nueva York, 1933. Trad. it. *Il linguaggio*, trad. de F. Antinucci y G. R. Cardona, Il Saggiatore, Milán, 1974. (Trad. esp. *El lenguaje*, Lima, 1964.)

Boas, F. (1858-1942), *Introduction*, en *Handbook of American Indian languages*, Smithsonian, Washington D. C., 1911. Trad. it. *Introduzione alle lingue indiane d'America*, ed. de G. R. Cardona, Boringhieri, Turín, 1979.

Bolelli, T. (ed.), *Per una storia della ricerca linguistica*, Morano, Nápoles, 1965.

— (ed.), *Linguistica generale, strutturalismo, linguistica storica. Testi, note introduttive, indici*, Nistri Lischi, Pisa, 1971.

Brøndal, V. (1887-1942), *Praepositionernes theori*, Munksgaard, Copenhague, 1940. Trad. fr. *Théorie des prépositions*, trad. de P. Naert, Munksgaard, Copenhague, 1950. Trad. it. *Teoria delle preposizioni*, Silva, Milán, 1967.

—, Larsen (1987).

Bühler, K. (1879-1963), *Sprachtheorie*, Gustav Ficher, 1934, 1965². Trad. it. *Teoria del linguaggio. La funzione rappresentativa del linguaggio*, trad. y present. de S. Cattaruzza Derossi, Armando, Roma, 1983. (Trad. esp. *Teoría del lenguaje*, 1967.)

Campanille, E.; De Felice, E.; Gusmani, R.; Lazzeroni, R., y Silvestri, D., *Linguistica storica*, ed. R. Lazzeroni, NIS, Florencia, 1987.

Canello, V. A. (1848-1883), Daniele y Renzi (1987).

Canepari, L., *Introduzione alla fonetica*, Einaudi, Turín, 1979.

—, *Phonetic notation. La notazione fonetica*, Cafoscarina, Venecia, 1983.

Cardona, G. R., *Introduzione alla sociolinguistica*, Loescher, Turín, 1987.

Chomsky, N. A., *Sintactic structures*, Mouton, La Haya, 1957. Trad. it. *Le strutture della sintassi*, ed. de F. Antinucci, Laterza, Bari, 1970. (Trad. esp. *Las estructuras sintácticas*, Siglo XXI, México, 1974.)

—, *Aspects of the theory of sintax*, 1975. Trad. it. *Aspetti della teoria della sintassi*, en N. C. *Saggi linguistici*, ed. de A. De Palma, II, Boringhieri, Turín, 1970, pp. 41-258. (Trad. esp. *Aspectos de la teoría de la sintaxis*, Aguilar, Madrid, 1970.)

Cinque, G. (ed.), *La semantica generativa*, Boringhieri, Turín, 1979.

Coseriu, E., *Teoria del linguaggio e linguistica generale. Sette studi*, intr. de R. Simone, trad. de R. Simone y L. Ferra degli Uberti, Laterza, Bari, 1971 (7 artículos que van desde 1952 a 1968).

—, *Lezioni di linguistica generale*, Boringhieri, Turín, 1973.

Daniele, A., y Renzi, L. (ed.), *Ugo Angelo Canello e gli inizi della filologia romanza in Italia*, Olschki, Florencia, 1987.

Dardano, M., y Trifone, P., *La lingua italiana*, Zanichelli, Bolonia, 1985.

Devoto, G. (1897-1974), *I fondamenti della storia linguistica*, Florencia, 1951.

De Salvo, M., *Il pensiero linguistica de Jan Baudouin de Courtenay. Lingua nazionale e individuale, con une antologia di testi e un saggio inedito*, Marsillo, Venecia-Padua, 1975.

Durante, M., *La linguistica sincronica*, Boringhieri, Turín, 1979.

Firth, J. R. (1890-1960), *Papers in linguistic 1934-1951*, Oxford University Press, Londres, 1957.

Frei, F. (1899-1980), *La grammaire des fautes*, Droz, París-Ginebra, 1929.

—, *Qu'est-ce qu'un dictionnaire de phareses?*, «CFS», 1 (1941), pp. 43-56.

—, *Note sur l'analyse des syntagme*, «Word», 4 (1948), pp. 65-70.

—, *Zéero, vide et intermittent*, «Zeitschrift für Phonetik», 4 (1950), pp. 161-191.

Geckeler, H., *Struckturelle Semantik und Wortfeldtheorie*, Fink, Munich, 1971. Trad. it. *La semantica strutturale*, ed. de G. Klein, Boringhieri, Turín, 1979. (Trad. esp. *Semántica estructural y teoría del campo léxico*, 1976.)

Giglioli, R. P. (ed.), *Linguaggio e società*, Il Mulino, Bolonia, 1973.

Godel, R., *Les sources manuscrites du* Cours de linguistique générale *de F. de Saussure*, Droz, Ginebra-París, 1957 (pp. 252-281: *Lexique de la terminologie*).

Grammont, M., *Traité de phonétique*.

Greimas, A. J., *Sémantique structurale. Recherche de Méthode*, Larousse, París, 1966. Trad. it. *Semantica strutturale. Ricerca di metodo*, tr. de I. Sordi, Rizzoli, Milán 1969. (Trad. esp. *Semántica estructural*, 1973.)

Gusmaui, R., *Saggi sull'interferenza linguistica*, Le Lettere, Florencia, 1981, 2.ª ed. aument., ivi, 1986.

Halliday, M. A. K., *Sistema e funzione nel linguaggio*, ed. de R. Sornicola, Il Mulino, Bolonia, 1987.

Harris, Z. S., *Structural linguistics*, Chicago University Press, Chicago, 1960.

Hjelmslev, L. (1899-1965), *Omkring sprogteoriens grundlaeggelse*, Copenhague, 1943. Trad. ingl. *Prolegomena to a theory of language*, trad. de F. J. Whitfield, Bloomington, 1953. Trad. it. *I fondamenti della teoria dil linguaggio*, introducción y traducción de G. C. Lepschy, Einaudi, Turín, 1968 (pp. 139-150: *Definizioni*, con lemas en italiano, inglés y danés).

—, *Essais linguistiques*, Copenhague, 1959, reed. Minuit, París, 1971. Trad it. *Saggi linguistici*, ed. de M. Prampolini, Pratiche, Parma, 1981 (se han traducido siete ensayos sobre quince). (Trad. esp. *Ensayos lingüísticos*, México, 1972.)

—, Zinna (1986).

Hyman, L. M., *Phonology. Theory and analysis*, Holt, Rinehart & Winston, Nueva York, 1975. Trad. it. *Fonologia. Teoria e analisi*, ed. de G. R. Cardona, Il Mulino, Bolonia, 1981.

Jakobson, R. (1896-1982), *Saggi di linguistica generale*, ed. de L. Heilmann, trad. de L. Heilmann y L. Grassi, Feltrinelli, Milán, 1966.

Jespersen, O. (1860-1943), *Language, its nature, development and origin*, Allen & Unwin, Londres, 1922.

—, *Philosophy of grammar*, Allen & Unwin, Londres, 1924. (Trad. esp. *La filosofía de la gramática*, Anagrama, Barcelona, 1975.)

Larsen, S. E. (ed.), *Actualité de Brøndal*, «Langages» n. 86, junio 1987.

Lausberg, H., *Elemente der literarischen Rhetorik*, Max Hueber, Munich, 1949, 1967². Trad it. *Elementi di retorica*, ed. de L. Ritter Santini, Il Mulino, 1969. (En esp. se puede ver su *Manual de retórica literaria*, Gredos, Madrid, 1967, 2 vols.)

Lepschy, G. C., *La linguistica strutturale*, Einaudi, Turín, 1966. (Trad. esp. *La lingüística estructural*, Anagrama, Barcelona, 1971.)

Lucidi, M. (1913-1961), *Saggi linguistici*, ed. de W. Belardi, Istituto Universitario Orientale, Nápoles, 1966.

Lyons, J., *Introduction to theoretical linguistics*, Cambridge University Press, Londres, 1968. Trad. it. *Introduzione alla linguistica teorica*, trad. de E. Manucci y F. Antinucci, Laterza, Bari, 1971. (Trad. esp. *Introducción a la lingüística teórica*, Teide, Barcelona, 1971.)

Martinet, A., *Économie des changements phonétiques. Traité de phonologie diachronique*, Berna, 1949. Trad. it. *Economia dei mutamenti fonetici. Trattado di fonologia diacronica*, ed. de G. Caravaggi, Einaudi, Turín, 1969. (Trad. esp. *Economía de los cambios fonéticos*, Madrid, 1975.)

—, *Éléments de linguistique générale*, A. Colin, París, 1960. Trad. it. *Elementi di linguistica generale*, trad. de G. C. Lepschy, Laterza, Bari, 1967 (pp. 207-213: *Índice terminológico*, en italiano, francés, alemán y ruso). (Trad. esp. *Elementos de lingüística general*, Gredos, Madrid, 1965.)

Matthews, P. H., *Morphology*, Cambridge University Press, Londres, 1974. Trad. it. *Morfologia*, Il Mulino, Bolonia, 1979.

—, *Sintax*, Cambridge University Press, Londres, 1981. Trad. it. *Sintassi*, Il Mulino, Bolonia, 1981.

Migliorini, B., *Saggi linguistici*, Le Monnier, Florencia, 1957.

Morris, Ch. W. (1901), *Foundations of the theory of sings*. International Encyclopedia of Unified Science, Chicago, 1938. Trad. it. *Lineamenti di una teoria dei segni*, trad. de F. Rossi Landi, Paravia, Turín, 1963.

—, *Signs, language and behavior*, Nueva York, 1946. Trad. it. *Segni, linguaggio e comportamento*, trad. de S. Ceccato, Longanesi, Milán, 1963. (Trad. esp. *Signos, lenguajes y conducta*, Madrid, 1962.)

Ogden, C. K., y Richards, I. A., *The meaning of meaning. A study of the influence of language upon thought and of the science of symbolism*, Routledge & Kegan Paul, Londres, 1923. Trad. it. *Il significato del significato. Studio dell'influsso del linguaggio sul pensiero e della scienza del simbolismo*, trad. de L. Pavolini, Il Saggiatore, Milán, 1966. (Trad. esp. *El significado del significado*, Paidós, Buenos Aires, 1954.)

Peirce, Ch. S. (1839-1914), *Semiotica*, selección e introducción de M. A. Bonfantini, L. Grassi, R. Grazia, Einaudi, Turín, 1980.

Piro, S., *Il linguaggio schizofrenico*, Feltrinelli, Milán, 1967.

Prieto, L., *Principes de noologie*, Mouton, La Haya, 1964. Trad. it. *Principi di noologia. Fondamenti della teoria funzionale del significato*, trad. de L. Ferrara degli Uberti, Ubaldini, Roma, 1967.

—, *Messages et signaux*, Mouton, La Haya, 1964. Trad. it. *Lineamenti di semiologia. Messaggi e segnali*, trad de S. Faré y L. Ferrara degli Uberti, Bari, Laterza, 1971.

Rapallo, U., *Problemi di linguistica generale. Profilo critico-biografico*, Il Basilisco, Génova, 1984.

Radford, A., *Transformational syntax. A student's guide to Chomsky's extended standard theory*, Cambridge University Press, Cambridge, 1981. Trad. it. *La sintassi trasformazionale. Introduzione alla teoria standard stessa di Chomsky*, trad. de A. Varzi, Il Mulino, Bolonia, 1983.

Robins, R. H., *General linguistics. An introductory survey*, Longmans, Green & Co, Londres-Harlow, 1968[5]. Trad. it. *Manuale di linguistica generale*, trad. de R. Simone, Laterza, Bari, 1969. (Trad. esp. *Breve historia de la lingüística*, Paraninfo, Madrid, 1974.)

Rohlfs, G. (1892-1986), *Studi e ricerche su lingua e dialetti d'Italia*, Sansoni, Florencia, 1972.

Sapir, E., *Language. An introduction to the study of speech*, Nueva York, 1921. Trad. it. *Il linguaggio. Introduzione alla linguistica*, tr. de P. Valesio, Einaudi, Turín, 1969. (Trad. esp. *El lenguaje*, Fondo de Cultura Económica, México, 1954, varias reed.)

Saumjan, S. K., *Strukturnaja lingvistika*, Akademia Nauk SSSR, Moscú,

1965. Trad. it. *Linguistica dinamica*, trad. de E. Rigotti, Laterza, Bari, 1970.

Saussure, F. de (1857-1913), *Cours de linguistique générale*, publicado por Ch. Bally y A. Sechehaye, con la colaboración de A. Riedlinger, Payor, París. 1916. Trad. it. *Corso di linguistica generale*, intr., trad. y com. de T. De Mauro, Laterza, Bari, 1967 y reed. (Trad. esp. *Curso de lingüística general*, Losada, Buenos Aires, 1962, varias reed.)

Scalise, S., *Morfologia lessicale*, Clesp, Venecia, 1983.

Tagliavini, C. (1903-1982), *Introduzione alla glottologia*, I-II, Pátron, Bolonia, 1966[6].

Tesnière, L., *Éléments de syntaxe structurale*, Klincksieck, París, 1959 (pp. 665-670: *Petit lexique de syntaxe structurale*).

Trubetzkoy, N. S. (1890-1938), *Grundzüge der Phonologie*, 1939. Trad. it. *Fondamenti di fonologia*, ed. de G. Mazzuoli Porru, Einaudi, Turín, 1971. (Trad. esp. *Principios de fonología*, Cincel, Madrid, 1973.)

Ullmann, S., *Semantics. An introduction to the science of meaning*, Blackwell, Oxford, 1962. Trad. it. *La semantica. Introduzione alla scienza del significato*, trad. de A. Baccarani y L. Rosiello, Il Mulino, Bolonia, 1966, varias reed.

Wackernagel, J., *Vorlesungen Über Syntax mit besorderer Berücksichtugung von Griechisch, Lateinisch und Deutsch*, Birkhouser, Basilea, 1920 (1925[2])-1924.

Weinreich, U. (1926-1967), *Languages in contact*, Nueva York, 1953[2], Mouton, La Haya, 1963. Trad. it. *Lingue in contatto*, ed. de G. R. Cardona, Boringhieri, Turín, 1974.

Zinna, A. (ed.), *Louis Hjelmslev. Linguistica e semiotica strutturale*, «Versus» n. 43, enero-abril 1986.

DICCIONARIOS DE TERMINOLOGÍA

Se indican sólo los diccionarios que, en alguna medida, han sido utilizados o consultados:

Ascoli, G. I. (1829-1907), De Felice (1954).

Axmanova, O. S, *Slovar'linguisticeskix terminov*, Moscú, 1966, 606 pp. Cerca de 7.000 lemas seguidos por sus equivalentes en inglés, francés, alemán y español; en un apéndice un índice de términos ingleses (pp. 537-570) y un diccionario de los términos de la métrica y de la poética (pp. 573-605).

Belardi, W., y Minissi, N., *Dizionario di fonologia*, Ateneo, Roma, 1962. vii-136.

Coquet, J. C., y Derycke, M., *Le lexique de E. Benveniste*, Centro Internazionale di Semiotica e Linguistica, Urbino, 1971-1972, 2 fasc., 78 pp. (tiene en cuenta Benveniste 1966 pero no 1974, salvo por lo que respecta a tres artículos).

Crystal, D., *A dictionary of linguistics and phonetics*, 2.ª edición actualizada y aumentada, Blackwell, Oxford, 1985, xi-340 pp. (la primera edición, *A first dictionary...*, Deutsch, Londres, 1980, reim. pirata Wenhe, Taibei, 1981, x-390 pp., contiene 1.125 lemas).

De Felice, E., *La terminologia linguistica de G. I. Ascoli e della sua scuola*, Utrech-Amberes, 1954 (cerca de 700 lemas).

Dubois, J.; Giacomo, M.; Guespin, L.; Marcellesi, Ch. y J. B., y Méevel, J. P., *Dictionnaire de linguistique*, Larousse, París, 1972 (pero 1973), xi-516 pp. Trad. it. *Dizionario di linguistica*, ed. it. de I. Loi Corvetto y L. Rosiello, Zanichelli, Bolonia, 1979, 376 pp. (1.823 lemas).

Ducrot, O., y Todorov, T., *Dictionnaire encyclopédique des sciences du langage*, Seuil, París, 1972, 470 pp. Trad. it. *Dizionario enciclopedico delle scienze del linguaggio*, ed. de G. Caravaggi, trad. de U. Floris, G. Melis, C. Lecis y C. Gilbert, pref. de G. C. Lepschy, ISEDI, Milán, 1972 (cerca de 50 voces monográficas, se definen unos mil términos).

Engler, R., *Lexique de la terminologie saussurienne*, Utrech-Amberes, 1968, 57 pp. (620 lemas; de los 100 usados en el *Cours* se da el equivalente adoptado en las traducciones en alemán, inglés, italiano, español, ruso y polaco).

Greimas, A. J., y Courtés, J., *Sémiotique. Dictionnaire raisonné de la théorie du langage*, Hachette, París, 1979, vi-423 pp. Trad. it. *Semiotica. Dizionario ragionato della teoria del linguaggio*, ed. de P. Fabbri, con la colaboración de A. Fabbri, R. Giovannoli, I. Pezzini, La Casa Usher, Florencia, 1986.

—, *Sémiotique. Dictionnaire raisonné de la théorie du langage. 2. (Compléments, débats, propositions)*, Hachette, París, 1986, 270 pp.

Hamp, E. P., *A glossary of American technical linguistic usage 1925-1950*, Utrech-Amberes, 1957, 1966³, 69 pp.

Heupel, C., *Taschernwörterbuch der Linguistik*, List Verlag, Munich, 1973, 270 pp. (cerca de 1.200 términos).

Hoffmann, J. B., y Rubenbauer, H., *Wörterbuch der grammatischen und metrischen Terminologie*, Heidelberg, 1963² (muy conciso, para uso de estudiantes).

Knobloch, J., *Sprachwissenschaftliches Wörterbuch*, Heidelberg, 1961 (diccionario de gran extensión, con contribuciones de otros muchos estudiosos; cubre, sobre todo, la terminología en lengua alemana relativa a todos los campos de la lingüística, pero contiene también muchos lemas en otras lenguas; hasta 1986 han salido once fascículos, que integran el primer volumen, A-E).

Lázaro Carreter, F., *Diccionario de términos filológicos*, Biblioteca Románica Hispánica, Manuales III, Gredos, Madrid, 1953, varias reed. (más de 2.500 lemas con los equivalentes en alemán, francés e inglés).

Lewandowski, T., *Linguistisches Wörterbuch*, Quelle & Meyer, Heidelberg, 1973. Trad. esp. *Diccionario de lingüística*, Cátedra, Madrid, 1986, xiv-447 pp. (más de 1.000 lemas).

Marouzeau, J., *Lexique de la terminologie linguistique*, Geuthner, París, 1934[1], 1943[2], 1951[3], reim. 1961, xii-168 pp. (cerca de 1.300 lemas; al lema en francés le siguen los lemas en alemán, inglés e italiano; puede ser útil consultar la traducción rusa: Z. Maruzo, *Slovar'linguisticeskix terminov*, traducido del francés por N. D. Andreeva, bajo la supervisión de A. A. Reformatskogo, Moscú, 1960).

Martinet, A. (ed.) (con la colaboración de J. Martinet y H. Walter), *La linguistique. Guide alphabétique*, Denoël, París, 1969. Trad. it. *La linguistica. Guida alfabetica*, trad. de G. Bogliolo, Rizzoli, Milán, 1972 (51 voces monográficas con la explicación de cerca de 400 términos).

Mounin, G., y otros, *Dictionnaire de la linguistique*, París, xxxix-340 pp. (cerca de 1.300 lemas).

Pottier, B. (ed.), *Le langage*, CEPL, Denoël, París, 1973, 544 pp. (cerca de 450 lemas).

Rozental', D. E., y M. A. Telenkova, *Slovar'-spravocnik linguisticeskix terminov*, Provescenie, Moscú, 1985[3], 399 pp. (cerca de 2.000 términos).

Saussure, F. de, Engler, 1968.

Simone, R., *Piccolo dizionario della linguistica moderna*, Loescher, Turín, 1969, 42 pp. (19 voces monográficas donde son explicados cerca de 70 términos).

Váchek, J. (con la colaboración de J. Dubsky), *Dictionnaire de linguistique de l'École de Prague*, Utrech-Amberes, 1960, 104 pp.

Vermeer, H. J., *Einführung in die linguistische Terminologie*, Wissenschaftliche Buchgesellschaft, Darmstadt, 1971.

5. Estructura

Para permitir que el uso del *DL* sea lo más ágil y proficuo posible, se da la transcripción fonética de las voces de origen extranjero e indicaciones sobre la etimología (en la convicción de que este dato, lejos de ser una curiosidad superficial, pueda contribuir a fijar en la memoria y con exactitud la forma y el significado de los diferentes términos); dada su gran productividad, en la terminología lingüística se incluyen por sí solos prefijoides del tipo *hipo-*, *hiper-*, etc.

La equivalencia en otra lengua se da siempre que ésta explique el origen del término; en los otros casos se indica sólo cuando nos ha parecido un útil suplemento de información, aunque no de manera sistemática porque la construcción de un verdadero diccionario plurilingüe habría comportado dificultades desproporcionadas para nuestro fin. El *DL* ha sido pensado, de todas maneras, a partir de nuestra lengua, no quiere ser una acumulación de traducciones de términos de otras lenguas; en un diccionario inglés *high* tendrá dos acepciones, la de 'sonido vocálico' y la de 'nudo en un diagrama en árbol'; en italiano (y en español) esta doble acepción no tiene lugar, porque *alto* se aplica sólo para la vocal mientras que referido a un nudo se dirá que es superior o que precede. De todas maneras, se ha tenido presente una concepción bastante amplia de la labor del lingüista, que llevó a incluir términos para los que hasta ahora no se ha dado una traducción en italiano, pero que podrán ser de manera verosímil adoptados en un futuro.

REMISIONES INTERNAS

Un asterisco colocado delante de una palabra indica que ésta constituye un lema por sí misma (para simplificar, se ignoran las variaciones del singular al plural, del masculino al femenino, etc.). Para evitar la molestia de la referencia circular cada lema autónomo (es decir, no sinónimo de otro que ha sido ya explicado) intenta ser explicativo por sí mismo y, por lo tanto, definido aunque sea mínimamente; las remisiones a otras voces sirven sólo para establecer una red de referencias y conexiones que puede ser útil pero que no es obligatorio recorrer. Esta decisión aumenta, naturalmente, las dimensiones del texto, pero va a favor del lector.

Las parejas opositivas se señalan siempre de manera separada en los casos como *grave/agudo*; no en los casos en que un término es claramente la negación de otro fácilmente recuperable (por lo tanto *átono*, pero no *acontextual, indefinido*). El antónimo o lo contrario de un término, cuando no haya sido indicado en la definición, va precedido por el símbolo $\neq$.

SINONIMIA

El autor de un diccionario tiene que limitarse a recoger un estado de cosas determinado y no está obligado a dar juicios de tipo normativo o prescriptivo; los criterios seguidos para la compilación no permitían llevar a cabo la organización de un *corpus* homogéneo y coherente. Por lo que se puede encontrar más de un término para un mismo concepto o, al contrario, más de una acepción para un mismo término, según las escuelas o, sobre todo, según los autores o, incluso, según las adaptaciones. Sin embargo, una reproducción puramente neutra de cada término habría parecido una modo de abdicar a una de las funciones informativas de un diccionario; aunque sea sólo de forma atenuada, un cierto juicio de valor está implícito en la selección del lema que es tratado por extenso (y que, por lo tanto, ha sido considerado como preferible) al lado de las diversas variantes.

El lema sin explicación seguido por un signo que remite a otro significa, en cambio, que se trata de una variante terminológica respecto al término que se prefiere; incluso los calcos y las traducciones de otras lenguas son indicados con una escala de distinciones (traducción de, calco de, adaptación de o, simplemente, ingl. *x*). Las lenguas de origen son, sustancialmente, el inglés, el francés y el alemán, la primera en cantidad mucho mayor que las otras; por otra parte, las terminologías francesa y alemana se encuentran actualmente profundamente influidas por la terminología inglesa (piénsese en el alemán *Kompetenz* o *Performanz*); el relativo acercamiento de las palabras inglesas cultas y, por lo tanto, grecolatinas ha agilizado un gran número de adaptaciones desenvueltas pero erróneas y, como sucede a menudo, los términos menos apropiados se han ido consolidando en detrimento de aquellos más adecuados a la lengua o a las reglas de adaptación; cuando no sucede que incluso se llegue a arrojar la toalla dejando en el texto *focus, topic*, o, incluso, *item*.

Organización de los lemas

Al vocablo, en negrita, le siguen la etimología, la explicación y, eventualmente, una indicación de las fuentes. Las referencias históricas son dadas, sobre todo, cuando se trata de diferenciar acepciones diversas de un mismo término; tienen también la finalidad de rectificar implícitamente datos corrientes y erróneos, de restablecer prioridades, etc.

Las diferentes acepciones son señaladas siguiendo el siguiente orden: general, fonética y fonología, morfología y teorías específicas, y, dentro de la misma categoría, se ha seguido un orden cronológico. Las remisiones bibliográficas no están referidas sistemáticamente a las obras (aunque en la mayoría de los casos, dado el autor, es difícil no remitirse al pasaje preciso) sino a artículos individuales de interés terminológico.

Cuando un lema se prestaba a varias referencias, al estar compuesto por más de un elemento, la explicación se ha dado debajo del exponente que parecía «estratégicamente» más útil desde el punto de vista de quien consulta un diccionario: así encontraremos *lingüística contrastiva* s. v. *contrastivo*, pero *semántica generativa* s. v. *semántica*.

Abreviaturas

LENGUAS

alem.	=	alemán
ár.	=	árabe
chin.	=	chino
dan.	=	danés
esp.	=	español
fin.	=	finés
fr.	=	francés
gr.	=	griego
hol.	=	holandés
húng.	=	húngaro
ingl.	=	inglés
it.	=	italiano
jap.	=	japonés
lat.	=	latín
pers.	=	persa
pol.	=	polaco
port.	=	portugués
r.	=	ruso
rom.	=	romañés
rum.	=	rumano
sáns.	=	sánscrito
t.	=	turco

OTRAS

adj.	=	adjetivo
"CFS"	=	"Cahiers Ferdinand de Saussure"
cient.	=	científico
col.	=	coloquial
GT	=	generativa-transformacional
L_1, L_2	=	primera, segunda lengua
"Lg"	=	"Language"
lit.	=	literalmente
neol.	=	neologismo
part.	=	participio
plur.	=	plural
sing.	=	singular
sust.	=	sustantivo
trad.	=	traducción

SÍMBOLOS

*   después de una voz indica que ésta aparece también como lema en el diccionario.

*   delante de una forma significa que la forma no se encuentra documentada sino que ha sido reconstruida.

⇒   "lo mismo que".

≠   señala la voz complementaria o antónima.

→   remite a otro lema del diccionario.

/ /   encuadran una transcripción fonológica.

[ ]   delimitan una transcripción fonética.

" "   encuadran una frase que interesa más por su contenido proposicional que por la forma de las unidades que la componen.

< >   delimitan unidades del plano gráfico.

A ~ B   señala la relación de oposición entre A y B.

A > B   señala la derivación, sincrónica o diacrónica de B con respecto a A. Las palabras y las frases en *cursiva* son citadas también o sólo por su forma.

A

a- Prefijo negativo, como en *acontextual* 'no dependiente del contexto', *aproqueila 'articulación no redondeada'*, etc.

abesivo (neol. del lat. *abesse* 'estar lejos') Caso que indica carencia, privación: fin. *maksitta* 'gratis' de *maksu* 'pago'; en ciertas tradiciones gramaticales es denominado también caritivo*.

abierto/cerrado *a*) En fonética, aplicado al vocoide, lo mismo que *bajo/alto*.

b) Es abierta la sílaba compuesta de una consonante y una vocal, CV, es cerrada la sílaba en la que la vocal va seguida por una consonante, CVC.

c) Clase a. es, para los estudiosos del aprendizaje lingüístico infantil, una clase de palabras susceptibles de ampliación, distinta de la clase perno* que contiene las palabras funcionales.

ablativo (lat. *ablativus*, un derivado de *auferre* 'llevarse', de Quintiliano en adelante; precedentemente, *sextus casus*) Caso que indica generalmente procedencia: húng. *hajó-tól* 'de la embarcación'.

abreviatura Reducción de la forma gráfica o fónica de un significante. → *apócope, truncamiento; acrónimo, sigla.*

absolutivo *a*) Caso* del objeto en los verbos transitivos de las lenguas ergativas*.

b) o **"nominativus pendens"**: Una posible designación tradicional de un componente no ligado por referencias explícitas al resto de la frase (pero, en realidad, muy a menudo anticipado por motivos de enfoque): "la casa, quién quieres que piense en ello".

absoluto (lat. *absolutus* 'suelto, carente de enlaces') *a*) En varias lenguas indoeuropeas encontramos construcciones con un caso a., es decir, no ligado por nexos sintácticos al resto de la frase: el ablativo, el nominativo (*benedicens nos episcopus, profecti sumus, Peregrinatio Aetheriae* 16.7), otros casos y el infinitivo: gr. *hōs emoì dokeîn* 'según mi parecer'.

b) Superlativo a. o *elativo: "lo haré con muchísimo gusto", "mujer bellísima y amabilísima".*
C) Estado a. y *construido,* → *estado* b).
d) Universales aa. → *Universal.*

abstracción (lat. *abstractivo,* trad. del gr. *aphaíresis,* en Aristóteles 'quitar') En el análisis* lingüístico se da siempre un nivel abstracto, nivel en el que se colocan las unidades que después serán realizadas superficialmente por el hablante. En los últimos años, sobre todo, se ha discutido sobre dónde colocar el nivel abstracto; la fonología, por ejemplo, postula formas abstractas, y una corriente, la fonología generativa natural, intenta hipotizar formas menos abstractas y más cercanas a las efectivamente realizadas.

abstracto/concreto (lat. *abstractum,* → *abstracción*) Se habla comúnmente de léxico y nombres aa. o cc. dependiendo de que el referente sea una "cosa" (*azada, trigo*) o una "idea" (*belleza, idiotez*). En realidad, la distinción, a pesar de ser inmediatamente aferrable a grandes líneas, no puede ser relacionada con una diferencia efectiva: todos los signos son igualmente abstractos de la misma manera en que lo son nuestras representaciones del mundo, y no es correcto distinguir entre el mundo de los fenómenos y el de las cosas ya que incluso en la técnica de la cultura material, por ejemplo, existen un aspecto "abstracto", así como encontramos aspectos "concretos" hasta en los discursos más teóricos; quizá se pueda usar sólo como criterio el de la definición ostensiva: si puedo mostrarte un ejemplo de *x, x* es concreto, si no, es abstracto.

acción/estado Oposición homologable a la de continuo/discontinuo. En semiótica el discurso se concibe como una sucesión de estados y transformaciones (acciones); éstos son representados formalmente mediante enunciados elementales de estado y de transformaciones. → *actante.*

acentuable, unidad Para P. Garde, el lugar en el que puede recaer el acento.

acento (del lat. *accentus,* trad. del gr. *prosōidía,* porque, como dicen los gramáticos, 'se canta con las sílabas')
a) En el uso corriente, el conjunto de las características de pronunciación (no léxicas o sintácticas) de un hablante que hacen que se lo reconozca como extranjero, o perteneciente a otro grupo (el ingl. *accent* y el fr. *accent* pueden tener también esta acepción; cfr. esp. *deje,* port. *sotaque*): *hablar inglés con un fuerte a. italiano, un a. del norte, etc.*
b) En un continuo fónico, denominamos acentuados aquellos segmentos que emergen del contexto gracias a algún rasgo (duración, intensidad articulatoria o altitud melódica) y acento de palabras (ingl. *stress*) al que recae sobre ellos. Tradicionalmente, se distingue entre un a. dinámico o de intensidad (como el del <español o del >italiano), caracterizado sobre todo por un alargamiento*, y uno musical o tonal, relacionado más bien con una variación melódica (como el del

griego antiguo); en cuanto a la posición, el a. puede ser libre (como en <esp.>, donde puede recaer sobre cualquier sílaba de la palabra) o fijo, y recaer fundamentalmente sobre una misma sílaba de la palabra (la primera en checo, en finés y en húngaro, la última en francés y en turco o la penúltima en polaco): en estos casos el a. posee una función demarcativa* o delimitativa. En la palabra aislada, el a. es realizado más netamente, si la palabra tiene varias sílabas, puede darse un acento primario y más de un acento secundario (o ecos de acento). En el flujo del discurso, en cambio, los diversos acentos de las unidades acentuales se distribuyen en una jerarquía que es característica para cada una de las lenguas. Para Martinet, la función del a. es prevalentemente contrastiva: contribuye a determinar la unidad acentual en relación a las otras unidades del mismo tipo presentes en el mismo enunciado (Martinet 1966: 92), pero tal formulación es dudosa. En muchas lenguas, la posición del a. constituye un rasgo distintivo; por ejemplo, en italiano, donde encontramos oposiciones como la de 'ancora y an'cora. Además, es posible un a. de insistencia, o afectivo (Bally) como en fr. 'épouvantable, 'formidable.

acentual Cada una de las unidades menores delimitada por el acento* dentro de la cadena hablada, en cuyo interior tienen valor determinadas oposiciones y jerarquías prosódicas; en algunas lenguas puede coincidir con la palabra.

acentuativa Métrica a. es aquélla basada en la secuencia de largas y breves, como en griego, latín, somalí, y no en el número de las sílabas, como la métrica de las lenguas románicas.

accesibilidad ⇒ *disponibilidad.*

aceptabilidad Concepto introducido por la GT en el ámbito de la reflexión sobre estructuras gramaticales permitidas y posibles o permitidas pero no posibles, o no permitidas en absoluto en una determinada lengua; la a. valora el grado en que un preciso enunciado es reconocido como posible en una lengua dada por un hablante nativo de esa lengua. Naturalmente, entre los dos extremos de la completa o carente a. existe una serie de gradaciones, con fuertes variaciones tanto para el mismo hablante como entre un hablante y otro. Acuñado para dar cuenta exclusivamente de hechos morfosintácticos, el concepto se ha ido ampliando hasta llegar a comprender la más vasta gama de las variaciones estilísticas (orden y elección de las palabras, interrupción de la información, construcción textual, etc.).

acepción (del lat. *acceptio*) En el uso corriente, cada uno de los sentidos de una palabra polisémica: *uso de "transfert" en la a. psicoanalítica del término.*

aclimatamiento Proceso de asimilación (con aumento de frecuencia de uso, etc.) de un préstamo sin que se llegue, sin embargo, a una completa integración gráfica y fonética (→*integrado* b)); *"week-end" es <en it.> un préstamo aclimatado.*

acomodamiento Noción genérica o, de todas maneras, relativa; en el análisis del discurso se hablará de a. si el enunciado tiene presente adecuadamente la situación de enunciación, de los interlocutores, o si se ha formulado de modo adecuado a los fines que el hablante se ha prefijado; en este sentido puede ser un sinónimo de *adecuación*.

acompañativo o **asociativo** Caso* que expresa el significado de 'en compañía de': húng. *feleségestúl* 'con la mujer'; cfr. *cum* y el ablativo en latín (*cum fratre* 'con el hermano') o el instrumental con nombres animados en ruso (*Ivanom* 'con Iván').

acro- Prefijoide* del gr. *ákros* 'el más alto', que atribuye a la palabra compuesta el valor de 'el primero, el más alto en una jerarquía o secuencia'.

acrofónico, principio (de *acro-* y *-fónico**) o **acrofonía** (*acrofonía*) Muchos sistemas de escritura se basan en mayor o menor medida en las posibilidades de establecer una conexión entre tres planos distintos de por sí: el de las representaciones gráficas, el de las unidades de lengua y el de las cosas pensadas; la representación de una cosa es utilizada para simbolizar gráficamente el sonido inicial de la palabra que designa esa cosa. En los alfabetos semíticos más antiguos la representación de una casa, en semítico occidental* /bajt/, es el símbolo para el primer sonido de esta palabra /b/, y, por lo tanto, de la letra <b>, etc.; en su abecedario el niño encuentra el dibujo de un árbol para que aprenda la letra A, de un <barco> para la letra B, etc.

acrolecto (de *acro-* y *lecto**) La modalidad lingüística más elevada en un continuo*.

acronía (neol. de *a-* privativo y el gr. *krrónos* 'tiempo') ⇒ *pancronía*.

acrónimo (de *acro-* y *-nimo**) Una sigla* compuesta, según un procedimiento cada vez de mayor frecuencia, a partir de las iniciales de sus componentes: *LASER* por *Ligt Amplificaction by Stimulated Emission of Radiation*, *URSS* por *Unión de Repúblicas Socialistas Soviéticas*, etc.

acróstico (gr. *akròstikhon* o *akrostikhís*, de *ákros* y *stíkhos* 'hacia') Acrónimo* que se obtiene uniendo en orden las letras iniciales de los versos de una composición.

actante (fr. *actant*) Término de L. Tesnière (1959: 102) para referirse, originariamente, a los sustantivos y a sus equivalentes; retomado luego por A. J. Greimas para indicar el ente que participa en el proceso expresado por el verbo, como si fuese el personaje de la acción; los aa. son objeto, sujeto, destinador, destinatario, oponente, coadyuvante; sus relaciones forman un modelo actancial (fr. *actantiel*). El a. es una unidad sintáctica no dotada aún de una cobertura semántica-léxica (como animado/inanimado) o sintagmática (como Sintagma Nominal o Sintagma Verbal); se trata del término conjeturado o de la variable de una relación, la de predicado-a., que en su conjunto constituye el enunciado elemental*. Se distinguen dos categorías: aa. de la comunicación o de la enunciación (narrador/narratario, interlocutor/interlocutario) y aa. de la narración (sujeto/objeto; destinador/destinatario). Además, como consecuencia de la distinción entre enunciados elementales de estado y de transformación (→ *acción/estado*), se puede distinguir entre sujetos de estado y sujetos de transformación.

activo (lat. *activum genus*, trad. del gr. *energétikon génos*) En la gramática tradicional, una frase o forma verbal se considera a. si su sujeto gramatical es además el sujeto semántico, es decir, "actúa"; se opone a la forma pasiva y, en determinadas lenguas, a la forma media (griego antiguo).

acto lingüístico (alem. *Sprechakt*, ingl. *speech act*) Para J. L. Austin es una unidad discreta del discurso, delimitada no por los hechos lingüísticos superficiales sino por una unidad de voluntad expresiva. El hablante al expresarse lleva a cabo actos de voluntad, pretende convencer, preguntar, etc. En una primera clasificación Austin distinguía entre aa. representativos (para convencer), directivos (para ordenar), encomendativos (con los que el hablante se empeña a hacer algo), expresivos (que indican una actitud psíquica del hablante) y declarativos; quizá sea más útil la posterior clasificación en locutivos, ilocutivos y perlocutivos.

actor/acción/paciente (ingl. *actor/action/goad*) Esquema que reúne las principales funciones semánticas presentes en una frase.

actuación (fr. *exécution*) Término de Saussure, más tarde adoptado como equivalente del ingl. *performance*, para indicar la realización concreta, por ejemplo fonatoria, de un signo en la "parole". La a. no es "nunca realizada por la masa" sino que "es siempre individual" (Saussure 1968: 30).

actualización Para Bally, proceso por el cual la 'langue' se actualiza convirtiéndose en "parole"; la a. utiliza los actualizadores (elementos gramaticales, desinencias, etc.) "para conectar las nociones virtuales a los objetos y a los procesos que les corresponde en la realidad, para transformar lo virtual en actual" (§ 119).

acumulación *a)* Morfológicamente podemos tener a. de sufijos (*chiquirritín*), de negaciones* (esp. *No lo he visto nunca*, fr. *on ne le voit nulle part* 'no se lo ve por ninguna parte') o de partículas.

b) Estilísticamente, según el sentido del lat. *accumulatio*, gr. *athroismós*, el uso de más de una forma de una misma clase en una misma frase, eventualmente con un incremento de intensidad (*gradatio*); ¡*ve, corre, vuela!*

acusativo (lat. *adcusativus*, trad. del gr. *aitiatiké*, como si fuese 'acusatorio' y no 'explicativo') Caso* que asume un nombre o un pronombre cuando es el objeto de un verbo: *carpe diem* 'coge el día' (no *dies*, que sería el nominativo), *gutta cavat lapidem*.

acústica, fonética → *fonética.*

acústicos, correlatos Las características fónicas inherentes a un determinado rasgo fonológico; por ejemplo, los cc. aa. del acento pueden ser el volumen, la altura musical, la fuerza espiratoria, etc.

adecuación *a*) Tipo de asimilación* (en su acepción *b*) en la que el préstamo vuelve a ser interpretado según las reglas de la lengua receptora.

b) (ingl. *adequacy*) Uno de los requisitos de una teoría gramatical referido a la capacidad de explicar por sí misma los datos empíricamente observables; la noción es introducida probablemente por Hjelmslev (1943) y es corriente en los trabajos de gramática GT; la a. puede ser descriptiva si da cuenta sólo de los datos observables, explicativa si explica suficientemente estos datos, etc.

adesivo (neol. del lat. *adesse* 'estar presente') Caso* espacial que indica que expresa 'proximidad a un determinado punto'; húng. *hajó-nál* 'cerca de la embarcación'. Puede tener, asimismo, un valor temporal.

adjetivo (lat. *adiectivum nomen*, trad. del gr. *epítheton* 'añadido') En algunas lenguas, una clase de formas que modifica la clase de los nombres, distinta de sus propiedades y que es variable como el nombre si bien puede tener sus paradigmas (para la doble declinación *atributivo** y *predicativo**). La del a. no puede ser considerada una categoría universal, ya que en muchas lenguas figuras de signifi-

cado como las expresadas por nuestros aa. son expresadas en cambio con un verbo o una forma verbal, como si dijésemos 'rojea' en lugar de 'es rojo'. Según una posible clasificación < en esp. > podemos distinguir entre adjetivos

calificativos
• calificativos con sentido pleno, como *bello, feo*, que pueden ser graduables: *más, menos, igualmente bello, feo.*
• de relación, que derivan de un nombre como *anual, dentista.*
determinativos
• posesivos.
• interrogativos y exclamativos.
• indefinidos.
• numerales ordinales.

adjunción En gramática GT, operación sintáctica (ingl. *adjuntion*) en la que dos elementos se enlazan de modo que se convierten en constituyentes hermanos de aquel nudo; por ejemplo, la a. de negación:

Un tipo particular es la a. chomskyana (*Chomsky-adjunction*)

adjunto (ingl. *adjunct*) El término inglés *adjunct* es usado genéricamente en Jespersen (1924: 97) para referirse a una palabra o grupo secundario en una construcción y, según esta acepción, es usado en algunas teorías gramaticales para indicar, por ejemplo, un adverbio en una construcción del tipo: *ayer vi a Juan*. Sin embargo, su primera definición lo consideraba una especie de "predicado degradado" (alem. *degradiertes Prädikat*), concepción que se acerca a la visión generativa.

adhortativo (lat. cient. *adhortativus*, de *adhortari* 'exhortar') Una forma verbal que posee un atenuado valor imperativo, por ejemplo, en formas aparentemente inclusivas *lons donc!*, ingl. *let us*, etc., que, en realidad, se dirigen sólo al destinatario y no pretenden incluir al hablante, o formas en las que la consecuencia deseada es dada como algo ya ocurrido, como en ingl. *be gone!* '¡ve!', fr. *soiez armés* 'armadnos', alem. *bist du noch nicht weg?!*, '¿no te has ido aún?', etc.

adlativo (neol., del lat. *adlatum* de *adferre* 'llevar') Caso* espacial que expresa el significado de 'hacia, en dirección de': húng. *hajó-hoz* '(ir) hacia la embarcación'.

"ad sensum" (lat., 'según el sentido') → *concordancia*.

adnominal Dícese del elemento que modifica a un nombre en un sintagma nominal: *el gato negro, el gato con la cola negra*.

adquisición Proceso de aprendizaje de una lengua, en general referido a la primera; en la gramática GT se denomina dispositivo de a. lingüística (*language acquisition device, DAL*) al modelo de aprendizaje del niño.

adstrato Término introducido por M. J. Valkhoff en 1932 → *sustrato*.

"adúnaton" (gr. *adúnaton* 'imposible') Figura* que consiste en evocar un evento netamente imposible.

adverbial *a*) En general, categoría sintáctica que modifica el predicado.
b) Caso* en algunas lenguas: georgiano *p'rop'esorad* 'como profesor'.

adverbio (lat. *adverbium*, trad. del gr. *epirrhêma*) Clase de formas (eventualmente caracterizadas formalmente: < esp. > —*mente*, ingl. —*ly*, etc.) que modifica el modo y el tiempo del verbo; formalmente puede coincidir con una preposición: *desde*; no es declinable pero puede admitir una gradación: *cito, citus, citissime*. Locuciones adverbiales: < *con mucho,* > *alla buona, sans façon*, etc.

adversativa Partícula como en < esp. *aunque,* > it. *ma, però*, fr. *toutefois*, ingl. *nevertheless*.

adversivo Caso* espacial, que encontramos, por ejemplo, en algunas lenguas caucasianas, que indica 'dirección hacia una persona o cosa'.

afasia (gr. *aphasía* 'el no poder hablar') Condición patológica que consiste en la incapacidad de recibir o emitir mensajes lingüísticos; se indica habitualmente con el nombre de su descriptor: a. de Wernicke, o sensorial, de Broca o a. verdadera, de Déjerine, o a. pura. R. Jakobson, partiendo de los dos aspectos fundamentales del uso del signo* lingüístico, la combinación y la selección, distingue dos tipos: la a. de similariedad, que se refiere a la selección de los términos (permaneciendo intacta la capacidad de combinar los signos y, por lo tanto, la estructura del discurso), y la a. de contigüidad, en la que la selección es normal pero viene perturbada la combinación (el discurso se convierte en un simple conjunto de palabras porque se ven ofuscadas las relaciones sintácticas y las conexiones); cfr. Jakobson 1966: 22-45.

afectivo En general, se llaman aa. todos los aspectos del uso lingüístico que comportan actitudes emotivas y subjetivas del hablante, en oposición, por lo tanto, a los aspectos estrechamente referenciales o cognoscitivos.

a) Acento a., lo mismo que acento enfático o emotivo, una puesta en relieve acentual que no coincide necesariamente con el acento morfológico: en francés, por ejemplo, en exclamaciones como *''extraordinaire!, ''sensationnel!, ''superbe!*, etc., existe también un acento a. en la primera sílaba.

b) Significado a. o emotivo, un significado connotativo*.

c) Adjetivos aa. son aquellos que al mismo tiempo enuncian una propiedad del objeto que determinan y una reacción emotiva del sujeto hablante frente a este objeto.

aféresis (gr. *aphaíresis* 'alejamiento') Caída de segmentos en la parte inicial de una palabra: *sto, sta*, por *isto, esto,* < *ora* por *ahora*>, etc., el adjetivo es *aferético.*

< AFI ⇌ API. >

afijación Proceso de derivación por medio de afijos.

afijo (part. pas. de *affíggere*) Formante, elemento morfológico que unido a una base o tema los determina con respecto a la clase formal y al significado; los aa. se dividen en general en *prefijos* (que preceden a la base), *sufijos* (que la siguen) e *infijos* (que aparecen en su interior). En cuanto al significado, → *aumentativo, diminutivo, peyorativo.//*

afinidad Semejanza de un cierto número de rasgos entre lenguas que no se encuentren emparentadas genéticamente (→ *parentesco lingüístico*). Se llama a. elemental (fr. *affinité élementaire*, alem. *Elementarverwandschaft*) a la semejanza de rasgos que son considerados tan básicos en las lenguas humanas que no pueden ser juzgados como elementos de prueba (por ejemplo el léxico infantil*, los llamados ''Lallwörter''). El concepto de a. elemental se une al de los ''Elementargedanken'' o 'conceptos elementares' señalados por A. Bastian (*Baiträge zur vergleichenden Psychologie*, 1868).

áfono (gr. *áphōnos* 'mudo, sin voz') Cualidad de voz en la que falta la sonoridad de las cuerdas vocales (la voz* en sentido técnico), por lo tanto, lo mismo que voz susurrada*.

africada (fr. *affriquée*, término introducido por Grammont) Articulación que reúne las características de las fricativas y de las oclusivas: los órganos se disponen en un primer momento como para la realización de una oclusiva (de aquí el nombre, ya caído en desuso, de *semioclusiva*, del fr. *miocclusive*), pero, en lugar de completar la articulación en el modo propio de ésta, pasan en la fase de relajación a una articulación fricativa. Tales articulaciones no son, por lo tanto, homogéneas fonéticamente y, sin embargo, fonemáticamente se deben interpretar, en la mayor parte de los casos, como fonemas únicos y no como la suma de dos fonemas distintos.

agente Nombre a., forma específica para designar al que cumple una determinada acción: en latín los nombres en *-or, -tor, -trix*, etc.

agentivo En la teoría de Ch. Fillmore, el caso característico del elemento percibido como provocante de la acción indicada por el verbo, habitualmente animado.

aglutinación *a*) Supresión del límite entre dos morfemas que da como resultado una forma nueva y única; por ejemplo la a. del artículo, como en fr. *lierre* de *l'*hierre 'hiedra'. ≠ *metanálisis*.

b) Como procedimiento morfológico, la anexión de los diferentes morfemas, en estrecha secuencia, a un morfema lexical. → *aglutinante, lengua*.

aglutinante, lengua (alem. *agglutinierender Sprachbau*) En la tipología lingüística* tradicional, lengua en la que los morfemas que indican las diferentes funciones sintácticas y gramaticales y las modulaciones semánticas se expresan por adición ordenada a un morfema portador del significado léxico de base: son de este tipo, por ejemplo, el húngaro o el turco.

agrafía En sentido genérico, perturbación que afecta a la capacidad de escribir.

ágrafo (neol. de *a*- y *-grafo*,siguiendo el modelo de *áfono*; en griego, de hecho, *ágraphos* quiere decir 'no escrito') *a*) Sujeto que sufre agrafía.

b) Sociedad o individuo que no conoce la escritura.

agramatismo Perturbación de tipo afásico que consiste en la dificultad o incapacidad para formar palabras o para disponerlas en el orden apropiado.

agudeza[1] Rasgo de estilo rebuscado, con efecto, combinación ingeniosa (como el fr. *pointe*); recurso particularmente frecuente en la poesía barroca española e italiana.

agudo *a*) Acento a., como traducción del gr. *oksús*, → *oxítono**.

b) Rasgo fonológico, opuesto a grave*.

aislado *a*) En la fonología de Trubetzkoy, una oposición se denomina a. si es la única en el sistema que utiliza un cierto rasgo.

---

1. En español en el original. *(N. de t.)*

b) *Lengua a.* En la clasificación de tipo genealógico una lengua se llama a. si no es posible relacionarla con ninguna familia conocida: por ejemplo, el etrusco, el vasco o el burušaski.

aislante, lengua (alem. *isolierender Sprachbau*) En la tipología lingüística* tradicional, un tipo lingüístico en el que cada palabra permanece morfológicamente invariable y las relaciones gramaticales se expresan por medio de un orden o con los correspondientes elementos independientes (por ejemplo, una noción como 'yo iba' podría expresarse con los elementos Pronombre + Verbo + Incumplido).

"Aktionsart" (alem., 'modo, carácter de la acción') Término introducido por G. Herbig en 1896 y que habitualmente se deja sin traducir (P. Bertinetto lo traduce con 'acción'); la A. podría ser considerada un equivalente del aspecto* del verbo, pero es preferible aceptar la distinción entre "Aktionsarten", que indican diferencias en la acción objetivamente diversas, y aspectos, que indican diferencias objetivamente iguales pero subjetivamente diversas. Las Aa. son expresadas con formas incluso léxicamente diversas mientras que el aspecto distingue entre formas léxicamente cercanas o con la misma raíz vistas desde dos direcciones distintas; por ejemplo, en ruso *idtí* y *xodít*, ambas 'andar', expresan dos Aa. diferentes, la primera determinada en la dirección y en el tiempo, la segunda no; en alemán *schweigen* 'callar' expresa una A. distinta de *verstummen* 'enmudecer'.

alargamiento Aumento de la duración de un elemento vocálico; en algunas lenguas indoeuropeas tenemos el llamado a. compensatorio (*Ersatzdehnung*) cuando, debido a la pérdida de una consonante a final de sílaba, se alarga la vocal precedente, como en latín *nidus*, de **nisdos*, o *-ōs*, desinencia del acusativo plural, de **-ŏns*. Un a. no morfológico es el enfático, como en ¡*baaaasta!*, *síííí*.

< **alativo** ⇒ *adlativo.* >

alcance (ingl. *scope*) En la gramática GT, el dominio de una regla.

alegoría (gr. *allēgoría*, lit. 'decir de otra manera') Figura* retórica basada en una inicial transmisión metafórica desde *a* (cosa significada) a *b* (símbolo alegórico); el objeto *b*, una vez transformado, adquiere un espacio autónomo, pero todas las acciones y características de *b* podrán ser leídas referidas también a *a*.

"alética", modalidad (fr. *modalité aléthique*, neol. del gr. *alēthḗs* 'verdadero') Un enunciado modal con predicado que indica 'deber' que rige un enunciado de estado; sus efectos son: el deber ser (indispensable), el deber no ser (irrealizable), el no deber no ser (realizable) y el no deber ser (fortuito).

alfa (del nombre de la letra griega *álpha*, usada en muchos tipos de notaciones lógicas, algebraicas, etc.) En gramática GT se habla de convención, notación a. (y, si es necesario, también de *beta, gamma*, etc.) para indicar que una variación de un valor determinado en la entrada de una regla generativa corresponde a una misma variación en la salida. Con movimiento a. se entiende, en cambio, una convención específica, "mueve a.", aquí a. se refiere a una categoría cualquiera.

alfabeto (lat. *alphabetum*, del gr. *alphábētos*, del nombre de las dos primeras letras, *álpha* y *bêta*) Nombre de la secuencia de símbolos gráficos, ordenados según un orden convencional, característicos de los sistemas de escritura occidentales y orientales derivados del sistema fenicio (griego, etrusco, latín, cirílico, etc.), en el que cada símbolo corresponde a un único segmento fonético, vocálico o consonántico (sólo ocasionalmente, como en el caso del a. griego, posee un nexo con más de un segmento). Por extensión, el término es aplicado muchas veces, de modo genérico, a sistemas de escrituras basados en otros principios. → *grafema, logograma, escritura, silabario.*

alfabeto fonético Un sistema de signos convencionales (casi siempre con base alfabética) modificado de modo que cada elemento gráfico se encuentre en relación biunívoca y constante con un determinado fono o con una clase de fonos; la utilidad de un a.f. es la de evitar las incongruencias y oscilaciones de las ortografías históricas de las diferentes lenguas: un mismo símbolo indicará siempre un mismo fono, que, a su vez, podrá ser señalado de maneras muy diversas, de lengua a lengua o dentro de la misma lengua.

alianza lingüística (alem. *Sprachbund*, fr. *alliance de langues*, ingl. *language alliance*, r. *jazykovyj sojuz*) Concepto propuesto por N. Trubetzkoy en el Primer Congreso Internacional de Lingüistas, de 1928 (cfr. *Actes du Premier Congrès international de linguistes à la Haye*, p. 18), para designar la unidad constituida por grupos de lenguas que, aunque no se encuentran emparentadas entre sí, tras una serie de contactos e influjos recíprocos presentan, en un determinado momento, notables semejanzas en la construcción morfológica y sintáctica y en el sistema fonológico además de una importante cantidad de léxico cultural común pero sin poseer correspondencias sistemáticas ni por lo que respecta a los sistemas fonológicos ni por lo que respecta a la forma fónica de los elementos morfológicos y no comparten ningún término del léxico con base común; sería el caso de las lenguas balcánicas. → *área lingüística, lingüística areal.*

alienable → *posesión alienable e inalienable.*

alimentante (ingl. *feeding*) Una regla fonológica A es denominada a. respecto a una regla B si, una vez aplicada, nos da el contexto en el que puede ser aplicada B; a. o adjuntivo puede ser denominado un orden de reglas. ≠ *depauperante.*

alineación En lingüística histórica, término genérico usado para indicar la regularización de un préstamo con respecto a los esquemas de la lengua receptora.

aliteración (lat. *alliteratio*, neol. del humanista G. Pontano, 1519, para indicar el término griego *homoiopróphoron* 'repetición del mismo sonido') Figura*, procedimiento estilístico, que consiste en repetir formas que empiezan con el mismo sonido: es un típico ejemplo el fragmento 71 de Ennio: "o Tite, tute, Tati, tibi tanta, tyranne, tulisti". El procedimiento es usado, sobre todo, en las literaturas orales, como por ejemplo en la antigua poesía germánica (alem. *Stabreim*) y en la somalí.//

alo- (gr. *állos* 'otro') Prefijoide* que lleva a la formación de nombres de unidad en el análisis lingüístico con el sentido de 'variante respecto a la unidad distintiva': *alófono, alógrafo, alomorfo.* ≠ *-ema.*

alocutario (fr. *allocutaire*, opuesto a *locuteur*, siguiendo el modelo de *destinataire*) El destinatario del acto alocutivo.

alocutividad El grado en el que nos dirigimos a un interlocutor en un texto. Una lengua como el vasco, por ejemplo, prevé que incluso una constatación como "El caballo es bonito" o "Yo estoy aquí" pueda ser transformada en modo alocutivo si va dirigida a un interlocutor: algo así como "Tú tienes aquí un caballo bonito", "Tú me tienes aquí"; nótese el tratamiento de cortesía en francés (*Vous avez ici la telle chose, Vous trouverez ci-joint, Veillez trouver*, etc.) y en español (*Aquí tiene usted*).

alocutor El que se dirige al alocutorio, el actante* del cual parte el acto alocutivo.

alocución (cfr. ingl. *address*, fr. *allocution*) El acto por el que interpelamos o nos dirigimos de modo directo al interlocutor. Se puede hablar de a. directa para distinguirla de la a. inversa (alem. *Anredewechsel*): en un área muy amplia que va desde Rumania hasta el África septentrional, *x* puede dirigirse al hijo o al nieto *y* con la forma que *y*, por el contrario, tendría que usar con *x* (cfr. L. Renzi, *"Mama, tata, nene" etc.: il sistema delle allocuzioni inverse in rumeno*, "Cultura neolatina", 28 [1968], pp. 89-99).

alófono (de *alo-** y *fono**) Cada una de las realizaciones concretas de un fonema. En inglés, son corrientes aa. del fonema /p/ —y no dos fonemas distintos— [p] no aspirado como en *sport* y [p'] aspirado como en *pin*; en it. son aa. de /k/ [k] de *cosa, casa, cubo*, articulado en un punto más retrasado del paladar y [k'] de *chino*, más avanzado; < en esp. son aa. de /b/ la [b] oclusiva de [bárko] y el a. aproximante [β] de [kúβa] > ; la diversa realización de un a. está condicionada en general por el sonido que lo sigue, como es particularmente claro en el ejemplo italiano, donde el a. más atrasado precede vocales posteriores y el más avanzado vocales anteriores. → *variante combinatoria.*

alógrafo *a)* Siguiendo el modelo de *alófono*, cada realización concreta de un determinado grafema.

b) Cada tipo gráfico incluido en una distribución complementaria; por ejemplo, en griego antiguo las dos formas del sigma, la final y la de las otras posiciones o en it. <j> que originariamente era el a. en posición final respecto a <i> que era el a. en cualquier otra posición; en la escritura tipográfica existen aa. combinatorios como <fi>, etc.

alograma (de *alo-* y *-grama**) Sinónimo menos usado que heterograma*.

alomorfo En la terminología americana distribucionalista se llaman aa. (ingl. *allomorphs*, en Nida y Hockett) o alternantes morfemáticos (ingl. *morpheme alternants* en Z. S. Harris) los morfemas que aparecen con el mismo significado en enunciados diversos y que se encuentran en distribución complementaria; por ejemplo, son alomorfos en italiano /amik-/ y /amitʃ-/ porque se hallan en distribución complementaria y poseen el mismo significado.

alótropo o **doblete** (gr. *allótropos* que poseía otro significado; el término moderno tendría que haber significado, 'de aspecto diverso') Término introducido por U. A. Canello (*Gli allotropi italiani*, 1878) para indicar, en analogía con la química, las formas que poseen un mismo origen pero presentan una diferencia formal y, ocasionalmente, de significado. Muestran sólo diferencia formal (y de connotación) los adj. <*plano* y *llano* u *ocular* y *ojo* (del lat. *oculus*) y en italiano *fragile* y *frale, giovane* y *giovine*>, así como *circolo* <'círculo'> y *cerchio* <'cír-

culo, cerco'>, que no son siempre intercambiables; presentan una diferenciación de significado en <español *cátedra* y *cadera* (gr. *kathédra*) o *colocar* y *colgar* (lat. *colocare*),> it. *plebe* y *pieve* (lat. *plebe(m)*), *vizio* y *vezzo* (lat. *vitiu(m)*), *spicchio* y *spigolo* (lat. *spiculu(m)*); fr. *poison* y *potion* (lat. *potione(m)*), *rançon* y *rédemption* (lat. *redemtione(m)*). Nótese la ligera diferencia en it. entre *(una machina) oliata* <'una máquina lubrificada'> y *(un foglio di carta) oleata* <'una hoja de papel satinado'>.

alteración *a*) Procedimiento morfológico que no modifica sustancialmente el significado de la base: aumentativo, diminutivo, repetitivo (*canturrear, taconear*).

b) *a. semántica* El proceso mediante el cual un signo modifica profundamente sus propias connotaciones e, incluso, denotaciones.

alternancia Como término técnico fue usado por Devoto en 1924 en sustitución del término de Ascoli *alternación* (De Felice 1954: 20). Genéricamente, cada permutación en la distribución de elementos en el ámbito de un sistema lingüístico, por ejemplo, la apofonía vocálica; el concepto se remonta a Baudouin de Courtenay, que usa *čeredovanie* en ruso (desde 1874) y *Alternant, Alternation* y *Nebeneinander* en alemán para señalar "un par de sonidos que, además de diferenciarse recíprocamente desde el punto de vista fonético, poseen el mismo origen histórico" (Di Salvo, 1975: 215). La a. puede ser combinatoria cuando viene determinada por el contexto y morfológica cuando viene determinada por un procedimiento morfológico (cfr. *metafonía*).

alto *a*) Un vocoide* se llamará a. si se articula con la lengua algo levantada en la cavidad oral: [i, u]. // *b*) A./ bajo, uno de los rasgos distintivos en la teoría de Chomsky y Halle.

altura (ingl. *pitch*) En fonética acústica, la variación de un sonido largo con respecto a la dimensión bajo/alto; la a., que se mide en mel, no se encuentra inmediatamente relacionada con las variaciones de frecuencia. Fonológicamente, las variaciones de a. se usan para obtener variaciones de tono y entonación.

alveolar Articulación en la que intervienen los alveolos: en italiano [l, n, r]; en esp. < [l] y [n] en *lana* [ɾ̄] y [r] en *raro,* > [s] < en casa y [t] >.

alveopalatal Articulación en la que la punta de la lengua entra en contacto con los alveolos pero más aplastada que en la alveolar simple: los fonemas iniciales de *scena, cena, giro* en italiano, [ʒ] del fr. *jour, garage*; para el API lo mismo que *prepalatal*.

alveoprepalatal Articulación en la que la punta y la corona de la lengua entran en contacto con el prepaladar, en posición más adelantada que en la alveopalatal*; por ejemplo la fricativa sorda que neutralia /s/ y /ʃ/ en la variedad de Emilia-Romaña.

"allegro, tempo" Un tiempo* de elocución particularmente veloz que lleva a reducciones de la forma fonológica de un signo; el término aparece por primera vez en K. Brugmann, *Grundriss der vergleichenden Grammatik*, Estrasburgo, 1987, I², p. 62, n. 1 (alem. *Allegro from*).

"alloglotto" (menos usado *alloglosso*, que es término de Ascoli, ambos de *allo-* y el gr. *glotta/glossa* 'lengua') → *enclave*.

amalgama Según Martinet, fenómeno mediante el cual la fusión de dos significados distintos se expresa no a través de dos significantes (como en it. /kapit-/ y /-o,- are/ etc.) sino a través de un solo significante: por ej., ingl. *cut* [kʌt] donde están presentes tanto el significado 'cortar' como el significado 'pasado', o el fr. *aux* [o] (de un antiguo *à les*), donde coexisten 'a' y 'le' (cfr. Martinet 1966: 102).

ambal Término de Trombetti (*Elementi di glottologia*, Zanichelli, Bolonia, 1923, p. 259) ⇒ *dual*.

ambígénero (término de Migliorini) o **ambígeno** (Tagliavini, como el fr. *ambigène*, rum. *ambigen*) En un sistema lingüístico en el que los nombres vienen marcados según el género masculino o femenino, es a. el nombre que cambia el género con el número: it. *la eco/gli echi*, < 'el eco, los ecos' > rum. *fluviu* 'río' (m.)/*fluvii* 'ríos' (f.), *cap* 'cabeza' (m.)/*capuri* 'cabezas' (f.), etc.

ambigüedad (lat. *ambiguitas*, trad. del gr. *amphipolía*, → *anfibología**) Posibilidad de más de una interpretación de un enunciado; podemos tener una a. superficial (<*El asesinato del ladrón conmovió a la opinión pública*>) y una a. profunda o estructural.

ambisilábico En fonética, sonido consonántico en posición intervocálica, que desde el punto de vista de la división silábica e incluso sin ser largo o geminado, se coloca en medio de dos sílabas: su implosión cierra la sílaba precedente y su explosión inicia la sílaba sucesiva: por ej., es a. la [t] del ingl. *hitting* [fiItIŋ].

ambivalente (alem. *Gegensim*, ár. *didd*, plur. *addad*) Signo que posee dos significados opuestos entre ellos: lat. *sacer* ('sagrado'/'execrando'); <esp. *huésped*,> it. *ospite* y fr. *hote* ('quien hospeda'/'quien es hospedado'), <esp. *alquilar*,> fr. *louer* ('ceder en alquiler'/'tomar en alquiler'). En realidad, aunque a menudo haya sido puesta de relieve por los gramáticos, la ambivalencia de este tipo es un falso problema; frecuentemente un signo es a. sólo si lo aislamos del contexto, mientras que colocado en éste no genera malos entendidos, o lo es sólo desde el punto de vista de su traducción a otra lengua, pero cubre completamente lo que vemos efectivamente como un concepto único (vender y comprar pueden ser vistos como un mismo 'participar en una operación económica', la relación entre quien hospeda y quien es hospedado es simétrica, etc.).

ampliación (cfr. alem. *Erweiterung*, fr. *élargissement*) → *formante* a).

amplificación (lat. *amplificatio*, gr. *aúksēsis*) Figura* retórica que consiste en el multiplicar los medios estilísticos para expresar un determinado nudo conceptual (clímax, sinonimia, etc.)

amplitud (ingl. *range*) En acústica indica la distancia máxima que alcanza la onda sinusoidal desde la posición cero o punto de reposo; corresponde a la intensidad, que se mide en dB.

anacoluto (del bajo lat. *anacoluthon* del gr. *anakólouthos* 'incongruente') Desviación del usual orden sintáctico.

anacrusis (gr. *anákrousis*, con el significado técnico de 'preludio, inicio') Adición de una sílaba átona al principio de un verso; se da frecuentemente en la tradición juglaresca italiana, en la que un octosílabo puede ser contado como eneasílabo.

anadiplosis (gr. *anadíplōsis*, traducido en latín por *reduplicatio*) Figura* retórica que consiste en repetir en una frase o el último elemento de la frase o el que le precede: *mi prese el sonno;/ il sonno che sovente sa le novelle* (Dante, *Purgatorio*, xxvii, 92).

anáfora (gr. *(ep)anaphorá* 'repetición', traducido en latín como *repetitio* o *iteratio*) Originariamente, repetición de un mismo término al inicio de varios miembros de un mismo período o de varios versos: *Canzoni, uccella con le bianche penne;/ canzone, caccia con li neri veltri* (Dante, *Rime*, civ, 101). En lingüística textual, a partir de Bloomfield (1933: 252, *anapho-ra*), procedimiento que nos remite, dentro de un mismo texto, a otro elemento que ya ha aparecido mediante un pronombre o una expresión estereotipada (*como hemos dicho, el arriba citado*, etc.); definida inicialmente como un procedimiento sobre todo retórico, la a. es, en realidad, uno de los más importantes elementos de cohesión de un texto. ≠ *catáfora*.

anafórico (gr. *anaphorikós*, referido a pronombre se halla ya en Apolonio Discolo; ingl. *anaphoric* en Bloomfield 1933: 249 y ss.) Procedimiento, elemento a.: por ejemplo, los demostrativos, los pronombres. ≠ *catafórico*.

anagógico (gr. *anagōgikós*, lit. 'que levanta') Término técnico de la hermenéutica bíblica y, después, de la filosofía tomista para referirse a un nivel superior en la interpretación de un texto (en Dante, precisamente, *sovrasenso*): por ejemplo, es a. la interpretación en sentido escatológico de una alegoría.

anagrama → *juego verbal*.

analfabético Que no hace uso de los sistemas de escritura o de transcripción fonética alfabéticos.

análisis (gr. *análusis*, lit. 'desligamiento') En general, operación —fundamental y preliminar para cualquier consideración del lenguaje— que lleva a descomponer un texto lingüístico en los elementos mínimos que lo constituyen (la imagen del "desligamiento", de la "separación" recurre

en el término sánscrito para 'gramática', que es *vyākaraṇa*). El a. presupone necesariamente la determinación del nivel en el que tiene que operar y ésta permanece como premisa de método irrenunciable, si bien hoy los niveles ya no se consideran rígidamente separados, como suponía la lingüística distributiva, sino, más bien, ligados a recíprocas interacciones. El nivel de operación es indicado por un adjetivo; a. fonológico, morfológico (en la terminología escolástica tradicional éste es el a. gramatical *tout court*), etc.

análisis componencial → *componencial, análisis*.

análisis distribucional (ingl. *distributional analysis*) Procedimiento de análisis propio de la lingüística americana después de Bloomfield (Harris, Hockett), que consiste en identificar las propiedades de ocurrencia de los elementos (superficiales) de un texto y en el asignar éstos a clases de formas, teniendo en cuenta sus comportamientos distribucionales. → *distribucional, distribucionalismo, distribución complementaria*.

análisis léxico Un análisis que, a partir de un texto determinado, extrae al menos una lista de vocablos, acompañados cada uno de ellos por un contexto que los presenta en sus varias acepciones, usos y funciones.

análisis lexicográfico En el ámbito del análisis léxico posee carácter documental, mirando a la constitución de un archivo o inventario de los elementos de un texto, o del léxico de un período o de un determinado texto o grupo de textos.

análisis lexicológico Análisis léxico con finalidades y métodos específicos como podrían ser, por ejemplo, los estadísticos.

análisislógico Tradicionalmente, descomposición de una frase en los elementos que la componen, según las relaciones lógicas (sujeto, predicado, complementos) y no las categorías gramaticales (nombre, verbo, etc.).

analítico *a*) Proceso a.; forma a. *muy bueno* en lugar de *buenísimo*, en it. *ho a fare* por *faró* < 'haré' > (variedad del italiano meridional).
   b) *lengua a.* (alem. *analytischer Sprachbau*) En la tipología lingüística* tradicional, lengua que expresa las diferentes relaciones sintácticas y gramaticales con elementos independientes y no con las modificaciones de las palabras. Tienen una tendencia de este tipo las lenguas románicas con respecto al latín, el inglés con respecto al alemán o el búlgaro con respecto al ruso. ≠ *flexiva, lengua*.

analizable Término genérico; según la GT, si una cadena responde a la descripción estructural de la regla transformacional resulta a. y la regla puede operar.

analogía (gr. *analogía*) Término de la gramática clásica para indicar la tendencia a regularizar o a uniformar los procesos lingüísticos según el modelo más frecuente: el plural del inglés *fox* 'zorra' era *vixen*, pero después por a. se ha convertido en *foxes*. ≠ *anomalía*.

anaptixis (gr. *anáptuksis* 'desarrollo') ⇒ *epéntesis*.

anástrofe (gr. *anastrophé* 'inversión') Inversión del orden sintáctico normal de elementos cercanos entre sí en una frase ⇒ *hipérbaton*.

ancha (transcripción) (ingl. *broad*) En los fonetistas ingleses, transcripción que resalta sólo los rasgos considerados como más sobresalientes, aunque sin coincidir necesariamente con una transcripción fonémica. ≠ *estrecha*.

ancipites (lat. *anceps*) Término introducido por los humanistas para indicar el gr. *adiáphoros* 'indiferente'; en métrica una vocal que puede ser larga o breve (indicada con ⊔).

anclaje (fr. *ancrage*) En el acto de la enunciación lo que se dice es anclado a la situación (al contexto, a los interlocutores, etc.) a través de determinados procesos textuales (los deícticos, el uso de los tiempos, etc.); esta operación se llama a. en la teoría de la enunciación.

anexión Relación de a. es la relación 'A de B' que puede expresarse de varias maneras; indicada casi siempre con el genitivo en la mayor parte de las lenguas indoeuropeas antiguas, posee sus morfemas específicos en persa medieval y moderno (pers. mod. *-e* en *pedar-e man* 'mi padre'); en persa moderno esta a. se conoce como *eẕāfè*, del ár. *idāfat*. Otros modos son los utilizados por las lenguas afroasiáticas (por ejemplo, el árabe, el bereber, el hausa).

anfibología (gr. *amphíbolos* 'ambiguo' y *-logia*, con haplología*) Enunciado formulado —voluntaria o involuntariamente— de manera que puede prestarse a varias interpretaciones incluso diametralmente opuestas entre ellas: *un día que nunca olvidaré, una de esas personas que se encuentran una sola vez en la vida.*

anfizona (neol. del gr. *amphí* 'de ambos lados' y *zona*) En una consideración por áreas de los hechos lingüísticos se habla de aa. para indicar áreas lingüísticas limítrofes, periféricas, con respecto al centro considerado y que, por lo tanto, sufren la influencia de éste o influyen sobre él.

animado/inanimado Esta oposición, de por sí extralingüística, puede ser asumida como posible sema* de orden general, ya que podría ser considerada pertinente por la lengua. En algunas lenguas existe una distinción morfológica si un nombre remite a un referente animado o inanimado: por ejemplo en inglés *he, she/it*, o, en italiano *anziano ~ antico ~ vecchio*; la oposición podría también incluir, aunque de modo menos marcado morfológicamente, una subcategorización* de las formas verbales. La distinción es difusa aunque no se advierta inmediatamente, y la podemos verificar con alguna prueba de conmutación: un objeto inanimado no puede *tumbarse* y *desquiciarse* (que son verbos reservados a los animados), como mucho *des-*

plomarse y *romperse*; el rodear algo con los brazos se utilizará de manera diversa si este algo es la cintura de una joven (que se *ciñe*) o el tronco de un árbol (que se *rodea* simplemente).

aniquilamiento En la terminología tradicional, proceso opuesto al de refuerzo*: una articulación doble o geminada puede resultar aniquilada, en sincronía o en diacronía: el romañés *guera* respecto al it. *guerra* demuestra la pronunciación aniquilada de una antigua geminada (cfr. germánico **werra*).

anomalía (gr. *anōmalía* 'irregularidad') En gramática clásica la tendencia a la innovación, a la separación. ≠ *analogía*.

anontivo (fr. *anontif* del gr. *an-* negativo, *ont-*, tema del verbo 'ser' en griego y el sufijo francés *-if* de *-ivus*) En la terminología de Tesnière la 3.ª persona o 'no persona'. → *antiontivo, autontivo.*

anorgánico o **parásito*** En lingüística histórica (a. es de Ascoli) se llama así al segmento fónico no justificado morfológicamente sino que ha sido insertado, por ejemplo, por motivos de eufonía: p. ej., *-s-* de *odalisca* respecto al t. *odalïk.*

antanaclasis (gr. *antanáklasis*) Figura* que consiste en la repetición de una misma palabra con significados diferentes.

ante- Prefijoide* (del lat. *ante* 'delante') que indica que el elemento al que se hace referencia en un compuesto es desplazado hacia adelante, hacia el primer lugar de una secuencia.

anteposición En la gramática GT llevar hacia adelante un elemento (dado que *preposición* se usa para otro fenómeno).

anterior *a)* Articulación originada en la parte delantera del paladar.

b) *a./posterior* (ingl. *from/back*). Según la teoría de Chomsky y Halle, rasgo fonológico basado en la utilización de la parte anterior o posterior del aparato de fonación, por ejemplo /i/ ~ /u/. Uno de los correlatos acústicos es la distancia entre F_1 y F_2, mayor para el rasgo [+ant].

c) En algunos sistemas verbales se puede llamar a. (como, por otra parte, lo hace la terminología tradicional para el futuro a.) a un tiempo morfológico compuesto que expresa una anterioridad respecto a la acción descrita por el tiempo simple correspondiente (el término *anteriorité* es retomado por Benveniste 1966); la anterioridad no tiene nada que ver con el tiempo cronológico en absoluto (es decir, no es el pasado del pasado o el futuro del futuro), sino que es subjetiva e interna a la formulación lingüística: se trata de una especie de bastidor temporal que subdivide lógicamente el tiempo: "Cuando te licencies te casarás" (anterioridad en el futuro). "Cuando hubo acabado, selló el sobre" (anterioridad en el pasado).

anti- Prefijoide* (del gr. *anti*) que indica un movimiento en sentido contrario respecto al esperado, una altera-ción, una inversión de la posición normal.

anticipación ⇒ *prolepsis*.

anticlímax → *clímax*.

antifonesis (gr. *antiphónēsis* 'reanudación, respuesta') Figura* que retoma el objeto de una frase como sujeto de la frase sucesiva.

antifonía vocálica (gr. *antiphōnia*, término musical que indicaba el contrapaso entre dos voces o entre coros alternos) Tipo de onomatopeya vocal o interacción duplicada en la que la duplicación cambia sólo en la vocal: *tic tac, pif paf, din don* o en la consonante (it. *volente nolente* <'de grado o a la fuerza'>, ingl. *willy-nilly* 'id.', *hocus pocus* 'abracadabra').

antifrase (gr. *antíphrasis*) Figura* que consiste en decir lo contrario de lo que se piensa: *¡Bonita cosa!* El procedimiento antifrástico (en griego *eks antiphráseos*) se usa a menudo como eufemismo*: en las *Euménides*, 'benévolas' era el nombre dado a las Furias.

antiontivo (fr. *antiotif*, de *anti-** y *ont-*, tema del verbo 'ser' en griego, con el sufijo *-if* de *-ivus*) En la terminología de Tesnière la 2.ª persona, que se opone a la 1.ª, autontivo*. → *anontivo*.

antístrofe Figura estilística que consiste en hacer finalizar más de un miembro del mismo período con la misma palabra; en particular, un tipo de lapsus o (si provocado) de juego verbal (ingl. *spoonerism*, fr. *contrepet*, alem. *Schüttelreim*), en el que dos palabras intercambian sus segmentos o morfemas iniciales, según el esquema

i cont-i non torn-ano < 'las cuentas no salen' >

i torn-i non cont-ano < 'los tornos no cuentan' > (ejemplo de intercambio del segmento inicial únicamente: fr. *femmes folles à la messe,* etc.).

antítesis (gr. *antíthesis* o *antítheton*, traducido en latín como *contrarium* u *oppositio*) Figura* basada en la contraposición de dos términos de significado opuesto: <*Lloran los alegres, ríen los tristes*>, *Non fronda verde/ma di color fosco* <'no rama verde sino de color oscuro'>.

antonimia Relación o acercamiento provocado entre dos elementos de sentido contrario, llamados *antónimos**.

antónimo (fr. *antonyme* del gr. *antonumía*, y otros términos parecidos, que significa tanto 'pronombre' como 'intercambio de nombres', → *anti-** y *nimo**) Cada uno de los términos de una pareja léxica opositiva definida por el valor positivo o negativo de uno de los rasgos semánticos constitutivos; dado que puede cambiar el rasgo pertinente de cada pareja, los aa. no son todos del mismo tipo. Por ejemplo, según una posible clasificación, podemos distinguir entre aa. graduables, es decir, que admiten una gradación interna (*grande/pequeño, bonito/feo*), no graduables, que se pueden negar

obteniendo así el otro miembro de la oposición (*vivo/muerto, casado/soltero*), correlativos o complementarios (*marido/mujer, hermano/hermana*), de dirección (*derecha/izquierda, ir/venir*) e inversos (*derecho/torcido*). ≠ *sinónimo.*

antonomasia (gr. *antonomasía*) Figura* retórica que consiste, en su origen, en la "sustitución" del nombre propio de *x* con un apelativo, de manera que se pueda designar a *x* callando su nombre: *El descubridor del Nuevo Mundo, el primer ciudadano de la ciudad de los lagos.* De hecho, la figura ha sido usada sólo por énfasis o valoración estilística, mientras que la expresión "por a." ha adquirido el significado de "por excelencia, por definición": <*el abogado de las causas perdidas*> *por a.*

antropónimo (del gr. *ánthropos* 'hombre' y *-onimo**) Nombre propio de persona. En las diferentes culturas el a. se construye de diversa manera (por ejemplo el latín *nomen, cognomen, pernomen*) y cada clase de nombre posee su específico campo de determinación (el individuo, la familia, el clan).

antroposemiótica Denominación paralela a zoosemiótica* para indicar el lenguaje y los sistemas semióticos secundarios que implican infraestructuras verbales y, por lo tanto, típicamente humanas.

aoristo (gr. *aóristos khrónos* 'tiempo ilimitado') En griego antiguo el a. es un tiempo verbal con valor pasado, sobre todo, aunque también gnómico y atemporal: es "el tiempo del acontecimiento más allá de la persona de un narrador" (Benveniste 1966: 287) y de ahí que sea "el tiempo histórico por excelencia" (Ibíd., p. 191); como categoría descriptiva general a., aorístico, indica un aspecto* imperfectivo*.

aparato de fonación   Conjunto de órganos (pulmones, tráquea, cavidades nasales y orales, lengua y glotis) que preside, a través de determinados procesos, la producción de los sonidos del lenguaje. → *articulación, fonética articulatoria.*

apelativo   *a*) Entre los antiguos gramáticos lo mismo que nombre propio, gr. *ónoma prosēgorikón.* En el uso moderno, en cambio, a. (alem. *Appellativum*, fr. *appellatif*, etc.) se opone a nombre propio en cuanto designa un conjunto de seres u objetos equivalentes entre ellos, además de cada uno de estos seres u objetos: *hombre, mujer.*
   b) Forma especial del vocativo.

API   Sigla* de la *Association Phonétique Internationale* <en esp. conocida como AFI 'Asociación Fonética Internacional'>, asociación fundada en 1886 por varios fonetistas (entre ellos, el francés Paul Passy [1859-1940]), a menudo usada para indicar con mayor brevedad el sistema de transcripción que ésta ha realizado: se usa también IPA, que es la sigla del nombre inglés, *International Phonetic Association.* → *transcripción.*

apical   Articulación realizada con el ápice de la lengua.

ápice silábico   En la sílaba, el punto más alto de la curva de perceptibilidad; en la práctica coincide con la vocal.

aplastadas   En fonética, término desusado para una clase de sonidos sibilantes alveopalatales del tipo del it. *scena.*

apócope   (gr. *apokope* 'amputación') Anulamiento de uno o más segmentos al final de una palabra: en ciertos contextos lingüísticos *cine, bici, tele.*

apodíctico   (gr. *apodeiktikós* 'demostrativo')   En la terminología retórica, silogismo que alcanza la demostración, que está lo suficientemente comprobado como para no poder ser confutado.

apódosis   (gr. *apódosis*)   En la retórica antigua a. y prótasis* son los dos elementos que tienen que ser equilibrados en el período: la prótasis crea una cierta tensión que la a. debe resolver. Más específicamente, en una construcción hipotética se llama a. a la proposición que expresa la conjetura fundada en la condición reflejada en la prótasis: "Si mañana hace buen tiempo (prótasis), podremos ir de excursión (a.)."

apofonía   (fr. *apophoniȩ*, neol. del gr. *apò* que indica la derivación y *fonía*, siguiendo el modelo del alem. *Ablaut*, que en fr. es, desde 1673, *alternance*)   Modificación morfofonémica de la cualidad de las vocales de un morfema; se distingue entre una a. cuantitativa, que afecta a la longitud de las vocales temáticas: *rĕg-o, rĕg-s* > *rēx*, y una cualitativa, que afecta al timbre: lat. *tego* 'cubro'/*toga*, gr. *pherō/- phóros, gígnomai/gégona/egénne*, etc. Cada uno de los valores introducidos en el juego apofónico se llama grado* apofónico.

aposición (lat. *appositio*, trad. del gr. *epitagmatiká*) Un sintagma nominal que posee la misma función del elemento al que se refiere "Yolanda, la hija del Corsario Negro, se casó ayer".

aposiopesis (gr. *aposiópēsis*) o **reticencia** (*reticenza*) (lat. *reticentia*, con el mismo significado) Figura* retórica que consiste en suspender bruscamente el desarrollo de un enunciado hablado.

apóstrofe (gr. *apostrophé*) Fórmula de alocución dirigida a los presentes, a los oyentes, a los lectores: "Tú, lector, que me estás leyendo..."; ingl. "Come gather round people..." (fórmula de abertura de las baladas populares).

apoyo, vocal de ⇒ *prótesis*.

aproximación Una forma de asimilación* de elementos de otras lenguas en los que los fonos originarios son sustituidos por los más cercanos en el sistema receptor: fr. *champagne* [ʃãpaɲ] > esp. *champán*.

aproximante (ingl. *aproximant*) Una articulación en la que los órganos se acercan, pero con un efecto de fricción apenas perceptible (mayor en los sonidos aa. sordos que en los sonoros): por ejemplo [w, j] en ingl. *William*, it. *ieri* < 'ayer' > .

arbitrariedad de la teoría Para Hjelmslev es uno de los dos factores en juego en la teoría (el otro es el adecuamiento*). Una teoría es arbitraria desde el momento en que es independiente de cualquier experiencia, no dice nada, en sí misma, sobre las propias responsabilidades de aplicación y de las propias relaciones con los datos empíricos, no comprende ningún postulado existencial (Hjelmslev 1943: 17).

arbitrariedad del signo Dado que la lengua recorta de varios modos el campo de los contenidos lingüísticos y los segmenta en signos, este proceso es completamente a. y no está sujeto a motivos intrínsecos; no existe una relación causal entre el hecho de que en nuestra lengua se delimite un cierto conjunto vegetal respecto a otro y el hecho de que se llame uno *pino* y el otro *abeto*; el vínculo es convencional, como se ha visto con claridad desde Aristóteles (que, de hecho, lo definía como *katà sunthékēn* 'por convención') hasta la lingüística moderna desde Whitney en adelante. Lo enuncia claramente Boas, por ejemplo en la introducción al *Handbook* de 1911: "las lenguas difieren no sólo por el carácter de los elementos fonéticos y de los nexos de sonidos que las constituyen, sino también por los grupos de ideas que encuentran su expresión en determinados grupos fonéticos" (43); "Cada lengua, si se considera desde el punto de vista de otra lengua, puede ser arbitraria en sus clasificaciones; lo que en una lengua se presenta como una única idea simple puede ser caracterizado en otra por una serie de grupos fonéticos distintos'' (46). En uno de los pasajes más controvertidos del *Curso* de Saussure se lee: "El vínculo que une el significante al significado es arbitrario" (en un principio había escrito 'radicalmente arbitrario'), o más adelante: "dado que entendemos con signo el total resultante de la asociación de un significante a un significado podemos decir simplemente: el signo lingüístico es arbitrario. Así, la idea de 'hermana' no se encuentra ligada a ninguna relación interna a la secuencia de sonido *s-ö-r* que le sirve, en francés, de significante; podría estar representada tan perfectamente por cualquier otra secuencia. Sirvan de prueba las diferencias entre las lenguas y la existencia misma de lenguas diferentes: el significado 'buey' tiene por significante *b-ö-f* a un lado de la frontera y *o-k-s (ochs)* al otro lado" (Saussure 1968: 100). A partir de este ejemplo, parece como si Saussure accediese a la teoría convencionalista según la cual la lengua es una nomenclatura que da, por convención, nombres diversos (que cambian de lengua a lengua: *father, Vater, pater, père, otec*) a conceptos iguales para todos (aquí 'padre'). Sólo en Hjelmslev el concepto recibe una adecuada aclaración. El signo es arbitrario precisamente en sus fundamentos en cuanto, además de serlo la relación que enlaza por ejemplo 'padre' a *padre*, es arbitrario, es decir, convencional, el proceso semiótico que ha llevado a delimitar en la lengua el plano de la expresión y el plano del contenido. Los segmentos obtenidos de este modo se pueden llamar significantes si se sitúan en el plano de la expresión y significados si lo hacen

en el plano del contenido. Los primeros y los segundos constituyen clases abstractas de hechos concretos. Se debe tener en cuenta, sin embargo, que el signo lingüístico, si es arbitrario *a priori* y considerado en sí mismo, singularmente, deja de serlo *a posteriori* o en el conjunto de la lengua a la que pertenece. Consideradas *a posteriori*, las palabras pierden gran parte de su a. porque el significado que les atribuimos no es sólo función de una convención inicial (que, de todas maneras, en cuanto convención social, ha sido aceptada y, por lo tanto, no es modificable según nuestro arbitrio), sino que depende del modo en el cual cada lengua descompone el universo en sus contenidos y de la presencia o ausencia en la lengua de otras palabras para expresar significados contiguos o análogos. Por ejemplo, en una serie de derivados de una misma raíz (como *cubierta, cobertura, cubierto, cobertón*, etc.) la a. de cada uno de los derivados es mucho menor que la de la base.

árbol   *a*) En la lingüística histórica, un esquema introducido a partir de Curtius (1858) y Schleicher (*Die darwinsche Theorie und die Sprachwissenschaft*, 1863) para dar cuenta del parentesco entre las lenguas; por influjo del filólogo clásico F. Ritsch, que usaba el a. o *stemma* para esquematizar las relaciones entre los diferentes códices de una tradición textual, también el parentesco entre lenguas se empezó a representar por medio de un a. genealógico (alem. *Stammbaum*) en el que las diversas ramas son las manifestaciones progresivamente más recientes de las lenguas que se han separado de la lengua de la que derivan (→ *parentesco lingüístico, protolengua, reconstrucción*).

b) En la gramática GT, y otras, un grafo que permite dar cuenta de modo inmediatamente comprensible de la jerarquía interna de un conjunto de elementos que constituyen una unidad mayor (generalmente, los componentes de una frase).

arcaísmo Segmento de la lengua (fonético, morfológico, léxico o simplemente gráfico) perteneciente a un estado de la lengua más antiguo del considerado. Se tendrá que distinguir a este propósito entre lengua sólo hablada y lengua literaria; en una lengua exclusivamente hablada los aa. pueden ser, como mucho, una característica de una generación respecto a otra, o determinar particulares variedades especializadas de lengua (lenguas sacras, de ceremonia, jergas, etc.); existe, de todas maneras, una unión estrecha entre la lengua hablada por una generación y la hablada por la generación sucesiva, desde el momento en que el a. viene siempre tomado de la voz que otros hablantes también usaban. En las lenguas literarias, en cambio, en las que encontramos siempre a disposición el arco completo de los estados de lengua testimoniados, cualquier palabra es potencialmente recuperable como a., aunque haya caído por completo en desuso: así, por ejemplo, D'Annunzio puede recuperar para el italiano *aliare* < 'aletear' >, *sforzevole* < 'digno de esfuerzo' >, *membratura* < 'disposición de los miembros' > y *melleo* < 'meloso' >. → *cultismo*.

archi- (*-arci*) Prefijoide (del gr. *arkhi-*) que indica el punto más alto en una jerarquía o el que reúne todas las características de los elementos que se le someten.

archifonema o (menos común) **hiperfonema** Cuando en un determinado contexto puede aparecer una sola unidad distintiva en lugar de las dos o más oposiciones previstas por el sistema, tal unidad, que reúne en sí misma los rasgos pertinentes comunes a éstas (y sólo a éstas) se llama a. Por ejemplo en ruso y en alemán donde tenemos una oposición de sonoridad entre /p/ ~ /b/, /t/ ~ /d/, /k/ ~ /g/, en posición final, es decir, delante de una pausa, no pueden aparecer más que sonidos sordos; obtenemos así el a. (/P/, /T/, /K/; el a. se indica, generalmente, con mayúscula). En italiano existen las oposiciones /e/ ~ /ɛ/, /o/ ~ /ɔ/ pero sólo cuando la sílaba es acentuada; en sílaba no acentuada la oposición se neutraliza y tenemos sólo el a.: /pesKa/ < 'pesca' > ~ /pɛska/ < 'melocotón' > pero /pEsketo/ < 'tierra de melocotoneros' >, /pEskare/ < 'pescar' >, /botte/ < 'tonel' > ~ /bɔtte/ < 'golpes' > pero /bOttone/ < 'botón'. En español la /n/ y la /m/ se neutralizan en posición implosiva precediendo a una consonante: ambos /aMbos/, envío /eMbjo/ >. El término fue introducido por Jakobson en 1928 y fue utilizado durante algún tiempo por el Círculo de Praga para ser después abandonado; pero recientemente la noción ha sido retomada por la gramática GT, donde es perfectamente aceptable dado que aquí el fonema no constituye la unidad última.

archigrafema Resultado de la neutralización de la oposición entre dos grafemas; por ejemplo, en frances <E> (*e* mayúscula) y el a. de <e,è,é>.

archilexema Para Coseriu y Pottier un lexema que reúne todos los rasgos de un campo léxico; por ejemplo, *pez* sería el a. de *trucha, esturión, caballa*, etc.; existe, sin embargo, una cierta ambigüedad en el concepto, porque dado un a. se puede encontrar el a. que lo comprende a su vez (*animal marino* podría ser el a. de *pez*), y esto podría ser no un signo de la lengua sino una formulación del metalenguaje.

archimorfema Resultado de la neutralización de dos morfemas.

archinoema Por analogía con los conceptos de archifonema y archimorfema, el noema que recoge los rasgos comunes de dos noemas.*

archiparte (del discurso) Concepto de orden más alto que el de parte del discurso* (Bursill-Hall): por ejemplo, se podrían considerar aa. el verbo por un lado y los sustantivos, adjetivos y pronombres por otro, que están sujetos a las mismas modificaciones gramaticales o bien, en una lengua con casos, todas las partes del discurso que están sujetas a la declinación.

archisemema (fr. *archisémème*) Conjunto de semas comunes a varios sememas*: en el ejemplo analizado por B. Pottier, el a. 'objeto que sirve para sentarse, dotado de patas' funciona como a. de varios sememas: *chaise, fauteuil, tabouret*, etc. → *sema*.

área lingüística (ingl. *linguistic area*) Para Emeneau y, en Italia, A. V. Rossi un conjunto areal en el que se hablan varias lenguas con rasgos semejantes (sin que, sin embargo, se pueda hablar de alianza lingüística*).

areal *a*) *lingüística areal*. → *lingüística areal*.
b) *norma a*. Según M. Bartoli, fenómenos diversos coexistentes en un territorio pueden ser datados en sentido relativo observando algunas normas basadas sobre las relaciones entre las diversas áreas caracterizadas por cada fenómeno; por ejemplo, las áreas laterales conservarán por más tiempo el estado más antiguo, así como el área menos expuesta, etc.

"argot" (fr.) → *jerga*.

argumento (lat. *argumentum*, de *arguo* 'discuto') *a*) En la teoría clásica y, de ahí, en el lenguaje corriente, una unidad temática, eventualmente estructurada, usada para persuadir, para sostener una tesis: "i toui argomenti non mi convincono; fede è sustanza di cose sperate/ed a. de le non parventi" (Dante, *Paradiso*, xxiv, 44-46).
b) En la lógica formal cada una de las variables o casillas vacías o "sitios" de un predicado. Un predicado puede poseer un solo a. (en este caso una propiedad: *x es bueno*) o dos o más (y

entonces es una relación: *x quiere a y*).
En la gramática de casos la forma subyacente de una proposición es analizada según un predicado* y una serie
de aa., cada uno de los cuales recibe
el caso apropiado.

armonía En fonología, adaptación
de varios elementos de la palabra según
un determinado rasgo; la más conocida es la a. vocálica como en las lenguas
uralo-altaicas, pero existe también una
a. consonántica. → *asimilación*.

armónico Los sonidos lingüísticos,
como sonidos complejos periódicos,
vienen dados por las combinaciones
de varias vibraciones sonoras, cada
una de ellas representable con una
onda sinusoidal (según el teorema de
Fourier, 1936). Se llama a. a cada
componente de un sonido complejo
periódico con un valor de frecuencia
igual a un múltiplo entero del valor
de frecuencia del sonido. El primer a.
corresponde a la fundamental*, F_o,
del mismo sonido.

arquitectura de la lengua Para Coseriu conjunto de relaciones que la multiplicidad de las técnicas de discurso
coexistentes en una lengua histórica
comporta: en la a. de la lengua no existen oposiciones sino sólo diversidad.

arsis (*arsi*) (gr. *ársis*, traducido en latín con *sublatio* 'alzamiento de la
voz') En la métrica tradicional, la
parte fuerte del verso, es decir, la marcada por el ictus*. ≠ *tesis*.

arte verbal Se recoge con este término el conjunto de operaciones llevadas

a cabo sobre la lengua que demuestran
un uso consciente de las posibilidades
del código usado, más allá de la simple transmisión de un contenido y, por
lo tanto, un rechazo voluntario del
comportamiento lingüístico neutro, no
marcado: juegos verbales, construcciones de géneros textuales específicos,
etc. El a. v., además de responder a
una obvia exigencia estética, puede tener, sobre todo, implicaciones sociales porque el dominio de la lengua de
la comunidad es casi siempre un valor socialmente reconocido, pero también porque podrían darse determinados mensajes sociales que no es posible
intercambiar o poner en circulación si
no se hace con una cobertura lingüística particularmente elaborada, que
atenúe la peligrosidad.

articulación (lat. *articulatio*, trad. del
gr. *díarthrōsis*, compuesto de *árthron*
'miembro anatómico') *a*) La producción de los sonidos del lenguaje humano corre a cargo de los procesos y
de las modificaciones del aparato de
fonación. Los órganos del aparato actúan de varios modos sobre la corriente de aire espirada o inspirada por los
pulmones, produciendo diversos tipos
de sonidos. Se llama a. tanto al proceso general de producción de sonidos
del lenguaje como a cada uno de los
procesos según los cuales se emite un
determinado tipo de sonido. Si la corriente de aire, inspirada o espirada
por los pulmones, es inmovilizada en
un punto cualquiera del aparato de
formación, la a. será oclusiva, momentánea o plosiva. Tenemos aa.
oclusivas de varios tipos según el lugar
donde se produce el cierre del canal de

aire o diafragma. Si se considera la posición de los órganos móviles, distinguimos entre aa. labiales, apicales y dorsales, es decir, oclusiones realizadas con los labios, con el ápice de la lengua y con el dorso de la misma. Si se considera, en cambio, el lugar en el que se produce la oclusión, hablamos de dentales, alveolares, retroflejas, palatoalveolares, alveolopalatales y pospalatales, velares, uvulares, faringales y glotales. Contrapuestas a las oclusivas se llaman continuas, aspirantes, fricativas o constrictivas (con oscilaciones, según los autores) a las aa. en las que el canal de aire no se cierra sino que se estrecha. Para muchas oclusivas existe una correspondiente fricativa, articulada en el mismo (o casi) punto de articulación. Otros tipos son las nasales, las laterales, las vibrantes y las africadas. Cuando no existe la creación de un verdadero diafragma sino que más bien se produce un tránsito libre de la corriente de aire acompañada por las vibraciones de las cuerdas vocales y por las resonancias orales y nasales, tenemos los sonidos vocálicos o vocoides.

b) Con un sentido general se habla, con Martinet, de a. del lenguaje. Para A. Martinet (1966: 18) es aceptable definir como articulado el lenguaje y, comúnmente, así se hace, siempre que se distingan en el lenguaje dos aa. sucesivas. En el acto de comunicar a otros una experiencia dada o un contenido mental se produce la primera articulación de una serie de unidades sucesivas; repitiendo el ejemplo de Martinet, la secuencia / me dwele la cabeθa / comunicará el contenido 'me duele la cabeza'; es cierto que se podría atribuir a este entero contenido un único símbolo acústico (lo que sucede, de hecho, en el caso de expresiones paralingüísticas, como un gesto o un grito, → *fonosímbolo**); pero no es rentable desde el punto de vista de la economía de la comunicación, ya que el sistema tendría que disponer de un número excesivamente alto de símbolos; de este modo, en cambio, las unidades usadas pueden servir para otras combinaciones (/me akuesto,/ dwele ke me trates así / etc.) y se reduce el número de signos necesarios. Cada una de estas unidades presenta un sentido y una forma fónica. Cada unidad no es reducible ulteriormente desde el punto de vista del significado: a /dwe/ o /le/ no se le puede dar otro significado; lo es, sin embargo, desde el punto de vista acústico: el ejemplo de antes se puede descomponer en las unidades acústicas /d-w-e-l-e/ que diferencian *duele*, por ejemplo, de <*muele*> o de <*duelo*>. Se trata de la segunda articulación, que también responde a las exigencias de economía, ya que son suficientes las combinaciones de pocas decenas de unidades para dar cuerpo a todas las posibles unidades de sentido. En la terminología de Martinet se llaman monemas las unidades de la primera articulación y fonemas las de la segunda. Además, en el plano de los monemas se distinguirá ulteriormente entre lexemas o semantemas, si se trata de monemas que se encuentran en el léxico de una lengua, y morfemas si se trata de monemas pertenecientes a la gramática. Por ejemplo, "Compramos libros" contiene cuatro monemas: dos léxicos, /Kompr/ y /libr/, y dos morfológicos, /amos/ y /os/.

articulador Órgano que participa en la articulación: aa. móviles (lengua, úvula) y fijos (paladar, dientes).

artículo (lat. *articulus* 'articulación, sudivisión', dim. de *artus* 'miembro articulado', trad. del gr. *árthron*) En algunas lenguas, una clase de elementos que preceden o, en ocasiones, suceden al nombre (como en rumano, danés, búlgaro o armenio). Con frecuencia, el elemento que llamamos a. responde a la función de distinguir un definido de un indefinido, o un determinado de un indeterminado: una cosa en general no bien precisada/ una cosa particular, etc. La oposición puede ser expresada a través de dos formas distintas (<en español *el/un*> en italiano *il/un*) o bien con una sola forma que se opone a 0 (ausencia de a.). Sin embargo, sería conveniente prever la oposición con 0 incluso donde las formas son dos; cfr. "el menú comprende arroz, carne, fruta" vs. "me he comido el arroz y la carne, pero no la fruta". El a. puede tener valor anafórico o deíctico como en armenio, donde los aa. sufijos *-s*, *-d* y *-n* indican respectivamente 'éste', 'ése' y 'aquél'. De la oposición determinado/indeterminado derivan varios significados específicos: por ejemplo: *distributivo* (*se venden a dos mil liras el par* y no *un par*), tipificante (*no hagas el tonto*, respecto a *no te quedes ahí como un tonto*), antonomasia (*ésta es la solución*), de familiaridad (*la Pepita*).

artificial *a*) Procedimiento introducido voluntariamente en el discurso escrito o en el hablado, para diferenciar una oposición no advertible de otro modo, o por énfasis: [piɛ sse′ i] en lugar de [psi] en italiano (en *psicologia*, por ejemplo); <gh> en ingl. *drought* [draUt].

b) *lengua a.* Una lengua construida, en sus reglas y en el léxico, mediante una serie de convenciones. Existen al menos dos tipos de lenguas aa.: los lenguajes lógicos y matemáticos, como los usados en informática (PASCAL, LISP, etc.) y las lenguas de comunicación internacional, como el esperanto. Aunque sus finalidades son muy diversas, los dos tipos tienen en común el hecho de que funcionan según reglas de combinación y derivación completamente explícitas sin las excepciones, irregularidades o las ambigüedades características de los lenguajes naturales.

ascendente Tono → *tono**.

aserción Término a menudo usado para traducir el ingl. *statement*, un enunciado.

aseverativa Una proposición que expresa una fuerza específica ilocutiva: el hablante declara lo que dice, cree que es verdad lo que dice, etc.

asibilación Caso particular de asimilación en la que una articulación se asimila a una sibilante que la sucede.

asignación (ingl. *assignment*) En la gramática GT las reglas asignan una estructura a las frases; en las lenguas en las que la sede* del acento no es previsible, se habla de reglas de a. del acento.

asimilación *a*) En fonética, el proceso general por el cual una articulación ejerce su influencia sobre las otras articulaciones que la preceden (a. regresiva o anticipatoria) o la suceden (a. progresiva).

b) Más en general, proceso a través del cual una forma no indígena se adapta al sistema de la lengua que la recibe: < *bistec* en esp. o > *bistecca* en it. son préstamos asimilados (del ingl. *beefsteak*).

asíndeton (gr. *asúndetos* 'carente de nexos, desatado') Yuxtaposición de más de un elemento con la misma función sin ningún elemento de conexión: *Veni, vidi, vici; Esperó, disparó, expiró.*

asociación En general, relación, conexión, entre varios signos o, dentro del signo, entre forma fónica y significado. Las más obvias son las aa. sintagmáticas* y las paradigmáticas*.

a. extranocional Para Guiraud, lo mismo que connotación*.

a. primaria convencional La que se establece entre sentido* y significante*.

a. secundaria motivada Es la que añade a un enunciado los valores expresivos y sociocontextuales.

asociativo *a*) Significado a. → *campo.*

b) o **recíproco** Forma como "Se felicitaron mutuamente".

asonancia Dos elementos que riman entre sí sólo por la vocal tónica (en alem. *Ausklang*) o el cuerpo de la palabra (Anklang), usado en poesía para los proverbios y juegos de palabras: alem. *Fischer Fritz fischt frische Fische*; it. *nella piccola pentola poca pappa cape* < 'en la olla pequeña poca comida cabe' >. → *aliteración,* ≠ *consonancia.*

aspecto (fr. *aspect*, usado por Ph. Reiff desde 1829; una de las primeras documentaciones en italiano se encuentra en G. Devoto, *L'aspetto del verbo*, "Lingua Nostra", 2 (1940), pp. 35-38) Categoría descriptiva del verbo, relativa a la mayor o menor duración en el tiempo y al cumplimiento de la acción descrita. La categoría fue inicialmente señalada en el ámbito de las lenguas eslavas por los humanistas checoslovacos y por los gramáticos rusos; en ruso ha sido traducido como *vid glagóla* (primera documentación en 1619), el término *éidos* de la gramática griega, que indicaba en realidad la derivación de una categoría mayor, la "especie", lat. *species*. De la gramática de las lenguas eslavas la noción ha sido adoptada en la lingüística general por los indoeuropeístas alemanes, sobre todo G. Curtius que había estado en Praga y que usaba aún el término *Zeitart*, opuesto a *Zeitstufe* (*Die Bildung der Tempora und Modi in Griechischen und Lateinischen sprachvergleichend dargestellt*, Berlín 1846); el término *Aspekt* entra en alemán sólo bajo la influencia del francés. La clasificación de los tipos de a. no es cerrada y los que indicamos a continuación son sólo algunos entre los más frecuentes usados en varias lenguas: habitual*, conativo, imperfectivo, incoativo, ingresivo, iterativo, perfectivo, puntual, resultativo. → *"Aktionsart".*

aspirada Término tradicional para una articulación consonántica no seguida inmediatamente por la articulación sucesiva sino por un tiempo breve muerto; el aire sigue pasando a través de la glotis con un ligero efecto de fricción: por ejemplo, < en español el fonema aspirante /h/ de algunas hablas meridionales y sudamericanas o > la pronunciación del inglés *pin* /p'In/ respecto a *spin* /spIn/.

asterisco En lingüística histórica se indica con un a. una forma que no ha sido atestiguada como tal sino reconstruida tomando como base otros testimonios; por ejemplo, decimos que el it. *pioggia* 'lluvia' deriva del lat. vulg. *ploia; en lingüística descriptiva una frase no aceptable o de dudosa gramaticalidad* *no creo que esto pueda te gustar*; para la historia del signo, vid. E. F. K. Koerner, *Sull'origine dell'asterisco nella linguistica storica. Un cenno storiografico*, en R. Simone, U. Vignuzzi, ed., *Problemi della ricostruzione in linguistica*, Bulzoni, Roma 1977, pp. 253-358.

ataque (alem. *Einsatz*, ingl. *onset*) En fonética, el momento inicial de la fonación.

atendibilidad La a. de un signo se refiere a la medida en que denotan los componentes de la familia de signos a la que aquél pertenece (Morris 1949: 42); en este sentido, un signo puede ser considerado atendible o no atendible.

atestado Aplicado a la forma o al elemento lingüístico que se encuentra efectivamente en los textos. ≠ *no atestado, reconstruido.*

atlas lingüístico (cfr. alem. *Sprochatlas*, fr. *atlas linguistique*, etc.) Tipo de atlas geográfico cuyos mapas registan la distribución de las varias lenguas, o la difusión de singulares fenómenos lingüísticos (fonéticos, léxicos, etc.) en el ámbito de una determinada área (una región, una nación, etc.). → *geografía lingüística, isoglosa.*

átono Carente de acento.

atracción *a)* Influencia sobre una construcción gramatical: *veintiún año* por *años.*

b) Fuerza ejercida por el sistema para conducir los fonemas aislados (es decir, no insertos en un espacio de correlaciones) a llenar las casillas vacías.

c) a. paronímica Especie de etimología popular* por la que A que se parece a B se explica mediante B.

atributivo Función atributiva, en oposición a la predicativa*, es aquélla en la que un elemento es unido al sintagma nominal de una frase: *el libro está en la mesa*. La diferenciación entre a. y predicativo se puede expresar también a través de la posición, dependiendo de que el elemento preceda o siga a aquello a lo que se refiere (como en chino o en ruso); en algunas lenguas existe una declinación especial, como en alemán: *das schönes Buch/ ein schönes Buch ~ das Buch ist schön*; en árabe la distinción se obtiene mediante el uso o no uso del artículo: el adjetivo sin artículo es a., con artículo es predicativo: *al-baỳt ka-*

bīr 'la casa es grande' ~ *al-bayt al-kabīr* 'la gran casa'.

atributo   En la gramática tradicional, referido a los adjetivos o nombres que modifican el núcleo de un sintagma nominal: opuesto a predicado: *la vieja fuente: la fuente es vieja.*

aumentativo   Derivado que expresa una variación de dimensión, a menudo con connotaciones peyorativas: < en esp. el sufijo *-ón.* >, en it. el sufijo *-óne.*

aumento (lat. *incrementum*)   En la gramática de las lenguas indoeuropeas el elemento que es prefijo del verbo en ciertas formas verbales como el aoristo, imperfecto y el pluscuamperfecto.

"Ausbau(kultur)sprache" → *lengua por elaboración.*

ausencia → *"in absentia", cero.*

autocomunicación   Caso específico de la comunicación literaria en el que el creador del texto es al mismo tiempo el único destinatario (el diario, por ejemplo, con sus abreviaciones y convenciones personales de escritura), naturalmente, la a. puede ser una ficción literaria: en un diario escrito para su publicación, el autor es el único narratario pero no es el único destinatario.

autocorrección   La inmediata corrección que el hablante realiza de un enunciado propio considerado no suficientemente informativo, interpretable con sentidos no deseados o no apropiados al nivel discursivo del momento.

autoincluida   Construcción sintáctica que contiene en su interior otra construcción del mismo tipo.

automático   Variación o fenómeno no sujeto a la elección del hablante, sino condicionado por el contexto.

autónimo (fr. *autonyme*)   Signo que se refiere a sí mismo.

autonomía   En glosemática, constelación de dos términos en el sistema: el género no presupone el caso, el número no presupone el género.

autónomo   En la gramática GT se llama a. al nivel de análisis que no presupone relaciones con los otros niveles de la gramática: fonología a., es decir, independiente de la morfosintaxis.

autontivo (de *auto-, ont-,* el tema del verbo 'ser' en griego, y *-if,* de *-ivus*)   En la terminología de Tesnière la 1.ª persona, el "que es" por definición, que se define en relación con el antiontivo*. → *anontivo.*

autosegmental, fonología (ingl. *autosegmental phonology*)   Orientación reciente de la fonología, que no se limita a reconstruir las representaciones* fonológicas como secuencias lineales de segmentos dependientes de las indicaciones de confín, sintácticas y morfológicas, como la fonología segmental, sino que hipotiza que estos segmentos están reunidos en unidades de coarticulación*; la f. a. permite tratar de modo más satisfactorio hechos que afectan simultáneamente a más de un segmento, como la armonía vocálica y la asimilación tonal.

autosemánticas, palabras (alem. *Autosemantika*) Para Marty (*Psyche*, 16) y Funke (*Wegw und Ziele*, p. 226) palabras que poseen un significado autónomo, independiente del contexto (adjetivos, sustantivos, verbos modales). Éstas tienen tanto un sentido como una función y se oponen por ello a las palabras sinsemánticas* (otras parejas de designaciones son: principales/accesorias, autónomas/partículas, llenas/pseudopalabras, categoremáticas /sincategoremáticas, léxicas/gramaticales) que presentan sólo una función sintáctica y adquieren significado por el contexto en el que se encuentran (artículos, conjunciones, preposiciones, etc.). Una distinción de este tipo la encontramos en muchos autores, antiguos y modernos; ya Aristóteles hablaba de *phonaí sēmantikaí* 'palabras dotadas de significado' y *phonaì ásēmoi* 'palabras carentes de significado'; análogamente los gramáticos chinos distinguían entre 'palabras plenas' (*shící*) y 'palabras vacías' (*xūcí*), y esta oposición es a veces usada en las terminologías occidentales: *mots vides/pleins, pustye slova, empty words.*

auxiliar *a*) En la gramática tradicional verbo usado para precisar el modo, el aspecto o la voz de otro verbo: *ser, haber, poder* en *habría vuelto, si me lo hubiese dicho*, etc. Benveniste (1974: 177-193), que habla de *auxilation* para el proceso, prefiere *forme auxiliante* o *auxiliant* y *forme auxiliée, auxilié* (p. 179).

b) *lengua a.* Lengua usada con fun-

ciones de intercambio por parte de hablantes que no la tienen como primera lengua. A menudo, como ll.aa. han sido propuestas las lenguas artificiales como el esperanto.

avance (ingl. *fronting*) *a*) En fonética, desplazamiento del punto de articulación hacia la parte anterior del paladar. Para el a. de la raíz de la lengua. → *cubierto.*

b) En la gramática GT se puede a veces hablar de a. refiriéndonos al desplazamiento de un elemento sintáctico hacia la "izquierda", es decir, hacia la parte inicial de la frase.

avantexto (fr. *avant-texte*, de 1972) Se designa con este término al conjunto de esbozos, borradores o apuntes de preparación que preceden a la efectiva redacción de un texto*, que es el que después llegará a nosotros.

avulsivos (cfr. ingl. *clicks,* fr. *clics,* alem. *Schnalzaute*) Sonidos producidos en las cavidades orales sin la intervención del aire ni a la salida ni a la entrada: el beso, el chasquido de la lengua contra los dientes, etc.

axiológico (fr. *axiologique*, neol. del gr. *áksios* 'que vale') *a*) Adjetivo a., según una posible clasificación (la de C. Kerbrat-Orecchioni), es una subespecie de los adjetivos subjetivos valorativos: por ejemplo *bello* respecto a *largo* (que es no a.).

b) En semiótica se refiere al macrosistema de valores paradigmáticos que se obtiene atribuyendo a una categoría semántica cualquiera las varias deíxis, positiva y negativa.

B

"babbling" (ingl. [baeblɪɲ], de un término onomatopéyico, cfr. alem. *Lallperiode*, fr. *jazis, gazouillis, babillage*) En el lenguaje infantil, un estado prelingüístico, que se sitúa entre el cuarto y el décimo mes de vida, en que el niño comienza a usar sus capacidades fonatorias emitiendo una vasta gama de sonidos que empiezan a tener algunas de las características de los sonidos lingüísticos (alveolares, labiales, vocoides, etc.). Esta variedad se reduce bruscamente cuando el niño inicia el aprendizaje de los reales sonidos de la lengua a la que está expuesto.

"baby talk" (ingl., [beibi tɔk]) Variedad particular de lengua, reducida y simplificada, incluso en los sonidos, que los adultos usan para hablar con los niños o en determinadas situaciones de regresión emotiva, etc.

bajo *a*) En fonética, articulación vocálica en la que la lengua es bajada al máximo.
b) Rasgo → *alto* b).

banco de datos (alem. *Datenbank*, ingl. *data bank*) Conjunto de datos organizado según un cierto número de categorías y memorizado electrónicamente; sería el caso de un léxico o de una concordancia. Aun no siendo diferente en líneas generales de un fichero tradicional, un b.d. ofrece la ventaja de poder ser consultado tomando como base varios exponentes de investigación, mientras que un normal fichero puede ser organizado (y usado) sólo según un exponente a la vez (o por orden alfabético o por longitud del dato, etc.); cada elección excluye las otras.

barbarismo (gr. *barabarismós* 'error propio de los extranjeros') Error que se comete al hablar una segunda lengua no materna, por interferencia* con la primera.

barítono (gr. *barútonos* 'que tiene acento grave') Palabra en la que el acento* recae sobre una sílaba que no es la última. → *oxítono*.

barra (ingl. *bar*) *a*) En sintaxis X-barra*, cada uno de los *n* guiones que se superponen al símbolo de una categoría para indicar el nivel en el que esta categoría opera: $\overline{N}$-*barra*.

b) Elemento gráfico que indica las unidades del nivel fonológico: /pan/.

barrera lingüística (alem. *Sprachbarriere*) Para B. Bernstein, la barrera al avance social impuesta por el uso de un código restringido*.

base *a*) En lingüística descriptiva, histórica, etc., sinónimo de raíz o tema (alem. *Base*); una forma de salida aún no especificada en morfología, de la que se puede hacer derivar nombres y verbos. La teoría de la raíz indoeuropea distingue entre bb. monosilábicas, distintas en *leer* o *pesados*, según la vocal sea breve ($\breve{V}$) o larga ($\bar{V}$), y bisilábicas, llamadas convencionalmente (con un término de la gramática sánscrita) *sēṭ*, si la segunda sílaba es larga, y *aniṭ* si la segunda es breve.

b) En la terminología de la GT encontraremos la expresión *base* como traducción del ingl. *basic*, para indicar generalmente que se trata de un elemento más profundo que los otros, que precede a los otros en la derivación: forma de b. es una unidad abstracta a la que se refieren las otras; componente de b. es un componente transformacional. Para léxico o vocabulario de base → *léxico, vocabulario*.

base de articulación (alem. *Artikolationsbasis*, 1889; ingl. *organic basis*) *a*) La configuración anatómica, es decir, el estado de reposo del cual parten y al cual vuelven los órganos de fonación, que es diferente en cada lengua y que justifica las diferencias de las características de la voz, etc.

b) Conjunto de hábitos articulatorios de cada lengua.

base de comparación Conjunto de rasgos comunes a dos fonemas en oposición: la oclusividad y la dentalidad en /t/ ∼ /d/.

básico Siguiendo el modelo de expresiones análogas, como las del alem. *Grund*-x, ingl. *basic x*, fr. x *fondamental*, etc., donde x es el nombre de la lengua, se indica en glotodidáctica como b. un subconjunto de una determinada lengua receptora o L_2, construido teniendo cuenta del léxico de máxima frecuencia y las estructuras sintácticas más usadas y productivas.

basilecto (ingl. *basilect*) La variedad lingüística más cercana a la base en un continuo* de modalidades dispuestas jerárquicamente.

behaviorismo o **conductismo** Orientación psicológica americana que florece sobre todo en los años treinta; en lingüística ha sido posible dar una visión comportamental del circuito comunicativo lingüístico como la establecida por Bloomfield.

bemolizado/no bemolizado (trad. del ingl. *flat/plain*) Rasgo fonológico al que corresponden desde el punto de vista articulatorio un desplazamiento hacia abajo de las formantes, obtenido mediante una reducción de la apertura de los labios y un aumento de la duración del estrechamiento; se puede obtener mediante una faringalización. En los vocoides corresponde a la labialización. ≠ *diesizado*.

benefactivo Caso que expresa la noción de 'en ventaja de, a favor de': cfr. *he hecho que le hagan un traje más grande a mi hijo* respecto a *he hecho que el sastre haga un traje.*

betacismo (gr. *bētakusmós* 'hablar usando [el sonido correspondiente a] la letra *bêta*') Proceso fonético por el cual un sonido precedente /v/ se transforma en /b/: *birtus* por *virtus,* o *buitre* por *vulture* en el latín vulgar de la <península ibérica>, *boce* [bóče] por *voce* [vóče] en el dialecto de Florencia, etc.

bifonemático Que está compuesto por dos fonemas; un sonido como [tʃ] puede ser interpretado como la realización de un nexo b. [t + ʃ], o bien en sentido monofonemático, [č].

bilabial (neol. de *bi-* y *labial*) En fonética, punto de articulación en el que los labios entran en contacto: por ejemplo, la /b/ en posición intervocálica: *caballo.*

bilateral En la fonología de Trubetzkoy, una oposición en la que dos términos comparten una base de comparación que es exclusiva para ellos: en italiano /p/ ~ /b/, únicas oclusivas bilabiales <o en español /r/ ~ /r̄/, únicos vibrantes, alveolares, sonoros>.

bilingüe *a*) Hablante o comunidad que usan dos (o más) lenguas.
b) Documento escrito, casi siempre epigráfico, redactado en dos (o más) lenguas: *una b. líbico-púnica.* Si las dos versiones de la b. no son exactamente una la traducción de la otra, hablamos de *casi b.*

bilingüismo Dominio de dos lenguas por parte de un mismo hablante. Según una distinción propuesta en un principio por Ch. Osgood (1954) se hablará de b. compuesto (ingl. *compound system*) cuando las dos lenguas constituyen un único sistema en la competencia del hablante. Es el caso típico de la enseñanza escolástica, que lleva al alumno a aprender que 'perro' se dice *dog* en inglés. B. coordinado es aquel en el que dos lenguas coexisten autónomamente; no existe una remisión de un signo de una a un signo de la otra sino que cada signo posee su propio referente. Según la posición y el peso relativo que cada lengua posee para el hablante, Weinreich (1956) habla, además, de b. subordinado, equilibrado, individual y simétrico.

binario, rasgo En la teoría fonológica elaborada por Jakobson a partir de los años sesenta el concepto estructuralista, pero aún genérico, de rasgo distintivo es formalizado y precisado; el rasgo es, en realidad, una cualidad, una característica (ingl. *feature*), que puede estar presente o ausente en el segmento fonológico considerado; por lo menos en la primera formulación, un rasgo puede estar sólo presente (+) o ausente (—) o no ser pertinente (0); no existen otras posibilidades. El catálogo de todos los rr. posibles es delimitable y puede ser descrito (en un principio los rr.bb. son doce, nueve de sonoridad y tres de tonalidad, → *clasificación fonológica*). Cada fonema de una lengua podrá, por lo tanto, ser económicamente descrito con una matriz* que enumera las presencias o ausencias y los eventuales ceros para los doce valores. Naturalmente, una matriz completamente especificada es redundante, porque en cada lengua existen implicaciones entre los varios rasgos y basta con formular sólo los valores que no son previsibles *a priori* (la sonoridad de /m/ o /n/ en italiano < o en español >, por ejemplo, es redundante y no se tendría que señalar en la matriz).

binarismo Teoría que usa los rasgos binarios.

binarista Investigador que adopta el análisis de rasgos binarios.

bisbiseo o **voz susurrada** o **susurro** Tipo de voz obtenido inmovilizando las cuerdas vocales y dejando pasar el aire a través de los cartílagos aritenoides; de esta manera, la sonoridad no es perceptible.

biunivocidad (ingl. *biuniqueness*) Condición fonológica por la cual al fonema /b/ le corresponde siempre y solamente la realización [b] y viceversa.

blando Término del impresionismo usado para indicar un sonido consonántico más avanzado con respecto a uno más atrasado. ≠ *duro*.

"blend" (ingl. 'mezcla, fusión') < (it. *drusa* o, también, *parola-valigia*, del fr. *mot-valise*) > Aglomerado verbal obtenido con la síntesis de más de un elemento ya existente: por ej. ingl. *smog*, de *smoke* 'humo' y *fog* 'niebla', *stagflation* de *stagnation* y *inflation*, *grue* arco del espectro que va desde el azul al verde, sin una distinción interna, de *green* 'verde' y *blue* 'azul'. La formación involuntaria de 'blend(ing)s' es frecuente en las perturbaciones de la palabra ligados a estados psicopatológicos (como si la nueva forma tuviese su origen en un cortocircuito entre dos unidades); como procedimiento voluntario, el 'blend' se emplea ampliamente en la lengua de la publicidad (it. *il puliziotto di casa* < jugando con *poliziotto* 'policía' y *pulizía* 'limpieza') > . Varios bb., adoptados luego por la lengua inglesa (por ejemplo *chortle*, algo así como 'risa reprimida y sarcástica', resultado de *chuckle* 'reír contenidamente' y *snort* 'resoplar'), han sido acuñados por L. Carroll, el autor de *Alice*, al que se debe también la expresión "portmanteau-word", 'palabra perchero', retomada en lingüística por Ch. F. Hockett (*portamanteau-morphemes*).

bloqueado/no bloqueado (trad. del ingl. *checked/unchecked*) Rasgo fonológico cuyo correlato articulatorio es la interrupción del flujo de aire obtenida con la oclusión de la glotis. Las oclusivas b. presentan, a menudo, una distribución por áreas en las lenguas americanas, africanas y caucasianas.

bloquear *a*) Fonéticamente se dice que una articulación es bloqueada cuando el flujo de aire espirado es interrumpido completamente por una obstrucción en un punto del trayecto de la fonación.

b) En gramática se dice que una regla (fonológica, sintáctica) es bloqueada cuando una restricción (el final de una palabra, un rasgo semántico, etc.) impide su normal aplicación.

borrador   Redacción no definitiva de un texto. Con lingüística de los bb., fr. *linguistique des brouillons*, se indica el estudio de las redacciones preparatorias, de los avantextos* de una obra literaria.

braquilogía (gr. *brakhulogía*)   Omisión de elementos ya consabidos: *ternera Strogànov* por 'ternera preparada al modo de Strogànov, de quien toma el nombre'.

breve → *cantidad*.

bucal (lat. *buccalis*)   En ocasiones usado como sinónimo de *oral: cavidad b.*

bulísticas, modalidades (fr. *modalités boulistiques,* neol. del gr. *boúlomai* 'quiero') → *modalidad*.

C

C Abreviación corriente de *consonante*.

cabeza (ingl. *head*) Término de Bloomfield para indicar el nombre que funciona como centro de una construcción: *nombre c.*; en el mismo sentido Hall ha usado en italiano *capo* < 'cabeza' >.

cacofonía (gr. *kakophōnía* 'sonido o voz desagradable') → *eufonia*.

cacuminal ⇒ *postalveolar**.

cadena (fr. *catène*) *a*) Para Frei (1962: 133), procedimiento de combinación que une los elementos de un sintagma*. El significado de la combinación recibe el nombre de encadenado (*catené*), y su significante* el de encadenante (*caténant*).
b) En glosemática (danés *koede*, ingl. *chain*) cada una de las clases sobre las que opera el análisis en el ámbito del discurso lingüístico.
c) Martinet llama c. (fr. *chaîn*) a una progresión de hechos fonológicos en la que cada transmutación provoca una transmutación en los hechos contiguos; se distingue entre una c. de propulsión o de empuje (fr. *cahîne de propulsion*, ingl. *push-chain*) y un c. de tracción (fr. *chaîne de traction*, ingl. *drag-chain*): esquemáticamente A → B → C → en el primer caso, y C → B → A en el segundo.
d) (cfr. ingl. *string*) Secuencia que resulta de la combinación de los constituyentes en un determinado orden.

cadena hablada Término con el que, después de Saussure (*chaîne du discours parlé*) se indica comúnmente una sucesión de entidades acústicas unidas por una relación sintagmática.

caída En lingüística histórica, supresión de un segmento: *la c. de la -d precidida de vocal larga en el latín arcaico*.

caída tonal (trad. del ingl. *downglide*) Fenómeno fonético por el cual en muchas lenguas tonales, un tono bajo en posición final de enunciado es realizado con una fuerte caída.

calambur (ingl. *pun*, fr. *calembour*) Juego verbal en el que, a través de un intercambio de significantes, se obtiene el intercambio correspondiente de significados. → *juego lingüístico*.

calco (fr. *calque*, alem. *Abklatsch*, ingl. *loan translation* o, también, *calque*) Procedimiento por el que una palabra o expresión de una lengua B es adaptada fielmente con materiales de la lengua A: ingl. *hot dog* > esp. *perro caliente*; ingl. *week-end* > it. *finesettimana*; alem. *Ubermensch* > <esp. *superhombre*>, it. *superuomo*; ingl. *loud-speaker* > it. *altoparlante*, fr. *hautparleur*.

cálculo de la simplicidad Procedimiento de valoración de la complejidad de una regla fonológica basado en el cálculo del número de rasgos necesarios para formularla. → *coste*.

cambio lingüístico (alem. *Sprachwandel*, fr. *changement linguistique*, ingl. *language change*) El conjunto de los procesos de modificación que actúan continuamente en la lengua. La lingüística histórica, que lo ha convertido en su objeto de estudio, oscila entre la simple descripción de las diferencias entre un estado sincrónico y el otro y el intento, mucho más ambicioso, de explicar tales cambios recurriendo a un modelo (estructural, funcional) o a una orden de criterios (históricos, sociológicos, articulatorios). → *diacrónico*.

campo *a*) El concepto de que en la lengua existen dominios de elementos estrechamente relacionados y que se determinan entre ellos aparece muy pronto en la lingüística; lo encontramos ya en Heyse (1856), en Abel (1885), Meyer (1910), mientras que el término mismo de campo (alem. *Feld*) está ya en Tegnér (1874), y después en Stöhr (1910) y en Ipsen (1924). El gran teórico del c. es Trier (1931) que habla de "sprachliche Feld" y de "Wortfeld"; un c. es un sector conceptual organizado en sistemas en los que cada elemento léxico está recíprocamente condicionado por los otros y adquiere valor por la posición que ocupa en la estructura de conjunto. Las varias acepciones de c. que dan los autores se deben a que se considera más explícitamente o el léxico (y, por lo tanto, el c. léxico), en ocasiones incluso en sus características morfológicas, o, por el contrario, el plano de los contenidos que tendrán que articularse en signos (y, de ahí, c. noético y c. semántico). En la terminología de Prieto se indica como c. noético de un código* "el conjunto de todos los mensajes admitidos por un determinado signo que pertenece a este mismo código"; c. semántico, en cambio, es "el conjunto de todos los signos que pertenecen a este mismo código". Estos dos campos pueden ser divididos a su vez en clases complementarias; las correspondencias entre las clases de uno y las clases del otro se llaman semas*. Los signos del campo semántico deben ser producidos con la específica finalidad de procurar las indicaciones necesarias para la transmisión de un mensaje, en caso contrario obtendríamos un simple sistema indicador (como, por ejemplo, los colores y el aspecto del cielo respecto al tiempo que hará). Los cc. noéticos y los cc. semánticos presentan un número ilimitado; sus divisiones y correspondencias son arbitrarias, del mismo modo que la delimitación de los semas. C. léxico para Coseriu es, según la perspectiva estructural, "un paradigma léxico que deriva de la segmentación de un contenido léxico en varias unidades, que en la lengua se presenta según la proporción de las palabras: estas unidades se disponen en oposiciones inmediatas entre ellas mediante simples rasgos semánticos distintivos" (Coseriu 1971: 304). C. lexicológico para Martoré es una estructura léxica jerarquizada, fuertemente ligada a la época que representa y organizada en torno a algunas unidades particularmente significativas y representativas (→ *palabra clave, palabra testimonio*). Con un sentido más limitado, se puede hablar simplemente de c. morfosemántico para un conjunto como, por ejemplo, el del ingl. *glimmer, glitter, gleam, glow, glower*, palabras que tiene que ver con la noción de 'brillar', 'destellar'; cfr. W. H. Veith, *Zum Terminus 'Feld' in der Linguistik*, "ZDL", 38 (1971), pp. 347-355.

b) Para Halliday, uno de los tres macrofactores situacionales: la acción social, en la que se incluye el texto (comprende también el argumento).

campo de dispersión Las diversas realizaciones de un fonema no son nunca idénticas entre sí sino que pertenecen al habla de un solo hablante o, mejor dicho, al de una entera comunidad. Dado que tales variaciones pueden ser notables, la facultad de poder caracterizar los varios fonemas sería difícil si no existiera de hecho un c. de d. para cada uno de ellos, es decir, un arco de posibilidades en el cual puede cambiar la realización de un fonema sin que existan colisiones con los fonemas contiguos del sistema. Por ejemplo, la /k/ italiana puede variar en su palatalización hasta alcanzar el c. de d. de /tʃ/ (y, de hecho, diacrónicamente el /tʃ/ italiano ha sido originado por la progresiva palatalización de /k/). Sin embargo, los cc. de d. de cada fonema no son contiguos: se da entre ellos un margen de seguridad, una especie de "tierra de nadie" (expresión de Martinet), o, lo que es lo mismo, un campo de configuraciones que, de hecho, no pertenecen a ninguno de los dos fonemas y que no serán nunca realizadas en condiciones normales (en el ejemplo, las realizaciones en torno a [c]). En condiciones anómalas, como el habla de un borracho o de un extranjero, podremos obtener incluso una violación de este margen de seguridad: "en todos estos casos los oyentes abstraen, inconscientemente, las desviaciones y se atienen más de lo normal al contexto y a la situación" (Martinet 1949: 40).

canal o **contacto** Todo medio físico que permita la transmisión de un mensaje del emisor al destinatario. → *medio*.

canónica, forma → *forma canónica*.

cantada, voz En oposición al tipo de voz que se usa generalmente en el discurso hablado, los fonetistas y otorrinolaringólogos indican de este modo (cfr. el ya clásico G. Bilancioni, *La voce parlata e cantata, normale e patologica. Guida allo studio della fonetica biologica*, Pozzi, Roma, 1923) la voz usada en el canto (caracterizada por importantes modificaciones, como una elevación mayor, etc.).

cantidad Utilización fonológica de la duración*: en las lenguas indoeuropeas antiguas la c. de las vocales es distintiva. En la métrica clásica se distingue entre vocales breves y largas, "por naturaleza" o "por posición" (en el contexto).

capacidad generativa (ingl. *generative capacity*) En la teoría de la GT la c.g. de una gramática se obtiene por la extensión del conjunto de estructuras que ésta puede generar.

cardinal → *numeral*.

cardinales, vocales En fonética, un cierto número de sonidos vocálicos, distribuidos en puntos equidistantes del trapecio fonético* y que sirven de punto de referencia; en particular, los ocho timbres vocálicos de D. Jones → *trapecio fonético*.

carga funcional (ingl. *functional load* o *charge*) ⇒ *rendimiento funcional*.

carga semántica (fr. *charge sémantique*) "Conjunto de inversiones semánticas susceptibles de ser distribuidas en la realización sobre diversos elementos que constituyen el enunciado en una lengua natural" (Greimas-Courtès 1979: 36), en otras palabras, el núcleo que es traducido después de un modo u otro.

caritivo (neol. del lat. *carere* 'faltar') En algunas tradiciones (gramática de las lenguas urálicas) lo mismo que caso abesivo*.

casilla Posición ocupada por cada fonema* en el sistema fonemático de una lengua. Se indica con c. vacía (ingl. *hole, gap in the pattern*, fr. *case vide* ya en Meillet, etc.) el espacio dejado en el sistema después de la desaparición o reajuste de un fonema.

caso (lat. *casus*, trad. del gr. *ptôsis*, lit. 'caída') Modificación morfológica de la forma de algunas clases de palabras que expresa la relación sintáctica con el resto del enunciado; el indoeuropeo poseía siete (nominativo, genitivo, dativo, acusativo, ablativo, instrumental y locativo), otras familias lingüísticas presentan sistemas mucho más ricos, especializados, sobre todo, en la sutil distinción de las localizaciones espaciales.

caso profundo Por extensión de la modificación morfológica del caso a la función semántica que éste cubre, se llama c.p. a una posición en la estructura profunda de la frase con una especialización semántica análoga a la de algunos casos indoeuropeos (como el dativo*). → *gramática de casos*.

catacresis (gr. *katákhrēsis*, algo así como 'abuso') Figura* retórica por la que pasamos a denominar una cosa con la denominación de otra de significado parecido: *minutus* por *parvus*.

catáfora Procedimiento de remisión interna del texto por el que se hace referencia a un elemento que no ha sido seleccionado aún: "esta que os contaré es una historia verdadera". ≠ *anáfora*.

catálisis (neol. del gr. *katalúsis* 'disolución') En glosemática, interpolación de elementos funtivos* no accesibles al análisis; por ejemplo, la reintegración de un elemento elíptico: *yo me he tomado una cerveza, él* [se ha tomado] *dos*.

catástasis (neol. del gr. *katástasis* 'ordenamiento') Término introducido por M. Grammont en lugar de intensión*.

categorema (fr. *catégorème*, del gr. *katēgórēma* 'imputación, acusación' y, en sentido técnico, 'predicado') Término retomado por Benveniste (1966, cap. X) para indicar las hipotéticas unidades distintivas en el plano de la frase (o categoremático); en realidad, como observa el mismo Benveniste, el nivel categoremático supone sólo una forma específica, la proposición, que no constituye una clase de unidades distintivas. Pottier usa, en cambio, el término con el sentido técnico de 'clase formal de morfemas', que comprende lexemas y gramemas.

categoremáticos, términos Para Husserl, lo mismo que palabras autosemánticas*.

categoría (*gr. kategoría*, lit. 'imputación, acusación, lo que se predica de algo') El sentido del término depende de la elección de las clases que se toman en consideración y del nivel del discurso; se puede hablar de cc. cognoscitivas y mentales, pero si se habla de cc. lingüísticas nos referimos a las clases de elementos del eje paradigmático: morfológicas (sustantivos, adjetivos), sintácticas (sujeto, objeto, predicado, etc.), sintagmáticas (Sintagma nominal, Sintagma verbal).

categorial Relativo a las categorías. *Gramática c.*, modelo gramatical, formulado en gran parte por Y. Bar Hillel, que reconoce dos categorías fundamentales, el nombre y el verbo. // *Percepción c.* Descubierta en los años cuarenta en los laboratorios Haskins de Delattre, Cooper y Alvin Liberman, durante experimentos dirigidos a establecer la importancia del V.O.T.* en la percepción del carácter sordo de los contoides* oclusivos. En dichos experimentos se observó que los sujetos no llevan a cabo una discriminación en el plano de las categorías sino que la discriminación está subordinada a la identificación. Es decir, en el ámbito de una determinada clase fonológica, por ejemplo la de las oclusivas alveodentales sonoras, los sujetos no distinguen entre sí las /d/ más o menos sonoras, mientras que diferencian perfectamente elementos pertenecientes a clases fonológicas opuestas como /d/ y /t/. Lo contrario ocurre en la llamada percepción continua, por ejemplo en la discriminación de los colores: los sujetos no tienen dificultad alguna para distinguir diversos tipos de 'amarillo' dentro del 'amarillo' o de 'verde' dentro del 'verde'.

categórica, regla Regla* que tiene que ser aplicada siempre. ≠ *regla variable.*

causal Aplicado a una partícula, proposición, nexo, etc., el término se refiere a una relación de tipo 'x causa, hace que y'.

causal-final Caso* húngaro que indica causa, finalidad, precio: *pénzért* 'por dinero', *szemet szemért fogat fogért* 'ojo por ojo, diente por diente'.

causativo Verbo que expresa la idea de hacer ejecutar, de causar la acción descrita: < "la niña pasea a su perro cada día", "el entrenador hizo jugar al extranjero", > o verbos como *aplastar, debilitar, aturdir*; se puede obtener, asimismo, con los sufijos *(i)ficar, (i)zar.* En italiano, por ejemplo, los cc. no son señalados de una forma determinada, sin embargo, históricamente, llevaban a menudo un prefijo, como *-s.*

cavidad En fonética articulatoria, nos referiremos con c. oral, faríngea o nasal, respectivamente, a las varias cámaras de resonancia posibles en el aparato de fonación.

cenema (del gr. *kenós* 'vacío' + *-ema**) En glosemática, unidad mínima del plano de la expresión (si la materia es la lengua hablada, será la unidad fonológica). ≠ *plerema.*

cenematema Unión de cenemas* centrales y marginales (vocales y consonantes).

cenemático En glosemática, es el plano de la expresión el que da forma a la sustancia física de la forma lingüística; la cenemática es el estudio de las funciones y magnitudes del plano de la expresión (equivale, por lo tanto, a fonemática).

cenémica En glosemática, rama de la cenemática que estudia los cenemas (equivale, por lo tanto, a fonética).

central/periférico (ingl. *central/peripherad*) *a)* En fonología distribucionalista se denomina en ocasiones c. el sistema fonológico propio de la lengua respecto a los fonemas que han sido integrados a través de los préstamos (por ejemplo, los fonemas que han entrado en suahili mediante los préstamos árabes, → *polisistémico*).

b) En fonología generativa, rasgo propuesto por Stockwell para distinguir los sonidos articulados en el centro del esquema vocálico de aquellos articulados en su periferia, en los extremos (centrales ∼ anteriores y posteriores).

c) En glosemática, referidos a los miembros de una proposición: el predicado es el miembro c. y el sujeto el p.

centralizado Vocoide articulado hacia el centro de la cavidad oral, como ocurre en las sílabas átonas del inglés, el alemán o el ruso.

centrífugo/centrípeto *a)* En una consideración tipológica, lengua que tiende a disponer sus unidades respectivamente hacia el interior o el exterior respecto al sitio ocupado por el núcleo.

Para Abramow, el verbo es centrífugo y los actantes centrípetos.

b) Para Hijelmslev, lo mismo que *extenso/intenso**.

centro de atracción Concepto u objeto que ejerce una fuerte atracción emocional hasta el punto de que se toman metáforas de otros campos para describirlo mejor; por ejemplo el dinero <(*pasta*)>, la comida (*carburante*), etc.

centro de expansión Centro emocional análogo a los centros de atracción pero que irradia metáforas en lugar de recibirlas. La esfera sexual es un ejemplo de fuerte centro emocional; por un lado se usan metáforas para designar los elementos sexuales, por otro, se usan metáforas sexuales para designar una enorme variedad de referentes.

cerebral (trad. del sáns. *Mūrdhanyam*, de *mūrdha-* 'cabeza', opuesto a *dantamūlīyam* 'dental') ⇒ *postalveolar*.

cero Después de Saussure se indica con signo c. o grado c. del morfema un morfema determinado no por una forma fónica (*figure acoustique* en las fuentes manuscritas), en cuanto no posee ninguna, sino por la oposición con otro morfema; tenemos, por lo tanto, junto a la oposición $x \sim$ -*y* aquella *x* $\sim$ 0. Análogamente se ha señalado un grado c. del significado (Jakobson), pero el concepto ha sido discutido (aunque en casos, como "Pero ¿qué dices?, ¡quita, quita!" el segundo *quita* podría ser un caso de significante con significado c. (Saussure 1968: 443).

cerrado *a*) En fonética, aplicado a los vocoides, lo mismo que alto*.

b) Sílaba compuesta por consonante, vocal y consonante. CVC.

c) Clase c. → *abierto/cerrado*.

cesura (lat. *caesura*, equivalente del gr. *tomḗ* 'corte') Término técnico de la métrica tradicional que indica la pausa rítmica en el interior de un verso. Por extensión, en general, una pausa, una interrupción a lo largo de una construcción lineal o rítmica.

"chômeur" (fr. 'desocupado') En gramática relacional, elemento nominal cuya función es ocupada por otro elemento y que, por lo tanto, queda inutilizado.

cíclico → *ciclo*.

ciclo En la gramática GT después de *Aspects* (1965), secuencia en la que se ordenan las reglas sintácticas o fonológicas. La regla 2 podrá operar sólo después de que haya acabado de operar la regla 1. Existen, sin embargo, reglas (precíclicas* y poscíclicas*) que operan en las estructuras subyacentes antes de que se aplique el ciclo y después de éste; por ejemplo *uno de Roma ha venido para decirme*, reducción de *un hombre ha venido* [subordinada relativa: *un hombre es de Roma*] *que es de Roma*.

cinestesia La percepción que el hablante posee de sus movimientos articulatorios.

circularidad La circularidad se obtiene cuando la relación entre signo definido y definición puede invertirse y el primero puede ser a su vez definición de la segunda; considerada a menudo como un defecto lógico, la c., por el contrario, es una condición imprescindible para nuestra comprensión del léxico, que resultaría imposible si las definiciones fueran ilimitadas y no se pudieran volver a utilizar circularmente.

circunstancial (alem. *Circumstantial*) Del mismo modo en que el adverbio precisa el verbo que acompaña, el c. precisa el entero hecho al que se refiere, indicando las circunstancias, los medios y los modos.

circunstante (fr. *circonstant*) En la terminología de Tesnière elemento subordinado al verbo y que indica tiempo, lugar, manera, etc. ≠ *actante*.

cita Segmento de texto presentado de modo aislado, o que es extraído del contexto original para ser insertado en otro contexto; una c. aislada se sustrae a veces a las reglas generales de la lengua.

claro Término del impresionismo para indicar las vocales anteriores. ≠ *oscuro*.

clase En general, conjunto de elementos que comparten una o más propiedades; para Bloomfield la clase de forma es el total de las formas que pueden aparecer en la misma posición. Para Halliday una de las cuatro categorías de análisis (con estructura, unidad y sistema): la unión de los elementos que comparten la misma posibilidad de hallarse en una estructura.

clase abierta/clase cerrada Es abierta la c. de formas en la que pueden ocupar un sitio espontáneamente las nuevas adquisiciones de la lengua; es, por lo tanto, una clase abierta la compuesta por los verbos regulares, cerrada la compuesta por los irregulares; un nuevo verbo, *allunare* < 'aterrizar en la luna' > en it. < o *concretizar* en español > , se adapta espontáneamente al paradigma de los verbos en -*are* (en it.) < y -*ar* (en esp.) > mientras que ningún verbo se adaptaría a la conjugación de *ser* o *haber*.

clase abierta/clase perno En el estudio del lenguaje infantil en un estado de frases con dos palabras ha sido frecuentemente utilizada una gramática descriptiva propuesta por Braine en 1963 (ingl. *pivot/open class grammar*), basada en la distinción de dos clases de palabras: la c.p. formada por un número cerrado de palabras que expresan acciones, modos, lugares, etc., y la c.a. que comprende, sobre todo, nombres y que aumenta progresivamente: por ejemplo *quiere comida, aquí pelota* (ambas P + A). Las limitaciones de esta gramática radican naturalmente en el transferir al lenguaje infantil los criterios distribucionales característicos de la lingüística estructural, sin tener en cuenta las estructuras semánticas y sintácticas subyacentes que todavía no son expresadas en la estructura superficial.

clase natural En fonología generativa, un conjunto de signos constituye una c.n. si para designar la entera clase basta un número de rasgos menor del necesario para designar cada uno de los sonidos que la forma; así, forman una c.n. todos los sonidos labiales del <español> [p, b, m, f] aunque la subdivisión en c.n. no sigue necesariamente las de la fonética articulatoria tradicional; por ejemplo, en algunas lenguas indoeuropeas antiguas constituyen una c.n. los sonidos que componen la palabra mnemónica /r u k i/. El concepto se ha revelado útil en la fonología para explicar modificaciones (asimilaciones, disimilaciones) entre sonidos que, según la fonética articulatoria, no presentaban una afinidad determinada.

clase nominal En muchas lenguas de las varias familias (africanas, australianas, americanas) el léxico nominal se distribuye, sobre todo, en un número *n* de clases, marcadas explícitamente (con prefijos, por ejemplo) o sólo implícitamente (en las reglas de concordancia). Es razonable pensar que tal división del léxico en clases se haya organizado alrededor de una clasificación por rasgos semánticos (por ejemplo, 'seres humanos', 'animales', 'colectivos', 'instrumentos', 'diminutivos', 'peyorativos', etc. → *clasificador*), pero, en este sentido, ninguna lengua histórica presenta sistematización u homogeneidad alguna.

clasema *a*) Para Pottier, un subconjunto de semas* genéricos, común a signos de campos* semánticos distintos; para Coseriu un rasgo semántico abstracto como masculino/femenino, común a palabras de campos semánticos diversos; el rasgo específico es el sema*.
b) Para Greimas, en cambio, los semas contextuales recurrentes en el discurso que garantizan la isotopía* y que pueden estar organizados en clases taxonómicas como grupos de categorías sémicas; algunos cc. pueden ser los mismos que los de *a*), por ejemplo animado/inanimado, animal/vegetal.

clasificabilidad Neologismo que puede servir para traducir el fr. *classifiance* (término de J.-C. Milner, por ejemplo en *De la syntaxe à l'interprétation*, Seuil, París, 1978): grado con el que una forma lingüística conlleva una operación de clasificación del referente en un conjunto delimitado: un adjetivo como *maravilloso*, por ejemplo, respecto a *cuadrado*.

clasificación *a*) *c. de las lenguas*. Uno de los objetivos de la lingüística histórica es el de determinar las relaciones de parentesco entre las distintas lenguas del mundo. Siguiendo un sistema de clasificación basado en el árbol genealógico, a base de ramificaciones sucesivas (aunque la c. se detiene en un cierto número de agrupaciones y no se remonta hasta un hipotético origen único) las lenguas se subdividen, a tenor de sus rasgos comunes, en conjuntos de diverso orden. Si no es necesario establecer más de un nivel, se usa una sola unidad de agrupación, la familia*; pero puede ocurrir que las diferentes familias se agrupen en niveles distintos y que, por lo tanto, sea necesario prever una jerarquía de agrupaciones siguiendo el modelo de las clasificaciones de las ciencias naturales (por ejemplo, macrophylum, phylum, stock, familia, subfamilia), en las que las unidades de un mismo nivel se excluyen recíprocamente (indoeuropeo, uralo-altaico, austronesaino, etc.) y cada unidad incluye unidades del nivel inferior (el fino-ugrio incluye el finés) pero es incluida en unidades del nivel superior (el fino-ugrio es incluido en el uralo-altaico).

b) c. fonológica. En el ámbito de las investigaciones sobre los principios universales del lenguaje* (→ *universales lingüísticos*) R. Jakobson ha elaborado un inventario general de rasgos* distintivos usados en las distintas lenguas con la finalidad de llegar a una clasificación fonológica sobre bases tipológicas (→ *tipología lingüística*). En la base de tal c. Jakobson coloca no el rasgo individual sino el rasgo binario, es decir, una oposición* en la que en dos elementos existe la presencia o la ausencia de una determinada característica. Los rasgos se dividen en dos clases, rasgos de sonoridad y rasgos de tonalidad. La primera clase comprende las oposiciones: I. vocálico/no vocálico; II. consonántico/no consonántico; III. compacto/difuso; IV. tenso/flojo; V. sonoro/no sonoro; VI. nasal/oral; VII. continuo/discontinuo; VIII. estridente/mate; IX. bloqueado/no bloqueado. La segunda comprende: X. grave/agudo; XI. bemolizado/no bemolizado; XII. diesizado/no diesizado (Jakobson 1966: 103-105). Cada una de las lenguas utiliza sólo parte de este inventario; para los rasgos se aplican las mismas normas que para los fonemas: si dos o más rasgos no aparecen nunca juntos en la misma lengua y presentan una propiedad común que los caracteriza, nos encontramos ante una variante de un mismo rasgo en distribución com-

plementaria (Jakobson 1966: 102). El inventario ha sido parcialmente perfeccionado por los fonólogos generativos, sobre todo Chomsky y Halle (*The sound patterns of English*, 1968), y McCawley, generalmente con un retorno a las propiedades articulatorias.

clasificador En muchas lenguas, en cada expresión compuesta por un numeral y por el nombre de la cosa numerada es obligatoria la inserción de una palabra, el c., que especifica la clase a que pertenece lo que es contado: en italiano < o en español > el uso de cc. no es siempre obligatorio: *due capi di biancheria, tre cespi di insalata, un paio di forbici* (*occhiali, pantaloni* < 'un par de tijeras, un par de gafas, un par de pantalones', pero cfr. < *un pantalón* >, *eine Brille, eine Schere*), fr. *un coup de rouge, un pied d'ail, une paire de ciseaux*, en otras, en cambio, es obligatorio al menos un c. para los inanimados ('parte') y uno para los animados*; otras lenguas poseen sistemas de clasificación mucho más complejos que permiten recurrir incluso a varios centenares de cc. diversos. La distribución de esta característica morfológica cubre una zona relativamente homogénea alrededor del Pacífico: todas las lenguas del sureste asiático (chino, vietnamita, birmano, etc.) y las americanas.

cláusula (lat. *clausula*) Término de la estilística antigua que indicaba el esquema métrico de la última parte de una frase en la prosa rítmica (*numerus,* → *"cursus"*), después se ha vuelto a usar, por influjo del inglés *clause*, para indicar una unidad sintáctica intermedia entre la frase y el sintagma. La dificultad terminológica subsiste; en inglés se habla de *transitive* o *intransitive clause*, que se puede traducir con *proposición o frase transitiva o intransitiva* pero, al mismo tiempo, con *proposición o frase* traducimos *sentence*, que indica la unidad superior a la *clause*. → *frase, período, proposición*.

clave (ingl. *key*) En la etnografía del discurso se usa metafóricamente la noción musical de c. (es decir, la indicación del valor de las notas de una línea del pentagrama) para designar la indicación interpretativa de un evento* lingüístico: el valor de un texto cambia dependiendo de la clave en que se recibe y se interpreta; en la delimitación entre la interpretación normal y la efectuada en la clave deseada obtenemos la ironía, la burla, la paradoja, etc. Quien da la c. para interpretar un discurso puede ser el emisor mismo, lingüísticamente o incluso paralingüísticamente, por ejemplo con un gesto, un guiño, asumiendo una actitud innaturalmente grave, señalando, en definitiva, su deseo de "no ser tomado en serio".

cliché (fr. [kli'ʃe], por analogía con la técnica de reproducción que nos permite obtener mediante la plancha de los clichés un número ilimitado de reproducciones iguales) ⇒ *estereotipo, sintagma cristalizado*.

clímax (lat., del gr. *klîmaks* 'escalera') Figura* retórica que consiste en disponer en gradación* los elementos de una misma clase (adjetivos, verbos) "como los escalones de una escalera",

en orden creciente hasta llegar al máximo del efecto retórico deseado. ≠ *anticlímax*.

clítico (gr. *klitikós*; se usa en masculino o femenino) Forma que no puede aparecer sola sino que depende de las formas que la suceden (proclítico) o la preceden (enclítico).

"clôture du texte" (fr., 'clausura del texto') ⇒ *delimitación* b).

"cluster" (ingl. [klʌstə]) ⇒ *nexo*.

coactante → *actante*.

coalescencia Fusión de varios segmentos contiguos en un segmento único.

coarticulación Una articulación que afecta simultáneamente a dos puntos de articulación: por ejemplo, las "enfáticas"* del árabe o las labiovelares [kp, gb, ŋm] de las lenguas del África Occidental.

coda *a*) En fonética, la parte final de la sílaba (ingl. *coda* o *rhyme*) distinta del ataque.

b) o *moral*. Una función narrativa para Lavov y Waletzky (1968), que es la que sucede al desenlace de la trama.

codificación (cfr. ingl. *coding, encoding*, fr. *codage*) Operación con la que se establece la correspondencia entre los elementos de un mensaje y las señales de un determinado código*: la operación inversa (la determinación de un mensaje a partir de la señal) se llama descodificación.

código Un c. es un sistema de signos*, es decir, un sistema de correspondencias entre las clases complementarias formadas por un conjunto de señales, por un lado, y las formadas por un conjunto de mensajes, por otro; un c. tendrá, por lo tanto, un campo noético* y un campo semántico*. Las señales del campo semántico tienen que ser producidas, sin embargo, con el fin específico de dar las indicaciones necesarias para la transmisión de un mensaje, en caso contrario, tenemos un simple sistema indicador: en un ejemplo de Prieto, los colores del cielo constituyen un universo del discurso cuyas divisiones en clases complementarias corresponden a divisiones análogas en otro universo del discurso, el constituido por las condiciones meteorológicas posibles en el futuro; no obstante, en este caso no se trata de un c. porque viene a faltar la naturaleza instrumental de los mensajes. La lengua puede considerarse un código en cuyo ámbito se encuentran una serie de subcódigos; existe un c. de la lengua italiana, un c. de la lengua francesa y existe, asimismo, el subcódigo de la lengua familiar italiana, el subcódigo de la lengua diplomática francesa, etc. La determinación de un c. en la lengua se encuentra ya en Saussure, que distingue en la "parole" 'las combinaciones con las que el sujeto hablante utiliza el c. de la lengua para la expresión del propio pensamiento personal' (Saussure 1960: 31). De hecho, señala Martinet 'la oposición tradicional entre "langue" y "parole" se puede expresar también en términos de c. y mensaje, el c. es la organización que permite la composición del mensaje y aquello con lo que se confronta cada uno de los elementos de un mensaje para obtener un sentido' (Martinet, 1966: 29) (cfr. G. Mounin, *La notion de code en linguistique*, en *Linguistique contemporaine. Mélanges Eric Buyssens*, Bruselas, 1970, recogido en *Introduction à la sémiologie*, Minuit, París, 1970, 77-86, a la que se puede añadir la definición hjelmsleviana, no presente aquí, de c. como un sistema de reglas de correspondencia entre las unidades o figuras del plano de la expresión y las del plano del contenido, es decir, como un sistema de figuras semióticas, o sistema de sistemas (dado que la forma de cada uno de los dos planos lingüísticos es ella misma un sistema).

código elaborado/código restringido (ingl. *elaborated/restricted code*) En la formulación de B. Bernstein los hablantes de una misma comunidad tienen a su disposición, según la extracción social, educación y socialización, dos variedades distintas de la misma lengua: un c. elaborado, más creativo y adecuado a las diversas situaciones, que permite las verbalizaciones más ricas, con la utilización de nexos causales y una amplia gama de posibilidades expresivas, y un c. restringido, que, por el contrario, posee un léxico más pobre y menos diferenciado, con pocas posibilidades de elección. El poseer sólo el código restringido constituye una barrera lingüística* al avance social.

coeficiente Cada una de las particularidades de importancia fonemática en un fonema.

coenunciatario (fr. *coénoncia-teur*) Para Culioli, lo mismo que *alocutario*.*

coexistentes, sistemas (ingl. *coexistent systems*) → *polisistémico, sistema*.

coherencia (ingl. *coherence*) Cohesión funcional de las diferentes partes de un texto.

cohesión (ingl. *cohesión*, fr. *cohésion*) *a*) Morfológicamente, la unión, el grado de adhesión, entre los diferentes morfemas; por ejemplo en *otro plato de judías* es evidente que existe una mayor c. entre *plato* y *judías* que entre *otro* y *plato*.

b) Por analogía, en el texto es la conexión entre las unidades de las frases, obtenida con repeticiones*, conectivos*, (*y, entonces, por otra parte,*), anáfora* y catáfora*, etc.

c) Para Hjelmslev, término que indica determinaciones e interdependencias.

cohipónimo → *hipónimo*.

colectivo En general, aplicado a los nombres que poseen un referente plural; un nombre c. no admite generalmente el plural: *aceite, arena, agua*; si le cambiamos el género es para indicar que existen varios tipos, y no que se trata de una mayor cantidad de arena, aceite o agua. En el caso de que quisiéramos expresar una cantidad más pequeña o más grande de un colectivo tendríamos que recurrir al clasificador* (ingl. *a bit, a piece*; it. *un po', una goccia*, < esp. *algo, un poco, un hilito* > etc.). Algunas lenguas disponen de sufijos especiales para el c.: < esp. *-eda* en *alameda* o *-al* en *naranjal*; > it. *-ata* en *cartata* < 'paquete', de *carta* 'papel' >, *-ame* en *cordame* < 'conjunto de cuerdas' > (a menudo, con connotaciones peyorativas); georgiano *-ebi* como en *švili* 'niño', *švilni* 'niños', *svilebi* 'una cantidad de niños'; ár. *mawz, maza* 'plátanos'; alem. *Geschwister* 'hermanos y hermanas', *Gefieder* 'plumaje'.

colisión homonímica (fr. *collision homonymique*) Término de Gilliéron. → *conflicto hominomico*.

colocación (ingl. *collocation*, del lat. *collocatio*, usado ya como término gramatical) *a*) Para Firth, las palabras en su efectiva disposición sintáctica y, como consecuencia, el significado conseguido en el contexto de la situación a través de las diversas relaciones sintagmáticas; se distingue, por lo tanto, de la yuxtaposición, que consiste en colocar simplemente un elemento a continuación del otro.

b) Para Joos, una combinación de palabras que pone en relieve los significados.

coloquial Estilo, lengua c., y, por influjo del ingl. *colloquial*, es, más bien, lo que en latín se conocía con *sermo cotidianus*, y en alemán el *Umgangssprache, Alltagssprache*. ≠ *alto, elevado*.

color *a*) Término del impresionismo para indicar el timbre de un sonido vocálico: una particular acepción posee c. en *audición coloreada* (fr. *audition colorée*) en la que el sujeto asocia la visión mental de determinados colores a la percepción de determinados sonidos vocálicos.

b) En la retórica c. (lat. *color*, gr. *krôma*) es un particular embellecimiento, los *color rhetorici* (cfr. la obra con este título de L. Arbusow, Göttingen, 1963) son, más específicamente, el 'colorido' subjetivo que el orador da de un hecho objetivo para presentarlo a los oyentes bajo la luz que crea más conveniente. Dado que en un discurso epidíctico* tal colorido era, obviamente, más a menudo positivo que negativo, c., como el it. *colore*, el fr. *coleur* o el ingl. *colour*, ha adquirido también el valor de 'pretexto' (*sotto colore di, sous couleur de* 'con el pretexto de') y *colorato* en italiano antiguo significaba 'pretextado' (*Sotto false e colorate ragioni*, L. Bruni, h. 1430).

colorido vocálico En fonética se utiliza a veces el término c. cuando un contoide no presenta la explosión final sino que continúa en un vocoide evanescente.

colusión homonímica o **paronímica** (cfr. *collusion homonymique* o *paronymique*) Para Guiraud, un juego de palabras —casi siempre jergal— basado en un doble significado: *maroufle* ("Bulletin de la Société de Linguistique de Paris", 52 [1957: 269]).

combinación *a)* Para Jakobson, proceso por el cual "cada signo está compuesto de signos constitutivos y/o aparece en combinaciones con otros signos. Lo que significa que cada unidad lingüística sirve al mismo tiempo como contexto para unidades más simples y/o encuentra al propio contexto en una unidad lingüística más compleja" (Jakobson 1966: 26). Paralelamente, existe la posibilidad, que Jakobson llama selección*, de sustituir cada unidad por otra que puede ocupar un sitio en el mismo contexto; c. y selección corresponden respectivamente a las relaciones sintagmáticas y paradigmáticas.

b) Para Hjelmslev, combinación entre dos términos compatibles, pero no recíprocamente supuestos en el proceso (por ejemplo, la realización textual de una variante combinatoria [ŋ ~ k] es una realización de c., mientras que en el sistema será una correlación de especificación [ŋ ⊢ k]).

combinatorio Variante c. es aquella dictada por el contexto; por ejemplo, en < español > es una variante c. la nasal que presenta diversas articulaciones dependiendo de las diversas oclusivas que la suceden: *diente, ángulo, ánfora, ángel*.

compacto/difuso Par de rasgos distintivos* que presenta acústicamente una mayor o menor concentración de energía en una zona central, relativamente estrecha, del espectro acústico, y, articulatoriamente, una diferencia entre los volúmenes de la cámara de resonancia que está delante y la que está detrás del diafragma.

comparación *a)* Relación que se establece entre dos términos con respecto a un elemento cualificativo: *Pablo es más/menos alto que Pedro.*

b) Figura que hace uso de esta relación.

c) Análisis que coteja las características similares de lenguas que se consideran genéticamente afines (→ *parentesco lingüístico*).

comparativo   *a*) Los adjetivos y los adverbios pueden poseer tres grados de significación, positivo, comparativo y superlativo, expresados de forma sintética en latín (*cito, citius, citissime*) o de forma analítica en algunas lenguas modernas (*guapo, más guapo, el más guapo*, salvo restos de latinismos sintéticos como *bueno, mejor, óptimo*).
b) En algunas lenguas (por ejemplo, las caucásicas) el caso* en el que se declina el segundo término de una comparación.
c) Lingüística c. → *lingüística comparativa*.

compatibilidad (alem. *Kompatibilität*, r. *sovmestimost'*)   En algunas teorías lingüísticas (como la de J. D. Apresjan, por ejemplo), término técnico para indicar la concordancia —o acuerdo, o congruencia— entre los rasgos semánticos o sintácticos de las diversas unidades de la frase.

competencia (ingl. *competence*)   Término que se ha difundido por influencia de las teorías de Chomsky para indicar el conjunto de conocimientos que el hablante, de manera más o menos consciente, posee sobre la propia lengua; en términos de Saussure se trataría de la "langue". ≠ *ejecución*.

competencia comunicativa (ingl. *communicative competence*)   Para Hymes es la capacidad que el hablante tiene para usar apropiadamente su competencia lingüística verbal o no verbal, teniendo en cuenta no sólo la articulación gramatical correcta de sus enunciados sino también a los interlocutores, el contexto, la situación*, los argumentos que se tratarán, etc.

competencia textual   La capacidad de enlazar de modo apropiado las frases de un texto; por ejemplo, un traductor podría reflejar mediante correctas frases < españolas > el contenido de cada una de las proposiciones inglesas y, al mismo tiempo, dejar inalterados, por falta de c.t., los nexos de las frases del original, dando lugar a un texto que resultaría más cercano al inglés que al < español >.

complejo   Para Brøndal la forma c. es una de las formas posibles para cada tipo de relación: formas polares (positivo/negativo), neutras (ni positivo ni negativo), cc. (positivo y negativo), cc. polares (c. positivo/c. negativo). → *cuadrado semiótico*.

complementación (ingl. *complementation*)   El ámbito de la formación de los componentes que "completan" la acción especificada por el verbo, es decir, los complementos* por definición y los adverbiales y, también, las subordinadas que dependen de una principal.

complementariedad   Interdependencia entre dos términos del sistema. Si existe el género femenino, existe también el masculino.

complementario   *a*) Tipo de antónimo*: *hombre/mujer*.

b) Distribución* c. es aquélla por la cual la forma *x* aparece en todos los contextos en los que no aparece la forma *y* y viceversa; la presencia de *x* excluye la de *y* y viceversa: en italiano, por ejemplo, se encuentran en distribución c. los artículos *il* (delante de consonante) y *lo* (delante de vocal y de *s*- seguida por consonante) <o, en español, los alófonos oclusivo [d] y fricativo [ð] del fonema / d />.

complementizador (ingl. *complementizer*) Término introducido por Rosenbaum (1967) para los elementos que introducen un complemento (*that is...x-ing, for...to*) o, también las partículas interrogativas (fr. *est-ce que?*; pol. *czy*, r. *esli*, etc.).

complemento En un enunciado, cada sintagma que aporte una información añadida a la información central que da el predicado. El objeto directo es aquél sobre el que recae directamente la acción del verbo transitivo (hacer *x*) y quizá por este motivo es, a menudo, el c. menos marcado formalmente. El agente es equivalente semánticamente al sujeto de un frase activa: *el cazador caza al conejo/el conejo es cazado por el cazador*. Otros complementos menos ligados inmediatamente a la constitución del verbo son los de lugar y tiempo (a menudo no diferenciados formalmente: *en el baño, en el año*), de modo, de instrumento, etc. No existe una clasificación cerrada de los cc.; ciertas tradiciones gramaticales, como la del italiano <o la del español> , aunque a veces sobre bases formales inconsistentes, llegan a contabilizar varias decenas.

completiva *a*) Segundo elemento de una negación (fr. *pas, point*, it. *affatto, punto*, <esp. *para nada*>, etc.); *ce n'est pas, tu ne tuera point*.

b) *Proposición c.* Otra designación de la frase objetiva.

componencial, análisis Desarrollando, de manera más o menos explícita, las premisas sobre el análisis del significado en figuras del contenido formuladas en los *Prolegomena* de Hjelmslev, varias escuelas han intentado elaborar un método para la descomposición de los significados; el a.c. descompone el significado de un signo en sus rasgos mínimos, según un procedimiento que recuerda el del análisis fonológico en rasgos binarios, tipo de análisis por el que ha sido claramente influido. No existe un catálogo *a priori* de los rasgos utilizados, que se presumen sean universales pero que, en realidad, han sido establecidos de manera empírica según la pertinencia efectiva, caso por caso.

componente *a*) En la gramática GT se llama *c. de base* a cada uno de los estratos que componen la gramática: el c. fonológico, el semántico, el sintáctico.

b) En la semántica generativa los cc. semánticos son predicados atómicos, las unidades mínimas en las que es posible descomponer la representación semántica de un verbo, por ejemplo un análisis de este tipo descompone *matar* en la secuencia de cc.ss. CAUSA ((CAMBIA) ((NO) (VIVE))).

comportamiento del signo El comportamiento dirigido a una finalidad o influido por los signos (Morris 1949: 21).

composición El proceso de formación de palabras a partir de varios morfemas de la lengua, según esquemas de derivación más o menos constantes.

compresión recíproca → *intercomprensión*.

compuesto Un sintagma formado por dos o más morfemas que se comporta sintácticamente como un signo único y que asume un significado nuevo que no es dado, necesariamente, por la suma de los significados que lo componen. El orden de las partes, o miembros del c., puede cambiar de lengua a lengua; los miembros pueden darse inmutados, unidos sólo por una estrecha juntura o con modificaciones *ad hoc*; el verbo puede aparecer en la forma temática y el nombre en una forma especial (gr. *glōsso* respecto al nominativo *glôtta*, etc.). A diferencia de los sintagmas fosilizados o de las secuencias lexicalizadas (ingl. *you-know-what, God's-truth*) el c. no es divisible; la diferencia con respecto a los prefijados* con prefijos y prefijoides y a los sufijados*, que poseen una estabilidad de formación es intuitiva. Se distinguen varios tipos (que, en cualquier caso, toman tradicionalmente el nombre sánscrito de las clases correspondientes de la gramática hindú):

cc. coordinados, divididos en *copulativos*, sáns. *dvandava* (como *ventiseis*, védico *pirtarāmātarā* 'padre y madre', gr. *nukhtḗmeron* 'un día y una noche') e *iterativos*, sáns. *amreḍita* 'repetido' (como el lat. *quisquis*).

cc. subordinados, que tienen su origen en la lexicalización de una frase subyacente:
• de una base verbal, de tipo SN + V + SN: gr. *sauroktónos* (de ahí las formas doctas *antropólogo, filósofo*), < esp. *sacacorchos* >, it. *lavapiatti*, fr. *porteplume, soutien-gorge*. En estos compuestos, el verbo se encuentra en imperativo, en otras lenguas puede aparecer como nombre de agente (alem. *Büstenhalter*).
• de una base nominal: nombre + adjetivo o adjetivo + nombre: gr. *rododáktulos*, it. *acquaforte* 'aguafuerte'.
nombre + nombre (tipo cada vez más frecuente en italiano): < *pez espada*, > it. *pescepalla, carovita, bagnomaria*, fr. *bateaumouche*
adjetivo + adjetivo: < *agridulce* >. Por último, pueden ser endocéntricos* o *tappurusa*,
exocéntricos o *bahuvrīhi*; sáns. *bauvrīhi* 'rico de arroz', lat. *quadrupes* 'con cuatro patas'.

común, nombre *a)* → *nombre*.
b) → *epiceno*.

comunicación Sobre todo por influencia de Jakobson ha sido plenamente aceptado el hecho de que el lenguaje es, sobre todo, comunicación, o que, de todas maneras, la finalidad específica del habla es la comunicación. Sin embargo, incluso aceptando la prioridad de la función comunicativa sobre los otras, que también existen y son demostrables (ideativa, cognoscitiva, etc. → *funciones*), la c. puede ser vista, en términos cibernéticos, como un circuito en el que lo más importante es la correcta transmisión y recepción del contenido o, también, de modo más dialéctico, como una confrontación entre dos sujetos. Para Grice, la c. tiene que obedecer a una serie de presupuestos comunicativos o conversacionales, que empeña a cada uno de los interlocutores en una especie de cooperación en nombre de la mejor comprensión posible (→ *discurso*); para Greimas, en cambio, la c. tiene lugar entre dos deseos contrarios, entre los cuales se ha establecido un verdadero conflicto negociado; la c. será en todo momento el resultado del cuadro de fuerzas que paulatinamente ha ido emergiendo.

comunicación de masa Término relativamente reciente que se refiere al peculiar tipo de comunicación propio de las sociedades industriales: la circulación de mensajes de interés colectivo se está poniendo, cada vez con más frecuencia, en manos de los organismos centralizados (los llamados *mass media*, los medios de c. de m.) como la prensa, la radio, la televisión, el cine, que se dirigen con emisiones de sentido único, a auditorios de excepcionales proporciones como un entero país o comunidad o, incluso, más amplios que éstos.

comunidad lingüística La sociolingüística variacionista, desmontando el mito de la lengua monolítica (que en cuanto tal, permitiría identificar a una comunidad también monolítica) ha convertido en problemática la delimitación del conjunto de hablantes que utilizan una misma lengua. El concepto de c. l. es un concepto genérico, que

no alude al uso de una misma lengua sino a la comunidad de redes comunicativas (cualesquiera que ellas sean y cualesquiera que sean las variedades de lenguas usadas).

comunidad textual (alem. *Textgemeinschaft*) Noción de R. Harweg para designar el conjunto constituido por el productor de un texto dado y por sus receptores o destinatarios, efectivos (si el texto es oral) o potenciales (si es escrito); lo que los une es el conocimiento de la estructura total del texto y de los desarrollos narrativos precedentes (por ejemplo en el caso de los ''seriales''), conocimiento necesario para la comprensión de cada una de las fases sucesivas.

conativo *a*) Aspecto* del verbo que, junto a los tiempos imperfectivos, indica el intento de llevar a cabo una acción: lat. *inimici flumen transibant* 'los enemigos intentaban atravesar el río', esp. 'quería cogerla pero no la cogió'.

b) Función* c., según Jakobson, es la que concierne al destinatario.

concatenación Operación consistente en formar secuencias lineares de símbolos (gráficamente se usa + o ∩ colocados entre los símbolos): $x + y + z$.

concentración/difuminación lingüística (ingl. *linguistic focusing/diffusion*) Para R. B. Le Page, *Polarizing factors —political, cultural, economic— operating on the individual's choice of identity throygh language use in British Honduras*, en J. G. Savard, R. Vigneaultd, ed., *Les états* *multilingues, Problèmes et solutions,* Les Presses de l'Université Laval, Quebec, 1976, pp. 537- 553) es la formación de una nueva norma, en perjuicio de las otras (aunque no es lo mismo que la creación de una norma estándar).

concepto (alem. *Begriff*, fr. e ingl. *concept*, etc.) Este término de sólida tradición filosófica es usado también en lingüística, aunque no rigurosamente como sinónimo de significado de un signo (así en el primer Saussure) o de unidad de significado.

"concinnitas" (lat.) Término de la retórica latina, que se refería a la búsqueda del orden, de la simetría, de la elegante disposición de las partes, evidente, por ejemplo, en una oración ciceroniana. ≠ *inconcinnitas.*

concordancia *a*) (*accordo* —deverbal de *accordare*, lat. vulg. *adchordare*, aplicado a los instrumentos musicales— o *concordanza*) Relación formal entre varios elementos de una frase: *la casa bonita*, swahili *ki-su hi meanguka* 'el cuchillo se ha caído', *vi-su vi-meangula* 'los cuchillos se han caído'; c. *ad sensum* es la que respeta las relaciones semánticas cuando éstas divergen de aquéllas formales: *se tiene miedo* (sing.) *de estar solos* (plur.). → *silepsis.*

b) (*concordanza*) Repertorio de todas las formas de un autor o un texto dados: *las cc. bíblicas; una c. de las obras latinas de Petrarca.*

concreción Fusión de dos morfemas en una sola unidad, por ejemplo la del

artículo con el nombre articulado, como el fr. *lierre* de *l'hierre* 'yedra'.

concreto   → *abstracto.*

condensación/expansión La elasticidad del discurso, que es una de las propiedades específicas de las lenguas naturales respecto a otras semióticas, conlleva, entre otras cosas, la posibilidad de que una misma jerarquía semiolingüística (por ejemplo, una frase) puede ser articulada, es decir, manifestada, de manera condensada (por ejemplo, en la construcción de metalenguajes mediante una preposición lógica) o expandida (a través de los diversos procesos textuales de coordinación, subordinación, paráfrasis, etc.).

condición En la gramática GT es necesario en algunos casos que se cumplan ciertos requisitos previos para que puedan verificarse ciertas transformaciones; en estos casos se habla de c. de linealidad o de estructura de morfema, etc.

condicionado Se llama c. el rasgo no sujeto a la elección del hablante, o espontáneo, pero determinado por el contexto. ⇒ *combinatorio.*

condicional Un modo morfológicamente caracterizado que representa una innovación de las lenguas románicas respecto al latín; reconocido como modo con valor propio por los gramáticos italianos de mitad del s. XVI, expresa una acción sólo potencial cuyo cumplimiento está subordinado a otras condiciones o de cuya realidad no se posee la certeza; *quisiera un plato de esto* (si es posible, si alguien me lo da), *los heridos serían unos seiscientos* (si es verdad lo que dicen), *el tren habría descarrilado* (pero lo han detenido a tiempo), *se habría arrepentido después* (y lo ha hecho, pero entonces no lo había hecho aún), etc.

conectivo (fr. *connectif*, ingl. *connective*) *a)* Término usado con varias acepciones: para indicar una relación de pertenencia, un nexo entre varias frases, un elemento textual o pragmático que conecta las partes de un texto (*<dado que, pero, porque, >* it. *sicché, perciò, perché, benché, ma,* fr. *cependant,* ingl. *however,* → *cohesión*), y el texto con el contexto situacional y del mundo; se puede distinguir entre cc. de adición (*<y>*, it. *e,* ingl. *and*), adversativos (*<pero>*, it. *ma,* ingl. *but*), causales (*<porque>*, it, *perciò,* ingl. *so*), temporales (*<entonces>*, it. *allora,* ingl. *then*). Los cc. causales son susceptibles al hecho de que la causa sea introducida como nueva (*<porque>*, it. *perché,* fr. *parce que,* ingl. *because*) o sea dada como conocida (*<dado que>*, it. *siccome,* fr. *puisque, car,* ingl. *as*).

b) De modo más genérico, en glosemática c. es un "funtivo* que en ciertas condiciones es solidario con unidades complejas de un cierto grado. En el plano de la expresión los cc. son en la práctica (aunque no siempre idénticos) lo que la vieja lingüística llamaba vocales conectivas... en el plano del contenido las conjunciones son muchas veces cc." (Hjelmslev 1966: 78).

conector Para Jakobson, diverso del designador. → *conmutador.*

configuración Término genérico usado en el significado técnico matemático por los lingüistas soviéticos para indicar un esquema, un conjunto ordenado de hechos sintácticos o semánticos.

configurativo, rasgo → *rasgo* c).

conflicto homonímico Competencia entre formas diferenciadas en su origen pero asimiladas en el curso de la evolución fonética y semántica; la lengua la resuelve generalmente dando un nuevo nombre a uno de los dos términos.

conformidad Para Hjelmslev, la propiedad de los sistemas de símbolos de presentar isomorfismo* entre las unidades del plano de la expresión y las del contenido, propiedad que los diferencia de los sistemas de signos.

confusión fonológica Se presenta cuando el campo de dispersión* de un fonema se desplaza hasta llegar a sobreponerse al de otro fonema (si éste no tiene la posibilidad de encontrar una nueva determinación o de modificar la propia posición en el sistema). Una pareja de homónimos puede tener su origen en una forma de c.f. (la que en inglés se conoce como "merger"), así en ingl. *meet* 'encontrar' y *meat* 'carne', ambas hoy /mit/, testimonian la c.f. de más de un antiguo fonema medio inglés.

conglomerado (fr. *congloméré*) Término de Benveniste (1974: 171, orig.

1966) para indicar las nuevas unidades formadas a partir de sintagmas complejos con más de un elemento: fr. *dorénavant, auparavant.*

congruencia (alem. *Kongruenz*) ⇒ *concordancia.*

conjugación (lat. *coniugatio*, gr. *suzugía*) La flexión de las formas verbales o, también, el paradigma concreto de un verbo: *la 1.ª, la 2.ª c.*

conjunción *a*) Parte invariable del discurso (gr. *súndesmos* 'nexo') que sirve de enlace entre dos elementos con la misma función (nombres, proposiciones), y que puede introducir una variación de significado; tradicionalmente se distingue entre cc. coordinantes (adversativas, conclusivas, copulativas, disyuntivas, demostrativas) y subordinantes (causales, condicionales, concesivas, consecutivas, conclusivas, modales, temporales, etc.).
b) Coordinación sintáctica de más de una frase (ingl. *conjunction*).

conjunto (ingl. *conjoined*, adj., *conjunct*, sust.) Cada una de las partes de la frase que establece relaciones sintagmáticas con otras partes y que no puede conmutarse con éstas; por ejemplo un c. es el predicado. ≠ *adjunto.*

conmutabilidad Para Hjelmslev la propiedad de los sistemas de signos de poder superar la prueba de conmutación* (entre elementos presentes en la cadena y elementos ausentes pero pertenecientes al mismo paradigma de aquellos presentes), propiedad que los diferencia de los sistemas de símbolos.

conmutación Operación para determinar los elementos distintivos de orden diverso (fonológicos, morfológicos, semánticos) de un enunciado, o en su acepción glosemática más amplia, los símbolos (conformes e isomorfos, → *conformidad*) de una semiótica monoplana. Partiendo del principio de isomorfismo* entre el plano del contenido y el plano de la expresión*, si conmutando un elemento del plano de la expresión con otro elemento obtengo una variación en el plano del contenido (o viceversa) los dos elementos conmutados son invariantes*; si no se da tal variación, los dos elementos conmutados son simples variantes. Por ejemplo, conmutando sucesivamente la forma < española [be:sa] con [pe:sa] [me:sa] [θe:sa] >, es fácil observar que el significado < 'besa' > no permanece invariado, sino que se obtienen sucesivamente los significados < 'pesa', 'mesa' >, etc. Tal variación no se obtiene si, en cambio, se conmuta < [be:sa] > con < [bè:sa] o [b:e:sa] >. Esta operación demuestra que en < español > las unidades acústicas [b], [p], [m], [θ], son portadoras de una diferenciación del significado junto a la del significante y que, por lo tanto, se pueden considerar unidades mínimas funcionales o distintivas (fonemas*), esto no sucede con [b,b',b:] que serían variantes de un solo y mismo fonema /b/.

conmutación de código (ingl. *code switching* o *code shift*). El término, introducido por U. Weinreich (1956), se refiere en su origen a la técnica de las transmisiones en código, sobre todo durante la guerra; para impedir a los extraños sintonizar la frecuencia de la transmisión, quien trasmite cambia continuamente de frecuencia (con un conmutador especial, ingl. *switch*), según un esquema de variación que conoce sólo el receptor. En sociolingüística se llama c. de c. al pasaje de un código (nivel, estilo, registro) a otro o, en sujetos bilingües, de una lengua a la otra.

conmutador (fr. *embrayeur*) Con c. (ingl. *shifter*) Jespersen (1921: 123) indicaba "una clase de palabras... cuyo sentido cambia según la situación...: *papá, mamá*, etc.". Jakobson ha retomado el término *shifter* (traducido por c. en Jakobson 1966) para una clase de palabras que en lugar de poseer un significado constante, se refieren obligatoriamente al mensaje y sirven para "ponerlo en marcha", en un primer plano, sobre la situación (la traducción francesa dada por N. Ruwet hace uso precisamente del verbo *embrayer* 'embragar'). La traducción presenta la desventaja de crear una correspondencia formal con *conmutación* cuando las dos nociones no poseen relación alguna. Además, en la teoría de la enunciación Greimas ha colocado al lado del concepto de "embrayage" el complementario de "débrayage"; si la primera operación pone en marcha la enunciación con respecto al contexto, la segunda lo "desconecta"; si se quisiera mantener la metáfora mecánica, se podrían llamar respectivamente *embrague* y *desembrague* a las operaciones del *embrayage* y *débrayage* (en italiano, en la jerga automovilística ha sido usado durante algún tiempo *de-*

braiata 'acelerar antes de cambiar de marcha') y *junturas* o *empalmes* a los elementos *shifters*.

connotación (del lat. med. *connotatio* 'el acto de añadir *notae*, signos') Asociación extrasemántica que, sin alterar el concepto connotado lo enriquece con otros valores. La c., creando una especie de halo de sentido sin márgenes netos, es particularmente sensible a las variaciones locales, temporales, sociales y personales. ≠ *denotación*.

connotativo *a)* Significado c. → *connotación, denotación.*

b) Lengua c. Para Hjelmslev, una lengua en la que el plano de expresión es ya por sí mismo una lengua.

"consecutio temporum" (lat. 'sucesión de tiempos') En la gramática latina concatenación, concordancia de tiempos verbales en un período complejo.

consonancia Rima en la que son idénticos los elementos que se encuentran después de la última vocal acentuada: <*amor/dolor*>. ≠ *asonancia.*

consonante Articulación con oclusión. → *contoide.*

consonántico/no consonántico Rasgo fonológico caracterizado desde el punto de vista acústico por una energía total baja (respecto a la alta) y desde el punto de vista articulatorio por la presencia, respecto a la ausencia, de obstrucción en el canal de fonación.

consonantismo El conjunto de las articulaciones consonánticas de una lengua: *las lenguas caucásicas poseen un c. excepcionalmente desarrollado.*

constante *a)* En la fonología de Trubetzkoy, una oposición no neutralizable, válida en todo momento.
b) En una función cada funtivo cuya presencia sea condición necesaria para la presencia de otro funtivo.

constatativo (ingl. *constative*) En la teoría de Austin, un enunciado es considerado c. si se limita a describir o a constatar un estado de cosas. ≠ *performativo.*

constelación *a)* En glosemática, relación cuyos términos no se presuponen.
b) c. de discurso. Para Goffman (1974) la combinación de elementos extralingüísticos (motivación, situación externa, realización de los roles* de los participantes) que se lleva a cabo en un evento* comunicativo.

constelativo En glosemática, el funtivo de una constelación (que puede ser combinable o autónomo).

constitutivo/complementario Referido a la relación entre los miembros de una proposición, se puede decir (Kurylowicz) que el predicado es c. y el sujeto complementario.

constituyente Cada uno de los enunciados de una lengua puede ser descrito en el nivel morfológico y sintáctico como una secuencia de elementos constitutivos que forman parte de una construcción superior llamados cc.; en el tipo de análisis introducido por Bloomfield se subdividen los enunciados en segmentos que se irán subdividiendo a su vez, obteniendo así los cc. inmediatos (ingl. *immediate constituents*) es decir, aquellos que constituyen inmediatamente la parte seccionada; por ejemplo: *El hijo de Juan/ se ha casado con su prima más pequeña*
El hijo de Juan/ se ha casado/ con su prima más pequeña
El hijo/ de Juan/ se ha casado/ con/ su prima más pequeña/
El hijo/ de Juan/ se ha casado/con/ su/ prima más pequeña
El hijo/ de/ Juan/ se ha casado/ con/ su/ prima/ más pequeña.
El/ hijo/ de/ Juan/ se/ ha casado/ con/ su/ prima/ más pequeña. Este método, además de no dar cuenta de la dinámica interna, profunda, de la frase, no permite tratar cc. discontinuos, por ejemplo construcciones del tipo *ne...pas* del francés.

constrictivo En fonética, modo de articulación que supone el estrechamiento del canal articulatorio.

construcción Término genérico usado para designar cualquier sintagma.

contable o **individuativo** (ingl. *count noun*) En lenguas que marcan el número*, un nombre que admite el plural. ≠ *colectivo.*

contacto *a)* En fonética, juntura*: *fonología de c.*
b) Uno de los factores del acto de comunicación, es decir, la relación y el medio (o canal*) visivo, acústico, táctil, entre el emisor y el receptor del mensaje.

c) En sociolingüística es la situación en la que conviven más de una comunidad con lenguas diferentes y los fenómenos que, consecuentemente, ello comporta: interferencia*, creación de nuevas variedades lingüísticas (→ *pidgin*), etc. El término empieza a usarse con gran fortuna a partir de la publicación de Weinreich (1954).

contagio o **contaminación** (fr. *contagion*) Término introducido por Bréal; es el proceso por el cual el sentido de una palabra puede transferirse al de otra que se encuentra en el mismo contexto; *indígena* usado erróneamente con el sentido de 'salvaje' o, por ejemplo, el caso de los completivos* *affatto, alcuno, mica*, en it. y *pas, personne*, en fr., que de por sí tienen sentido positivo, al encontrarse habitualmente en contextos con sentido negativo (*non ce n'è alcuno* < 'no hay nadie' >, *per niente affato* < 'para nada' >), adquieren ellos mismos valor negativo.

contenedor (ingl. *contentive*) Término propuesto por E. Bach, en Bach y Harms (1968) para una categoría funcional parecida al predicado lógico que reúne nombres, adjetivos y verbos.

contenido (ingl. *content*, alem. *Inhalt*, fr. *contenu*) En glosemática, el plano del contenido es el plano de significados en oposición al plano de la expresión, que es el de los significantes. Un orientamiento, el del alemán Weisgerber, toma el nombre del análisis de los contenidos léxicos (*Wortinhalt, Sprachinhalt*, y, de ahí, *Sprachinhaltsforschung*).

contenido proposicional Lo que viene transmitido por un enunciado, prescindiendo de las modalidades con las que es expresado (⇒ *dictum*).

contexto (ing. *environment*) Término introducido por Bloomfield respecto a un elemento del discurso; c. verbal (o, simplemente, c.) es el conjunto de todos los demás elementos que se encuentran en mutua relación (por ejemplo, sintáctica) con el discurso y que contribuyen a darle significado o a precisar este significado.

contexto situacional (ingl. *context of situation,* o *situational context*) Término introducido por B. Malinowski en Ogden y Richards (1923) y que es luego retomado por J. R. Firth para indicar el conjunto de las condiciones generales, de las características culturales, de las situaciones* particulares que acompañan un acto de lengua, distinto del contexto cultural (ingl. *context of culture*) que es potencial; cfr. M. Grossi, *Il contesto di situazione in linguistica e l'eredità di J. R. Firth*, en U. Rapallo, ed., *Pragmatica e testo letterario*, Il Melangolo, Génova, 1986, pp. 193-212.

contextual, variante → *variante*.

contextualizado Un elemento colocado en el contexto, verbal o situacional. ≠ *descontextualizado*.

contigua, pareja (ingl. *adjacency pairs*) En el análisis sociolingüístico de una interacción, una secuecia de estímulo y respuesta distribuida entre dos participantes, que, a menudo, constituye

el elemento demarcador para la creación de un evento*, o para la transición de un evento al otro.

contigüidad *a*) Asociación mediante la cual se asume el todo por la parte.

b) En la teoría del campo semántico la relación que une un signo a aquellos que se encuentran inmediatamente próximos a él.

continuador, continuación En lingüística histórica, las sucesivas transformaciones que en el tiempo sufre
una determinada forma: *las cc. románicas del lat. -pl-*.

continuativo Término de P. Bertinetto para un determinado aspecto* durativo de verbos como *trabajar, callar*,
que no son ni resultativos* ni télicos*

continuo (ingl. *continuum*) En ciencias naturales el c. es una gama de fenómenos en la que no es posible introducir nunca distinciones netas. Si se
refiere a la expresión, también en el
lenguaje se podría contraponer c. a
discreto; en lingüística el término es
usado por primera vez por Trubetzkoy
(1939), donde se habla del flujo continuo (*kontinuum, kontinuierlich*) de
los sonidos; c. fónico es, por lo tanto, lo mismo que cadena hablada*.

b) En sociolingüística se indica con
c. una gama de comportamientos lingüísticos, o lectos*, orientada en sentido vertical. → *acrolecto, basilecto,
mesolecto*.

continuo o **momentáneo** *a*) Articulación que no es bloqueada en la emisión.

b) Rasgo fonológico (ingl. *conti-
nuant*).

contoide (ingl. *contoid*) Término
introducido por K. L. Pike y usado
por algunos fonetistas para indicar
una articulación con obstrucción de
la corriente de aire, cuando se quiere
excluir cualquier implicación en el
plano funcional de la lengua. ≠ *vocoide*.

contorno ⇒ *perfil*.

contracción Forma que resulta de la
fusión entre dos formas: < *del de de*
y *el* o, > en it. *col* de *con il*. El fenómeno es particularmente frecuente en
griego antiguo, donde, por ejemplo
/a:/ puede derivar por c. de /a + e,
a + e:, a + e:i, a + ei/.

contraejemplo (ingl. *counterexam-
ple*) Ejemplo al contrario, ejemplo
que no concordando con una determinada teoría o explicación la contradice o invalida.

contrafactual (ingl. *counterfacc-
tual*) Un tipo de frases que se refiere a una situación hipotética. Una frase como *Un poco más y el tren habría
descarrilado* permite dos interpretaciones, una c. (si después no descarriló)
y una prospectiva* (si después, de hecho, descarriló).

contraintuitivo (ingl. *counterintuiti-
ve*) Es c. un análisis no plausible, que
atenta contra la intuición* del hablante.

contrario → *antónimo*.

contraste (ingl. *contrast*) En la terminología americana, de Sapir en adelante, *contrast* indica que dos elementos dados son incompatibles y se excluyen mutuamente en un mismo contexto* (*contrastive distribution* o, por el contrario, *non-contrastive*); un fonema es definido como una clase de "non-contrastive phones". Posee, por lo tanto, el mismo valor que *oposición**; Martinet, por su lado, llama c. a la relación de naturaleza sintagmática que se establece entre monemas y fonemas dentro de la cadena hablada, reservando el término de oposición a las relaciones de tipo paradigmático.

contrastivo *a*) Elemento que contribuye a permitir el análisis del enunciado en unidades sucesivas.

b) Referido al análisis de dos o más lenguas en términos de semejanzas y diferencias, con una finalidad especialmente didáctica: *fonología, lingüística, análisis c.* El término *contrastive linguistics* ha sido introducido por G. L. Trager en 1949 y se ha mantenido a pesar de los significados diversos de *contrast* (→ *contraste**); Weinreich, promotor también de este tipo de análisis, hablaba de *differential description* mientras que Haugen proponía *bilingual description* o *dialinguistics*, pero ninguno de estos términos ha sido introducido en el uso.

convención En sistemas formales de análisis, un recurso al que se acude en el curso de la descripción, ya sea la restricción de una regla o de un apunte que nos permite observar partes de reglas con economía de rasgos.

convergencia Término genérico que indica la aproximación progresiva, después de un contacto* lingüístico, de las estructuras de dos o más lenguas (→ *areal, lingüística*). En particular, en la sociolingüística soviética c. (r. *konvergencija*) equivale a formación lingüística; la c. con el ruso de las diferentes lenguas de la U.R.S.S. es sustancialmente un proceso de adquisición, sobre todo léxica, del ruso.

conversación En la etnografía del discurso el normal intercambio verbal entre dos o más interlocutores se ha revelado como campo de observación privilegiado y la disciplina que lo estudia, el análisis conversacional (ingl. *conversational analysis*), ha ido haciéndose más complejo y perfecto. Durante la c. tenemos la oportunidad de observar un comportamiento lingüístico a menudo inmediato y poco planificado, que hace aflorar muchas estructuras lingüísticas subyacentes (relativas a la construcción de la frase y del texto) con frecuencia marginadas en la producción formal; además, la c. conlleva el dominio de varios tipos de estrategias de importancia capital en la interacción social, como las del irse alternando a lo largo del discurso, las que sirven para la planificación de los fines perlocutivos que se quieren alcanzar, las que van dirigidas a la formación y corrección de la dirección temática del discurso, etc.

conversacional, análisis (ingl. *conversational analysis*) → *conversación*.

conversión Concepto que en glosemática parece anticipar el de transformación*; para Greimas es una transformación vertical que nos lleva desde un nivel más profundo a uno más superficial dentro del recorrido* generativo de la significación.

coocurrencia (ingl. *coocurrence*) Término introducido por Z. S. Harris en 1957 para indicar la presencia simultánea de más de un elemento en el mismo contexto.

coordinación o **parataxis** Concatenación de más de un elemento con la misma función (nombres, sujetos, verbos, frases), con o sin elemento conectivo* (polisíndeton* o asíndeton*).

copia En GT operación que reproduce parte de una frase.

cópula (cultismo del lat. *copula* 'unión, conjunción' y, de ahí, también 'pareja') Elemento de enlace; en particular en ciertas lenguas una forma del verbo 'ser' que enlaza el nombre al predicado; *el rey es rubio*; en algunas lenguas (como el tagalo) la c. es pronominal, es decir, su función la desempeña un pronombre.

coronal *a*) Articulación en la que uno de los articuladores es la corona de la lengua, es decir, el ápice y el predorso.
b) Rasgo introducido por Chomsky y Halle.

corpus (lat. *corpus* 'cuerpo' y, después, 'conjunto de las obras de un autor' y, de ahí, 'conjunto de datos') Un conjunto de textos, o, en general, de datos (o de formas únicas, por ejemplo) de la lengua que es objeto de

análisis y que se considera cerrado y no sujeto a modificaciones o ampliaciones: por ejemplo, las obras de un determinado autor, o sólo una determinada obra, o las obras de un período histórico determinado, o incluso una colección de textos obtenidos a través de informadores.

corradical Dos formas se consideran cc. si pueden ser conducidas, sincrónica o diacrónicamente, a un mismo tema o base; lat. *satio* 'sacio', *satietas* 'saciedad', *satis* 'bastante', *satur* 'saturado'.

corrección Grado de correspondencia, de conformidad, de un texto o de una producción lingüística con una variedad de lengua elegida como norma de referencia. → *error*.

correferencia Juego de remisiones a un mismo referente, fuera o dentro del texto, obtenidas mediante la anáfora, la catáfora, los deícticos, etc.

correlación Para Trubetzkoy, la relación que existe entre un par de fonemas en oposición* privativa, proporcional o bilateral: los dos fonemas forman en este caso una pareja correlativa y el coeficiente* positivo es llamado marca de correlación; existe asimismo c. entre dos series* de fonemas, por ejemplo una sorda y otra sonora. En un sentido más general, en glosemática es la dependencia que une y opone dos miembros de un paradigma.

cortesía lingüística Conjunto de estrategias pragmáticas que regula cualquier intercambio lingüístico entre más de un interlocutor. Si imaginamos a los interlocutores como puntos en un espacio cartesiano, podemos representar la posición de uno respecto al otro siguiendo los dos ejes del *status* y de la intimidad. Los interlocutores son plenamente conscientes de su posición recíproca y pueden voluntariamente modificarla en un sentido o en otro. En la base de cada movimiento de esta estrategia se puede incluir, por lo tanto, la valoración que los interlocutores dan a su posición recíproca y las elecciones de modificaciones que consideran apropiadas a la específica interacción: según esta valoración y estas decisiones los interlocutores podrán luego elegir y dosar las diversas formas que ofrece su lengua (elección entre *tú* o *usted* o equivalentes, formas de tratamiento, modificación de la fuerza ilocutiva de los enunciados), de modo que se puede modificar ligeramente la diferencia de *status* a favor del interlocutor, o aumentar la intimidad (o solidariedad), o, por el contrario, ampliar las distancias y las diferencias.

coste *a*) En general, en lingüística (Ziff, Herdan, Martinet) el dispendio de energía neuromuscular exigido por las operaciones necesarias para el uso del lenguaje (→ *economía*).

b) En fonología generativa un criterio de valoración de una teoría basado en el número de rasgos necesarios para formalizarla.

cotexto Diferenciado de contexto*, es lo que acompaña al texto en el momento de su enunciación, las condicio-

nes intratextuales: en Coseriu (1955) *determinación* respecto a *entorno*. En términos extratextuales podría entenderse por c. la producción y recepción del texto.

coverbo (ingl. *coverb*) Un elemento de origen verbal que puede comportarse como preposición (en francés, de hecho, se denominan *verbs-prépositions*): por ejemplo, en chino *dùi* significa 'tener razón' si es intransitivo, 'hacer frente' si es transitivo; usado como c. posee el valor de 'a, contra, hacia, sobre': *wō dùi tā shuō* 'le digo' ('yo' - 'hacia' - 'él' - 'decir').

crasis ⇒ *contracción*.

creatividad Noción psicológica introducida en lingüística por Chomsky para designar la capacidad de producir y entender frases nuevas; en general, la capacidad de usar de modo innovativo y no previsible las estructuras y la competencia lingüísticas.

creciente Diptongo → *diptongo*.

credibilidad La c. de un signo es la medida de denotación de los componentes de la familia de signos a la que éste pertenece (Morris 1949: 43); en este sentido, un signo puede ser considerado creíble o no creíble.

criollización (ingl. *creolisation*, de 1934) Asunción de algunas de las características propias de una lengua criolla; el término se usa actualmente de modo genérico para indicar el proceso de simplificación gramatical al que es sometida una lengua por parte de hablantes que no la usan como lengua materna.

criollo (fr. *créole* o ingl. *creole*, derivados del esp. y del port. *crioulo*, con origen en *criado* 'esclavo nacido en casa') Un pidgin* que se convierte en lengua materna de una comunidad.

criptotipo o **categoría latente** (ingl. *cryptotype, covert category*) Para Whorf, una clase de formas o una categoría lingüística no marcada formalmente (a diferencia del fenotipo* o categoría evidente: por ejemplo el género o el número en español), que se define de modo indirecto según las relaciones con otras clases o categorías; por ejemplo no puede ser considerado un c. español la categoría de animado/inanimado*.

cristalizado, sintagma → *sintagma, estereotipo*.

cronema (ingl. *chroneme*, del gr. *khrónos* 'tiempo' y - *ema**, introducido por Jones en 1944) Unidad distintiva de la cantidad fonológica.

crono (*cròno* o *cronotipo* para Castellani) Una unidad de alargamiento*.

cruce Especie de "cortocircuito" al que se alude para explicar modificaciones léxicas que no podrían ser explicadas de otra manera; aunque un c. pueda ser naturalmente verosímil o probable no es nunca demostrable, es posible que *lanzichenecco*, del alem. *Landsknecht* sea el resultado de un c. con *lanza, lancia*.

crujiente, voz (propuesta por L. Canepari como trad, de *creaky voice*) Cualidad de voz en la que interviene la laringe (→ *laringalización*).

cuadrado semiótico Greimas usa como uno de los principales instrumentos de investigación de su semiótica un esquema de anotación de cuatro puntos, que pone en evidencia un cierto número de relaciones lógicas:

En el cuadrado semiótico, la flecha doble continua señala una relación de contradicción, la discontinua la relación de contrariedad, la flecha con un sola dirección, la relación de complementariedad; s_1-s_2 es el eje de los contrarios, $\bar{s}_2$-$\bar{s}_1$ el de los subcontrarios, s_1-$\bar{s}_1$ es el esquema positivo, s_2-$\bar{s}_2$ el negativo, s_1-$\bar{s}_2$ la deíxis positiva, s_2-$\bar{s}_1$, la negativa. Para la historia de este procedimiento se puede recordar que aparece con el nombre de "carré linguistique" en las notas manuscritas de Saussure (Godel 1957: 47), para anotar las relaciones entre cuatro formas lingüísticas; es retomado luego por H. Frei como "carré sémantique" (1958-59).

cualificador (ingl. *qualifyer*) Término genérico, usado en varias teorías; en general, un c. es un componente que modifica a otro componente (un adjetivo o un adverbial respecto a un nombre o a un verbo).

cualificativo Adjetivo, adverbio c. → *cualificador*.

cuantificación El uso de cuantificadores en un enunciado: *aspectos de la c. en italiano* (título de un artículo de F. Antinucci). La c. establece por lo normal complejas relaciones de compatibilidad e incompatibilidad con la negación.

cuantificador En lógica se designa con c. a un operador que precede al predicado y que indica que cuanto se predica de la variable *x* vale para cada *x*. Por extensión, sobre todo en la GT, se usa c. para designar a los operadores de las lenguas naturales expresados por formas de diversas categorías morfológicas, que indican para "cuántos" *x* vale lo que se predica de *x*: *muchos, todos, algún*, etc.

cuantitativo *a)* Relativo a la cantidad vocálica: métrica c., es la métrica de las lenguas clásicas, del árabe y del somalí, basada en la alternancia de largas y breves.
b) Lingüística c. es la que estudia las propiedades estadísticas y de aparición de las unidades lingüísticas, partiendo del presupuesto de que la lengua es análoga a una estructura matemática; si esto es cierto, un muestrario oportunamente seleccionado tendría que ofrecer después de un análisis las mismas propiedades formales y las mismas leyes estadísticas que funcionan para el conjunto.

cubierto (ingl. *covered*) En la teoría fonológica de Chomsky y Halle el rasgo correlativo a la posición retraída (+) o adelantada (—) de la raíz de la lengua; puede ser indicado con la señal [±ATR], abreviación de *advanced tongue root* 'adelantamiento de la raíz de la lengua'.

cuerdas vocales Los músculos membranosos y móviles que forman la glotis, además de modificar el grado de sonoridad de las diferentes articulaciones con su abertura o cierre, son responsables de importantes variaciones del tono y de la cualidad de la voz, según se encuentren en posición tensa* (ingl. *stiff*) o floja* (ingl. *slack*).

culminativo *a) función c.* Para el Círculo de Praga es la que señala cuántas palabras o grupos de palabras existen en un enunciado.
b) rasgo c. Un rasgo que pone de relieve las unidades en las que se divide un enunciado y señala su jerarquía. Por ejemplo, el componente central (vocal) de la sílaba es marcado y se distingue del marginal (consonante) mediante un rasgo c. (acentuabilidad o ápice silábico*). → *demarcativo*.

cultismo Elemento que pertenece a un nivel más alto respecto a los niveles usuales de una lengua determinada (a menudo se trata de un arcaísmo): *integérrimo, frígido, eximio*.

culto → *cultismo*.

cumplido/incumplido (fr. *accompli/inaccompli*) Oposición aspectual que encontramos en el sistema verbal de varias lenguas: si el proceso descrito tiene lugar en el momento indicado por la enunciación, se usan las formas i., si el proceso es presentado como algo ya completado, las formas c.: en *llegaré pronto* o *acababa de llegar cuando he oído el teléfono* la ac. es i., mientras que en *cuando llegue te llamaré* la acción es vista como c.

"cursus" (lat. 'carrera') Procedimiento estilístico desarrollado en el bajo latín y usado hasta finales del s. XIV, sobre todo en el latín de la cancillería, que consistía en el acabar cada período con una secuencia rítmica (del tipo *víncla perfrègit*); sustituye al *numerus* de la prosa rítmica del latín clásico, que se basaba en la cantidad de las sílabas que componen las diferentes cláusulas (como en *audientem Cratippum*: larga/breve/larga/breve).

curva melódica   La dirección, el contorno musical, el perfil de entonación de una frase. Aunque las cc.mm no puedan ser diferenciadas de manera clara, algunos de sus elementos fijos son suficientemente constantes como para permitir el reconocimiento de los principales tipos (cfr. L. Canepari, *L'intonazione linguisitica e paralinguistica*, Lipari, Nápoles, 1985).

D

dativo (lat. *dativus*, trad. del gr. *dotiké* interpretado como '(caso) que da') *a*) Caso superficial en muchas lenguas: lat. *gratias ago tibi* 'te doy las gracias', húng. *kéz-nek* 'a mano'.

b) En la teoría de los casos profundos, el caso del ser animado al que afecta el estado o la acción indicados por el verbo.

dativo ético (o *de interés*). Uso particular del d. con un pronombre personal, como en el caso del lat. *quid mihi agis* '¿qué me haces?'. Interpretado de varias maneras, ha sido considerado en ocasiones, lo que refleja también la terminología (fr. *datif explétif*, alem. *Überflüssiger Dativ*), algo accesorio, no necesario; pero se trata de un caso de interpretación sólo superficial de un típico elemento enunciativo del anclaje*; el d., de hecho, no está regido por el verbo expresado como lo estaría en una frase del tipo *y él me dice*. El llamado d.é. significa, en cambio: 'el efecto de todo lo que estoy diciendo nos afecta a ti o a mí, es visto en relación a ti o a mí'. En este sentido, existen usos equivalentes al d.é. en las lenguas que carecen de casos; por ejemplo *¡Se me lave bien los dientes!* (dicho por el dentista *al paciente*).

No me come la verdura (dicho por la madre acerca del hijo)

Se le desmayó allí delante,

¡Pero... ¿qué me ha hecho?! (cuando alguien hace algo que no debe).

dato → *tema* b).

deadjetival Forma derivada de un adjetivo: *crudo* → *crudeza*. ≠ *denominal, deverbal*.

débil *a*) En fonética, sílaba no acentuada.

b) En algunas lenguas se diferencia entre clases de formas débiles (que se adaptan a los modelos morfológicos) y fuertes (que presentan excepciones); así, los verbos fuertes en alemán son aquellos que mantienen la declinación por metafonesis, en oposición a los débiles, a los prefijos y a los sufijos.

debilitamiento consonántico Relajamiento de la energía y claridad articulatorias por lo que las oclusivas pasan a ser fricativas, sobre todo dentro o al final de palabra.

declarativa o **aseverativa** Tipo de frase en la que, en oposición a la imperativa, a la interrogativa, etc., el hablante se limita a enunciar algo que considera verdadero, p. ej., *está lloviendo*; en cierto modo, la d. es el enunciado menos marcado posible en cuanto al modo y a la fuerza ilocutiva (por ejemplo, uso del indicativo y fuerza ilocutiva constante).

declinación (lat. *declinatio*, trad. del gr. *klísis*) *a*) En algunas familias lingüísticas, entre las cuales se encuentran el indoeuropeo, el semítico o el fino-ugrio, el conjunto de procesos de modificación de algunas clases de palabras (nombre, artículo, pronombre, numerales) según el cambio de número, género o caso.
b) En la gramática tradicional, se llaman dd. las clases o paradigmas* individuales de formas flexivas: *los nombres latinos de la tercera d.; d. temática y atemática*.

decurso En glosemática, lo mismo que *texto* b)*.

defectivo *a*) Paradigma que presenta lagunas: un verbo del que no se usan todas las formas (*soler, abolir*, etc.) o un singular del que no se usa el plurar o viceversa. → *supletivismo*.
b) *inscripción d./inscripción plena* (o, también, *scriptio defectiva/scriptio plena*) En algunos sistemas de escritura que aun transcribiendo la forma fonética de las palabras escriben sólo una parte de ellas, una transcrip-

ción que se limita al esqueleto consonántico de la palabra.

definición (lat. *definitio*, cfr. gr. *horimós* 'determinación de un límite') Operación que consiste en delimitar y describir el significado de un "definiendum" 'lo que tiene que ser definido' presentando un equivalente "definiens" 'lo que define'. Existen varios tipos de dd.:
reales o *nominales* dependiendo de que el "definiendum" sea un objeto o la denominación de un objeto;
extensionales o *intensionales* según se enumeren todos los objetos que se engloban en la categoría del "definiendum" o todas las propiedades del "definiendum";
recursivas, basadas en la aplicación recursiva de un mismo criterio inicial;
ostensivas, que usan como "definiens" ejemplos concretos del "definiendum";
normativas o *descriptivas* (explícitas o implícitas);
analíticas o *sintéticas*;
sintácticas o *semánticas*;
operativas, que indican las operaciones que producen o con las que se logra el "definiendum";
d. circular es aquélla en la que el "definiens" es a su vez definida con el "definiendum".

definido/indefinido ⇒ *determinado/indeterminado*.

degradación semántica Proceso por el cual un signo asume progresivamente connotaciones negativas o poco estimables en virtud de asociaciones extralingüísticas y culturales: por

ejemplo en italiano muy a menudo sufren d.s. las palabras de origen turco
o árabe como por ejemplo *aguzzino*
'torturador' que deriva del ár. *al-wazīr*
'consejero'. En muchos de estos casos
se llega a un significado peyorativo de
un signo a través de una fase de uso
eufemístico: se explican de esta manera los inumerables casos del tipo 'donna' < 'mujer' > > 'prostituta' (alem.
Dirne, port. bras. *rapariga*, fr. *fille*,
etc.).

deíctico (gr. *deiktikós*, derivado de
deíksis) Elemento formal usado para
la deíxis: *éste, ése, aquél*, etc.

deíxis (alem. *Deixis*, del gr. *deîksis* 'indicación') Término introducido por
Schwyzer y Debrunner para mostrar
los puntos del espacio (y del tiempo);
la d. es una de las más importantes
operaciones de anclaje* de la enunciación ya que sitúa el discurso respecto
al elocutor, a sus destinatarios y al
contexto de la situación. → *deíctico,
topodeíctico*.

delativo (lat. cient. *delativus* de *defe-
rre* 'bajar') Caso* espacial que expresa la idea de 'bajada, alejamiento
de la superficie de algo': húng. *hajó-
ról* 'hacia abajo con respecto a la superficie de la nave'.

delimitación *a*) de las unidades (fr.
délimitation des unités) Proceso de
descomposición del enunciado en las
unidades mínimas que lo forman; lo
mismo que *segmentación de la cadena*.
  b) del texto (fr. *clôture du texte*).
En el ámbito de la aplicación del concepto de "clôture", es decir, de d.

—en el proceso— de las posibilidades
combinatorias, expresivas, etc., del
sistema, Greimas habla de d. del t.
para indicar la determinación de la extensión de un texto real, su definición
como texto, la caracterización de sus
finalidades comunicativas.

delimitativa, función ⇒ *demarcativa,
función*.

delocución (fr. *délocution*) → *delocutivo*.

delocutivo (fr. *délocutif*) Término de
E. Benveniste (1958, 1966: 277 y ss.)
siguiendo el modelo de *deverbal* y de
denominal, para indicar un verbo derivado de una locución (*decir* x): en
francés *remercier* quiere decir 'decir
merci', en latín *negare* es 'decir *nec*',
en italiano *osannare* es 'gritar *osanna*'
< y en español *alarmar* es 'gritar *alar-
mas*' >, etc. Como anota Benveniste
la formación de dd. está ligada a la
frecuencia y a la importancia de ciertas fórmulas verbales en una cultura.

demarcativo o **delimitativo** Función,
fenómeno, que sirve para delimitar las
unidades significativas: por ejemplo,
el acento en las lenguas con una colocación fija si se encuentra siempre en
la primera sílaba nos advierte que se
ha acabado la unidad precedente.

demolingüística (ingl. *demolinguis-
tics*) Término de H. Kloss para indicar la composición lingüística de una
nación referida a los parámetros del
censo, al número de hablantes, al número de lenguas habladas y a su posición relativa, etc. (cfr. H. Kloss, G. D.

McDonnell, *Linguistic composition of the nations of the world*, 2. *North America*, Les Presses de l'Université Laval, Quebec 1978).

demostrativo ⇒ *deíctico*.

demótico (gr. *demotikós* 'popular') Además de una varidad de la escritura egipcia, el término es usado en ocasiones para indicar, según su valor etimológico, una variación popular opuesta a una variación culta; d. por antonomasia es la variante del griego moderno que ha pasado a ser la oficial (gr. *dhimotikí*).

denominación (lat. *denominatio*, del gr. *metonumía*) → designación.

denominal Forma derivada de una forma nominal: *maquillaje > maquillar*. ≠ *deadjetival, deverbal*.

denotación (lat. med. *denotatio* 'señalar con una *nota*, un signo') Operación con la que determinamos, con un signo o una definición*, un objeto extralingüístico, un concepto, etc., dentro del conjunto de otros objetos, conceptos, etc., en oposición a la connotación que, en cambio, presupone que esta determinación ha sido ya dada y señala propiedades específicas del objeto determinado. Por ejemplo, un nombre propio es normalmente denotativo, en cuanto distingue a quien lo lleva de todos aquellos que no lo llevan; pero en el proceso de antonomasia* el mismo nombre propio se convierte en connotativo: *una (mujer virtuosa como) Lucrecia, una (mujer hermosa como) Venus, un (hombre intransigente y despiadado como) Robespierre*.

denotativo, significado → *denotación*.

"denotatum" (o **denotado**) Término de la lógica escolástica, retomado por Morris para referirse al objeto extralingüístico, a la realidad designada por medio del lenguaje: "Cualquier cosa que permita llevar a cabo la secuencia de respuestas que el intérprete es capaz de dar después de un signo" (Morris 1946/1949: 35). → *designado, referente*.

densidad Un concepto potencialmente fecundo como el de d. no ha sido utilizado de manera adecuada por la lingüística; no encontramos más usos de los que se registran a continuación:

a) *d. sémica*. Para Greimas, el número de semas que componen una semema*.

b) *d. semántica*. Para M. Alinei (1965), la presencia simultánea en una misma área de dos o más significados de la misma palabra.

dental En fonética, articulación en la que uno de los articuladores son los dientes; son dd. en italiano las oclusivas [t] y [d], son aproximantes no redondeados el sonido sordo del fiorentino *Prato* ['pra:θo] y el sonoro del español *lodo* ['lɔðo].

deonomástica (de *de*- y *onomástica*) El estudio del léxico derivado de los nombres propios (del tipo *cicerón*, it. *marcantonio*, fr. *poubelle*, ingl. *pullman*, etc.); cfr. T. E. La Stella, *Di-*

zionario storico di d., Olschki, Florencia 1984.

deónticas, modalidades (fr. *modalités déontiques*; el adjetivo remite al prefijoide de *deontología*, etc., del gr. *déon* 'lo que se tiene que hacer') → *modalidad*.

depauperante (ingl. *bleeding* 'que sangra') Si una regla A, al ser aplicada, elimina contextos en los que habría podido aplicarse la regla B, diremos, con una noción introducida por P. Kiparsky, que A es d. respecto a B; lo mismo puede decirse del orden de las reglas, que puede ser d. o detractiva en oposición a aquel alimentante* o adjuntivo.

dependencia (cfr. fr. *dépendance*, alem. *Dependenz*) La fundamental relación sintagmática (intuida ya por los lingüistas medievales como Martino de Dacia) que se crea en el discurso entre un elemento *x* y un elemento *y* si la elección o la manifestación de *y* está condicionada por la naturaleza de *x* (por ejemplo, en latín la elección del ablativo después de *sine* y *cum*). Hjelmslev subraya en particular la importancia del concepto de d.: las diversas partes del objeto de análisis —y, por lo tanto, el objeto mismo— existen sólo en virtud de las dd. que las unen: cada una de las partes "se puede definir sólo gracias a las dd. que la enlazan a otras partes coordinadas, al todo, a las partes del grado inmediatamente inferior, y gracias a la suma de las dd. que estas partes de orden inmediatamente inferior contraen entre ellas... En otros términos, los objetos

se pueden describir sólo con la ayuda de las dd., y éste es el único modo para aferrarlos científicamente" (1953: 26). *Gramática de las dd*. Una gramática formal elaborada por L. Tesnière, basada en el reconocimiento de las dd. entre los elementos de una construcción.

dependiente o **subordinada** Una proporción que depende sintácticamente de otra proporción: *creo* (principal) *que él se está equivocando* (d.).

deponente (lat. *deponens*, quizá como trad. del gr. *apothetikós*) En gramática tradicional una clase de verbos de forma media o pasiva y significado intransitivo, reflexivo o activo: por ejemplo, *morior* 'muero', *laetor* 'me alegro', *hortor* 'exhorto'. La noción no está bien precisada: el término griego se refería quizá a 'absoluto, sin agente u objeto', cfr. R. Lamacchia, *Per una storia del termine "deponente"*, "Studi Italiani di Filologia Classica" 33 (1961), pp. 185-211.

derivación (lat. *derivatio*, trad. del gr. *paragōgē*, de *parágein* 'llevarse', cfr. alem. *Ableitung*) El proceso por el cual, en la sincronía* de una lengua, "se pasa" de una forma a otra (en el caso de que se genere otra) o, en la diacronía*, de una fase lingüística "se pasa" a una fase sucesiva; históricamente se puede decir que el castellano deriva del latín; en el plano de la sincronía son ejemplos de d. los procesos de formación postulados por la gramática GT.

derivación sinonímica (fr. *dérivation synonymique*) o **irradiación sinoními-**

ca* (*irradiazione sinonimica*) Procedimiento por el cual, después de una transferencia de sentido a un término de una serie sinonímica, todos los demás términos de la serie son susceptibles de sufrir la misma transferencia; el fenómeno es típico de la jerga*. Por ejemplo, una vez establecida en italiano la ecuación 'tener relaciones (homo- o hetero-) sexuales' = 'estafar, engañar' (quizá a través de los pasajes 'dominar, someter'), todos los verbos que poseen el primer significado pueden asumir también el segundo.

derivado En glosemática, el conjunto de los elementos que se han obtenido con las sucesivas operaciones de análisis; existen dd. de primer, segundo o tercer grado según el número de operaciones necesarias.

desarrollo *a*) En lingüística histórica, adición de un sonido, por ejemplo dentro de un nexo lingüístico. → *anaptixis.*
b) En el sentido del alem. *Sprachentwicklung*, simple equivalente de desarrollo diacrónico, pero, a veces, con las implicaciones que conducen al concepto de *evolución**.
c) En sociolingüística, en el sentido del r. *razvítie*, ingl. *development*, la evolución de una lengua en nombre de determinados fines comunicativos (constitución de una lengua escrita, adquisición del léxico científico, etc.).
d) En lingüística histórica, lo mismo que evolución diacrónica: *el d. de los diptongos ei > oi > wa > en francés*. La concepción de una evolución más o menos regular e interna de los hechos lingüísticos se encuentra en la base de gran parte de la lingüística histórica; es el valor que posee el r. *razvítie* en Baudouin de Courtenay, desde 1890.

descabalgamiento (ingl. *cross-over*) En la gramática GT el principio *crossover* es aquel que impide a las transformaciones el invertir frases nominales idénticas: así de *It is difficult for John to understand himself* 'es difícil para J. entenderse a sí mismo' no se puede obtener **Himself is difficult for John to understand*, mientras que la frase sería posible si en lugar de *himself* encontráramos *Bill*, no correferencial de *John.*

descarte (fr. *écart*) Salto de nivel de diferencia respecto a una norma; por ejemplo, la inserción con fines estilísticos y expresivos de un vocablo culto en un concepto popular y viceversa; d. de frecuencia, etc.

descendente Tono → *tono**.

desciframiento (cfr. fr. *déchiffrement*, alem. *Entziffreung*, r. *rasšifrovka*) Interpretación de un código gráfico desconocido hasta entonces. Diverso de la interpretación (alem. *Erschliessung, Entschlüsselung, etc.*) y de la dilucidación de los significados de una lengua desconocida. Tendremos, así, las siguientes posibilidades: lengua desconocida en escritura conocida (etrusco), lengua desconocida en escritura desconocida (textos de Harappa o de la Isla de Pascua) y lengua conocida en escritura desconocida (griego micénico).

descodificación Operación por la cual se descifra e interpreta un mensaje conociendo el código* en el que ha sido codificado. → *descriptación*.

descompuesto (alem. *Dekompositum*, del lat. *decompositum*) → *parasintético*.

descripción lingüística Procedimiento y técnicas con los cuales se explica de modo formal un estado de la lengua.

descriptar (ingl. *decrypt*, de 1936, de *cryptogram* 'criptograma') Operación por la que se descifra e interpreta un mensaje; respecto a *descodificación* implica la no voluntad de ser entendido por parte de quien prepara el mensaje.

descriptivo Aplicado a una gramática, a una lingüística o a un procedimiento el término se utiliza en oposición a *histórico*; la orientación d. estudia la lengua en un momento histórico dado, considerándola como un sistema autónomo en el que todos los elementos poseen una relación funcional entre ellos; tal sistema está simultáneamente presente en todos los hablantes que no conocen los estadios precedentes de la lengua (que no tienen por qué conocerlos). La gramática d. se opone a la gramática prescriptiva o normativa, al registrar las formas que son usadas efectivamente por los hablantes de una cierta comunidad y no aquellas que se consideran más correctas. La orientación histórica, en cambio, estudia la lengua en su continua modificación, en la cual el momento actual no es más que una etapa; por ejemplo, descriptivamente nos limitaremos a constatar la presencia en <español> de los dos fonemas /k/ y /θ/ y a describir sus usos, mientras que, desde el punto de vista histórico, remitiremos al latín clásico, primero, y al vulgar, después, mostrando cómo tal oposición no es nada más que el resultado del comportamiento diferente del fonema latino /k/ delante de las vocales anteriores /i,e/ y posteriores /a,o,u/ (→ *sincronía*). Adecuamiento d. es el adecuamiento* que da cuenta de los hechos observados.

descubrimiento, procedimiento de En la lingüística distribucional, el conjunto de las técnicas de investigación (sobre todo, la conmutación*) que permiten segmentar los enunciados del *corpus* analizado en sus unidades constitutivas y llegar inductivamente a un modelo gramatical de la lengua observada.

desdiminutivo Falso retorno a la base* con formas que, en realidad, no han sido alteradas: el r. *zont* 'paraguas' es un d. de *zoontik* que, en realidad, es el holandés *zonnedek* 'reparo del sol'.

desetimologización (ingl. *deetymologization*, r. *deètimologizacija*) Sinónimo de *demotivación*, menos usado que éste.

desfonologización (fr. *déphonologization*, alem. *Entphonologisierung*) Para Jakobson, proceso diacrónico por el que se pierden oposiciones fonológicas; por ejemplo, la pérdida de la oposición de redondeamiento de las vocales nasales del fr. *brin* y *brun*, o la de sonoridad de /s/ y /z/ en muchas variantes del italiano <o la fusión en español entre la /b/ y la /v/ del latín clásico en /b/>. Se habla de refonologización* o transfonologización cuando una lengua conserva ciertas oposiciones fonológicas reajustándolas con otros rasgos fonéticos pertinentes (la oposición de longitud entre las vocales del latín una vez perdida en las lenguas románicas, sufre una r. ya que es transferida al timbre, que se convierte así en objeto de fonologización).

desglutinación Proceso inverso al de la aglutinación: en it. *lo scuro* < *l'oscuro*.

desiderativo Aparece ya en Prisciano como término que designa ciertos verbos como *capesso, facesso, viso* y después *parturio, esurio* que expresan un intento repetido ('voy cogiendo, voy haciendo, voy viendo') o el deseo de algo.

designación (lat. *designatio* 'indicar con un signo', cfr. por calco el alem. *Bezeichnung* de *Zeichen*, r. *oboznacenie* de *znak*) o **denominación** (*denominazione*) Operación que establece una correspondencia o una asociación entre un signo* lingüístico y un referente, un concepto, un objeto extralingüístico o, incluso, el mismo signo usado. Se opone a significación*: en los ejemplos *el vencedor de Jena* y *el vencido de Waterloo* la d. es la misma; lo que cambia es la significación.

"designans" Término de Morris para el signo que participa en la operación de designación*.

"designatum" Término escolástico retomado por Hjelmslev para indicar la sustancia del contenido, y por Morris (1938) para el concepto de "denotatum"*.

desinencia (del lat. *désinentia*, del part. pres. de *desinere* 'terminar') La parte variable de una palabra: *-us* en el lat. *lupus, -a, -as* en <eps.> *mesa, mesas.*

desinencial (fr. *désinentiel*) Referido a la desinencia*.

desis (fr. *dèses*, del gr. *désis* 'enlace') Término de H. Frei (1954: 29-47) para designar el signo lingüístico que indica las relaciones de mutua dependiencia que unen entre sí a ciertos signos dentro de un sistema más o menos complejo.

deslizamiento Término que puede ser usado para traducir el ingl. *shift*, fr. *glissement*. Tenemos d. fonológico cuando clases de fonemas o fonemas únicos se desplazan para cubrir el sitio de otras clases o fonemas; por ejemplo, las aspirantes que en griego bizantino sustituyen a las oclusivas con el mismo lugar de articulación. Existe d. semántico cuando se produce un desplazamiento de la relación asociativa entre significante y significado: lat. *testa* 'vaso', 'vasija', después 'cabeza' > it. *testa*, lat. *vitus* 'valor militar' > 'dote moral y religiosa' > it. *virtu.*

desmotivación o **desetimologización**
Proceso por el cual, sincrónicamente, un signo pierde la motivación* que lo convertía en algo originariamente transparente para el hablante: el lat. *delirare* 'salirse del surco' > 'delirar' se desmotiva desde el momento en que empieza a no usarse el signo *lira* 'surco'.

desonorización Es una articulación sonora, la reducción o la pérdida completa de la sonoridad. Podemos hablar de d. en el plano de la sincronía si una articulación dada es realizada como desonorizada siempre o en una determinada posición (por ejemplo al final de un morfema como en alemán, ruso o turco) o de d. en el plano diacrónico, para indicar que articulaciones en un principio sonoras se presentan como sordas en un estado de la lengua sucesivo.

desplazamiento (ingl. *hopping*) En la gramática GT término genérico para indicar el desplazamiento de un constituyente.

despreciativo → *peyorativo*.

destinador (fr. *destinateur*, en simetría con *destinataire* siguiendo el modelo de *locuteur*) El hablante, el emisor de un mensaje, el sujeto de la enunciación.

destinatario (fr. *destinataire*) El actante que recibe la enunciación, la narración.

deterioramiento semántico ⇒ *empeoramiento semántico*.

determinación *a*) Para algunos, un miembro no necesario de la frase, lo que en otras terminologías es un circunstante* o un adverbial o un miembro facultativo.

b) En glosemática, una dependencia entre dos términos en la que el primero presupone el segundo pero no viceversa.

determinado *a*) El elemento que recibe la determinación*: *casa* en *la casa blanca*.

b) Las lenguas ponen de manifiesto muy frecuentemente la diferenciación entre elementos dd. (aquel cierto *x*) e ind. (un cierto *x*) además de con unidades léxicas autónomas (artículos*, deícticos*, etc.), con procedimientos formales (por ejemplo, sufijos, como en pers. *-i* en *mard-i* 'cierto hombre') o con diferentes esquemas de declinación: en alemán el artículo indeterminado y el adjetivo posesivo siguen un esquema (*ein/eine/ein*), el artículo d. y los demostrativos otro (*der/die/das*).

c) En glosemática, en una determinación la constante es el d. seleccionado en el proceso y especificado en el sistema.

determinante *a*) En general, el elemento que determina a otro: *la* y *blanca* en *la casa blanca*.

b) En glosemática, en una determinación la variable es el d. que selecciona en el proceso y que especifica en el sistema.

deverbal Una formación derivada de un verbo: *comprobar* > *comprobante*. ≠ *deadjetival, denominal*.

dia- (gr. *dià* 'a través') Prefijoide con el que se forman términos que aluden a la implicación de más de una situación o sistema: *diafono, diafonema, diasistema.*

diacrítico (gr. *diakritikós* 'que sirve para distinguir') O signo d., elemento gráfico que unido a una letra sirve para modificar su valor: por ejemplo *č,š*, respecto a *c,s*. Por extensión, cualquier elemento diagnóstico que sirva para determinar una variación de lengua (→ "*shibboleth*"). En las ortografías de las lenguas indoeuropeas se observarán entre los signos dd. el espíritu fuerte y débil del gr. antiguo, el apóstrofo, el signo duro y el signo blando del cirílico, el *haček* del checo, del eslovaco y del servocroata (*č*), el *kringel* del sueco (*å*), el *trema* del alemán (*ä*), la *tilde* del español (*ñ*) o la *til* del portugués (*ã*) (con valores diferentes en las dos lenguas), el gancho colocado debajo de las vocales nasales del polaco, el corte transversal de la *ł* polaca o de la *ø* danesa. Muchos de estos signos han sido adoptados por los sistemas científicos de transcripción fonética, en particular modo por el del API*.

diacronía El desarrollo histórico de los hechos de la lengua. → *sincronía.*

diacrónico Relativo al eje de las sucesiones en el tiempo. El concepto de sucesión en el tiempo de los hechos lingüísticos es señalado por Georg von Gabelentz (*Die Sprachwissenschaft. Ihre Aufgaben, Methoden und bisheringen Ergebnisse*, 1981), que usa el término *aufeinanderfolgend*; Saussu-

re retoma el concepto traduciéndolo con *diachronique* e introduce el concepto de diacronía, que es la dimensión temporal de la lengua. ≠ *sincrónico*

diafásico (fr. *diaphasique*, formado con *dia-** y *fásico* del gr. *phásis* 'actividad lingüística') Para Coseriu, la diferencia lingüística relativa a los diversos registros expresivos y de estilo (formal, solemne, familiar). ≠ *sinfásico.*

diafónico Transcripción que pone de evidencia variantes de pronunciación.

diafono (ingl. *diaphone*) Para D. Jones, la suma de las variantes fónicas individuales.

diafragma En fonética articulatoria, el punto de máximo extrechamiento de la corriente de aire. → *articulación* a).

dialectalismo Genéricamente, un rasgo, un elemento, que pertenece a una variación geográficamente determinada dentro de un contexto de lengua literaria, no local.

dialecto (gr. *diálektos* 'modo de hablar' y, luego, 'modo de hablar local') El término, que durante el Renacimiento equivalía simplemente a *lengua*, ha ido asumiendo a lo largo del tiempo connotaciones negativas de lengua no acabada y de funcionalidad reducida, en contraposición a lengua (*el sardo ¿es una lengua o un d.?*). Los lingüistas usan el término para designar las variantes no escritas o no literarias de una lengua o, en cualquier caso, analizadas en su realización hablada y no a través de documentos escritos. El término es aceptable sólo con su valor originario para indicar cada una de las subdivisiones locales de una lengua, cada una de las variedades lingüísticas de uso circunscrito a un ámbito geográfico determinado: *los dd. del somalí*. Para la historia del término: M. Alinei, *Dialetto: un concetto rinascimentale fiorentino. Storia e analisi*, "Quaderni de Semantica" 3 (1981), pp. 147-173 = *Lingua e dialetti: struttura, storia e geografia*. Il Mulino, Bolonia 1984, pp. 169-199. En la literatura lingüística de carácter generativo traducida del inglés encontraremos a menudo *d.* en los casos en que habría que esperarse simplemente *variedad* (*en mi dialecto esta frase no es gramatical*), como calco del ingl. *dialect* que hoy indica una variedad social más que geográfica.

dialectología El estudio histórico y descriptivo de los dialectos; la d. estructural, en particular, es una orientación puesta en marcha por U. Weinreich.

dialectometría (fr. *dialectométrie*, alem. *Dialektometrie*, etc.) Técnica que cuantifica la distancia lingüística entre las variantes de una misma lengua de un territorio dado (cfr. H. Goebl, *Dialektometrie. Prinzipien und Methoden des Einsatzes der numerischen Taxonomie im Bereich der Dialektgeographie*, Österreinchische Akademie der Wissenschaften, Viena 1982).

dialefa (del gr. *dialeípō* 'dejar un intervalo', siguiendo el modelo de *sinalefa*) En métrica, lo contrario de la sinalefa: dos vocales contiguas no se unen sino que siguen constituyendo dos sílabas: en *Guido, i'vorrei che tu/ e Lapo ed io* existe d. entre *-o* e *i'*.

diálogo (gr. *diálogos*) Intercambio comunicativo entre dos o más interlocutores; lingüísticamente presenta todas las características propias de la enunciación* (anclaje* a la situación*, uso de la reformulación*, autocorrección*, etc.); por lo general consta de enunciados breves, a menudo formalmente incompletos. ≠ *monólogo, soliloquio*.

diamésico (de *dia-** y gr. *mésos* 'medio') Término introducido por A. M. Mioni (*Italiano tendeziale: osservazioni su alcuni aspetti della standardizzazione*, en *Scritti linguistici in onore de Giovanni Battista Pellegrini*, Pacini, Pisa 1983, pp. 495-517) siguiendo el modelo de *diafásico**, para indicar la diferencia ligada al uso de medios expresivos diferentes (lengua escrita, lengua hablada).

diasistema (ingl. *diasystem*) *a)* Concepto introducido en dialectología por U. Weinreich en 1954 para explicar la mutua comprensión en un área en la que se habla más de una variante cercanas entre sí: el d. es algo así como una fórmula algebraica que da el común denominador de las analogías y pone de evidencia las diferencias; por ejemplo, una fórmula de d. como

$$// \; i \; \sim \; \frac{/e \; \sim \; \epsilon \; /_1}{e_2} \; \sim a \; \sim \; o \; \sim \; u \; //_{1,2}$$

representa el vocalismo de dos sistemas cercanos, 1 y 2: el primero tiene seis vocales y el segundo cinco (cfr. C. Grassi, *Il concetto de diasistema e i principi della geografia linguistica*, en AA.VV., *Gli atlanti linguistici*, Roma 1967, recogido en Weinreich 1974).

b) Para Coseriu cada lengua histórica es un d. en cuanto es un conjunto de varios sistemas coexistentes que se interceptan entre ellos.

diastrático (gr. *diastratique*) Para Coseriu, diferencia lingüística ligada a la diferencia de estrato social. ≠ *sinstrático*.

diátesis (gr. *diáthesis* 'disposición', traducido como *genus* por los gramáticos latinos) En gramática tradicional es la dirección de la acción del verbo: activa (gr. *enérgia*), media (gr. *mesótēs*) y pasiva (gr. *páthos*).

diatipo Variedad funcional en el seno de un repertorio lingüístico; puede coincidir con un registro o ser una variedad de otra lengua.

diatópico (de *dia-** y gr. *tópos* 'lugar') Para Coseriu, relativo a la diferencia lingüística provocada por la variación geográfica; por ejemplo, el inglés de Inglaterra, el de la India, el de Australia, etc. ≠ *sintópico*.

dicción (lat. *dictio*) *a)* Forma léxica, lema (raro).

b) Pronunciación, modo de articular: *una d. exenta de inflexiones regionales*.

diccionario (de *dicción* a) La concreta obra lexicográfica: *ha salido un nuevo d. inglés-italiano*. Se distingue

entre varios tipos de d. según sus características: monolingües (donde los términos son explicados en la misma lengua que es objeto del d.) o bilingües/plurilingües (por ejemplo, italiano-alemán y viceversa), descriptivo o histórico (según la fase de la lengua examinada), ortográfico y ortoépico (con indicaciones sobre una correcta ortografía y pronunciación), etimológico (con la etimología de cada lema), ideológico (organizado según conceptos y campos semánticos y no sólo por orden alfabético).

d. mecanizado En el análisis informatizado de datos, se trata de una lista léxica, registrada bajo una base magnética, de voces lematizadas y acompañadas de todas las informaciones necesarias para el análisis por medio de ordenadores.

"dictum" (lat. 'dicho') Contenido proporcional* de un enunciado. ≠ *"modus"*.

diégesis (fr. *diégèse*, cfr. el gr. *diégēma* 'discurso directo, narración') Para Genette, el aspecto narrativo del discurso (el adjetivo es *diegético*). → *heterodiegético/homodiegético, intradiegético/extradiegético*.

diéresis (gr. *diaíresis* 'separación') *a)* En métrica dos vocales contiguas que forman dos sílabas distintas: *quale ne' plenilunii sereni* (Dante, *Paradiso*, xxiii, 25-26).

< b) En español, signo diacrítico que, colocado sobre la *u* en los grupos *gu + e,i*, indica que debe ser pronunciada: *lingüística*. > ≠ *sinéresis*.

diesizado/no diesizado (ingl. *sharp/plain*) Par de rasgos distintivos* caracterizado acústicamente por la elevación de algunas de las frecuencias altas que componen el sonido, y articulatoriamente por la ampliación del formante faríngeo en la parte posterior del aparato de fonación y por una palatalización simultánea en la parte anterior; son diesizados los sonidos palatalizados del ruso.

diferenciación máxima Según Martinet, la lengua tiende a modificar en el tiempo la realización de un fonema en modo de poder alcanzar una equidistancia* y, en consecuencia, la máxima diferencia posible con los fonemas contiguos en el sistema (Martinet 1966: 192-193); por ejemplo, dado un sistema de cinco vocales /i,e,a,o,u/ sería teóricamente posible que las realizaciones de /a/ y de /e/ variasen acercándose entre ellas aunque sería poco funcional que ambas se aproximaran a [ae]; más probable, en cambio, será, como sucede en español, que la /e/ posea realizaciones algo más abiertas o algo más cerradas, según el contexto, y que la /a/ permanezca siempre baja o, como mucho, se desplace hacia atrás.

diferenciación semántica Ordenación sucesiva de un concepto en diferentes puntos del espacio semántico* a través de la elección de un conjunto de alternativas semánticas estructuradas (Osgood, Suci y Tannenbaum 1957, p. 26).

diferencial *a*) Como adjetivo es a menudo usado en lingüística para indicar que el sistema se basa sobre diferencias: *significado d.* (ingl. *differential meaning*) opuesto a *significado referencial* (*referential meaning*).

b) *d. semántico.* Según la psicosemántica de Osgood, Suci y Tannenbaum (1957) es la atribución de un concepto a un punto de una escala del espacio semántico*, es decir, el ámbito dentro del cual puede colocarse y cambiar un valor.

dífono (de *di-* 'dos' y *fono**) Porción del continuo fónico usada para experimentos de síntesis de la voz. Dada una secuencia sonora constituida por dos fonos, un d. es la parte de tal secuencia que va desde el centro de la parte estable del primer fono hasta el centro de la parte estable del segundo; los dd. se logran a través de la segmentación de los logatomos*; por ejemplo, del logatomo [ari] se obtienen los dd. [a], [ar], [ri], [i-].

difuminado Como traducción del ingl. *fuzzy*: lógica o gramática concebidas para describir de modo más conveniente el lenguaje natural, que introducen el concepto fundamental de la gradualidad, del continuo, en la definición de los valores; según la concepción ortodoxa *x* se opone a no *x* y no existe una categoría que sea un poco más o un poco menos *x*, ésta sería la que se llama categoría con bordes dd. (piénsese en expresiones del lenguaje ordinario como *bastante, en un cierto sentido, por decirlo de alguna manera,* etc.).

difuso → *compacto*.

diglosia (gr. *diglossía* de *di-* 'dos' y *glôssa* 'lengua') El uso por parte de una comunidad lingüística de dos lenguas o de dos variantes de una misma lengua en la que una de ellas está subordinada a la otra; la variante alta se reserva para los usos públicos, oficiales, solemnes, mientras que la baja es usada en los contextos familiares, coloquiales, etc. La distancia entre las dos variantes puede ser mínima desde el punto de vista lingüístico, lo que las diferencia son las connotaciones que aportan cada una de ellas (la lengua alta puede ser aquélla usada por la clase dominante). Esta subordinación distingue la d. del bilingüismo*, que, por el contrario, presupone la coexistencia de códigos distintos en el mismo hablante que pueden ser usados sólo según la elección del interlocutor; la d. pertenece a la comunidad, el bilingüismo al individuo (aunque Martinet, constatando la imposibilidad de distinguir en todos y cada uno de los casos entre bilingüismo y d., prefiere mantener la denominación de bilingüismo para ambos fenómenos, cfr. Martinet 1966: 144). El término d. aparece en los trabajos de estudiosos griegos como E. D. Rhoidis desde finales del siglo pasado referido explícitamente a la d. griega entre *dhimotikí* y *katharévusa*. En Europa el término parece haber sido introducido a través de las obras de Jean Psichari (1856-1929) que, escribiendo en francés, usa *diglossie* desde 1895. Psichari aludía a otros ejemplos de d. pero consideraba el griego como un caso en sí mismo precisamente porque había sido construido y mantenido artificialmente. El término d. fue retomado por el arabista W. Marçais que lo aplicó a la situación árabe (1930), por este camino el concepto alcanzó un cierto eco entre los arabistas; así, en Italia, se hablaba corrientemente de la d. árabe incluso en trabajos de divulgación; por ejemplo: "Este conservadurismo e inmovilidad de la lengua literaria han sido pagados en el mundo árabe con el divorcio entre lengua escrita y hablada, con la d., que hoy afecta incluso al contacto directo más superficial con la vida de esta parte del Oriente" (F. Gabrielli, *Storia della letteratura araba*, Accademia, Milán 1951, p. 16). Pero, probablemente, dada la especialización o el carácter periférico de las dos áreas, griega y árabe, el concepto, que tendría que haber sido adoptado de modo obvio, ha resultado desconocido, por lo menos en su formalización, a los lingüistas generales y a los dialectólogos italianos; de hecho, el término ha sido adoptado después del artículo de Ch. Ferguson, *Diglossia*, "Word", 15 (1959), pp. 325-340. Francescato (*Studi linguistici nel friulano*, Società Filologica Friulana, Údine, 1970) usa *triglosia* aplicado al uso del italiano, el friulano y el véneto.

dígloto Que presenta el uso de dos lenguas: *situación, comunidad d.; en los monumentos dd. no sólo se introducían las lenguas, sino también las costumbres de dos pueblos* (L. Lanzi, *Saggio di lingua etrusca*, Florencia, 1789, I, p. 258).

digrafismo Coexistencia de dos códigos de escritura.

dígrafo . *a*) Compuesto de dos elementos gráficos: <ll> en *llorar*, <ch> /k/ (en it. *chi, che*, <sh> en ingl. *she, sheet*, etc.
b) Que posee dos códigos de escritura.

digrama → *dígrafo* a).

dilación Asimilación* entre dos sonidos no contiguos.

diminutivo Forma o sufijo que indica empequeñecimiento, a menudo con connotaciones afectivas: <esp. *-ito, -illo, -ete*, > it. *-ino, etto*, fr. *-on*, alem. *-chen*, etc.

dinámico → *acento*.

dino, dinema (*dinotipo* para Castellani) Por analogía con fono o crono, d. es la unidad distintiva del acento.

diptongación Proceso por el cual un timbre vocálico se abre modificándose: lat. *pedem* > *pie*, lat. *bonu(m)* > esp. *bueno*.

diptongo (gr. *díphthongos* 'sonido doble') Segmento vocálico que modifica su grado de apertura en el curso de la articulación; tradicionalmente se distingue entre dd. crecientes (alem. *steigende Diphtonge*), del tipo /ia, ie, ua, ue/ en <esp. e> it. o del rum. /eo, oa/ *(seară*, 'noche', *soare* 'sol')) y decrecientes (*fallende D.*) del tipo /ai, ei, au, eu/; aumentando la energía articulatoria y la velocidad de ejecución uno de los dos elementos del d. se convierte casi automáticamente en un aproximante* y obtenemos /ja, wa/.

d. impropio. En lingüística tradicional, un d. que es tal sólo gráficamente pero en realidad corresponde a una vocal larga, como ocurre en griego (<ei, ou> para /e:, o:/) y en otras lenguas que adoptan alfabetos derivados del griego.

d. móvil. Término tradicional e inapropiado para indicar en lenguas como <el español o> el italiano en las que la diptongación se da casi siempre en sílaba acentuada (<*puerta, viento, cielo*, en esp.,> *piede, buono*, en it.), una distribución como <*puerta/portero, viento/ventoso, cielo/celeste*, en esp.> y *piede/pedone, bueno/bonifica*, en it., casos en los que la vocal no acentuada mantiene su timbre originario.

díptoto (gr. *díptōtos* 'que posee una sola forma para dos casos') Forma o paradigma que presenta una flexión con dos casos.

direccional Genéricamente, relativo a la dirección del movimiento que se pretende.

directivo *a*) Caso* que indica 'dirección hacia un lugar'; en las lenguas caucásicas como el tabasarano se distingue, aún más específicamente, un interd. con el significado de 'hacia un punto intermedio entre los que se han tomado como referencia', un postd., 'hacia un punto que se encuentra detrás del asumido como referencia' y un suprad., 'hacia un punto que está por encima del asumido como referencia'.
b) Enunciado que se caracteriza por la intención de inducir a alguien a hacer algo.

directo *a*) Objeto d., opuesto a caso oblicuo.

b) Discurso d., opuesto a indirecto.

direma (fr. *dirème*, de *di-* y *rème*, de ahí → *rema*) Término de Sechehaye, retomado por Bally, para la frase con dos miembros → *monorema, rema*.

dis- Prefijoide que aparece en muchos términos de patología del lenguaje para indicar una perturbación en el proceso indicado por el segundo elemento: *disartria, disgrafía, dislalia*.

disartria Perturbación articulatoria que lleva a articular defectuosamente cierta clase de sonidos. → *lambdacismo, rotacismo, sigmatismo*.

discontinuo *a*) Rasgo opuesto a continuo*.

b) Aplicado a significante o morfema, indica un morfema distribuido en más de un segmento no contiguo: el plural de muchas clases de nombre en árabe, los llamados "plurales fractos": *sulṭān/salāṭīn* 'sultán', *ṣundúq/ /ṣanādīq* 'caja'.

discreta, unidad Unidad caracterizada, en el ámbito del sistema, por no admitir grados intermedios entre ella y la unidad siguiente y por no modificar el propio valor dentro de un abanico de variaciones; un ejemplo de u. d. es el fonema. Dada una oposición entre un fonema /p/ y uno /b/, éstos determinan sus respectivos campos de dispersión* no existiendo en los espacios articulatorios que los separan un tercer fonema que sea un poco /p/ y un poco /b/; si experimentalmente se disminuye gradualmente la sonoridad de /b/ éste seguirá siendo reconocido como /b/ hasta el momento en que empezará a ser percibido como /p/; no existe una tercera posibilidad.

discursivización (fr. *discursivisation*) Operación con la cual el discurso es colocado en la situación y se precisan las opciones de los actantes (actorialización), de los tiempos (temporalización) y de los espacios (espacialización).

discurso (cfr. fr. *discours*, ingl. *discourse*) El concreto flujo lingüístico obtenido por la enunciación; con d. se puede también expresar la noción de *parole* para Saussure y la inglesa *speech*. → *texto*.

d. directo (lat. *oratio recta*, gr. *diégēma orthón*) Reproducción de un d. propio o ajeno manteniendo exactamente (tiempos, modos, personas verbales) la forma en que ha sido enunciado. No está construido dependiendo gramaticalmente de los verbos declarativos (*decir, exclamar, sugerir*, etc.); éstos, si aparecen, sirven para advertir al oyente de que no es ya el hablante quien está diciendo tal cosa sino la persona a la que el d. se refiere; este tipo de verbo se usan en el d. hablado como una especie de indicadores (*Juana ha dicho "Basta, estoy harta"*), o como inciso (*Pero ésta —me dice— es otra historia*). En la reproducción escrita estos verbos pueden incluso ser eliminados gracias a recursos como las comillas.

d. indirecto (lat. *oratio obliqua*, gr. *diégēma enkeklinómenon*) Reconstrucción de un discurso propio o ajeno en la que los tiempos y los modos, construidos dependiendo de un verbo declarativo, son modificados para ser adaptados al plano narrativo deseado: *le dije que no habría ido; Juana me ha dicho que Tito ya no va a Madrid.*

d. (o *estilo*) *indirecto libre* (fr. *style indirecte libre* de Bally, desde 1912, alem. *erlebte Rede* de Vossler) Recurso estilístico que reproduce fielmente un discurso directo con los modos sintácticos del discurso indirecto (es decir, con los tiempos del pasado, etc.) pero sin depender de los verbos declarativos (*Se puso a pensar. ¿Qué habría sido de él? ¿Quién habría creído en él?*).

d. repetido (fr. *discours répétée*) Para Coseriu, el conjunto de todo aquello que en una tradición lingüística aparece de forma fija y cristalizada (frases hechas, giros idiomáticos*, refranes, citas).

análisis del d. Para Z. S. Harris, *Discourse analysis*, ''lg'', 28 (1952), pp. 18-23, análisis de las macroestructuras de un texto.

técnica del d. Para Coseriu, los elementos y procedimientos que pueden ser dispuestos libremente dentro de una lengua en un momento dado; presenta diferencias de diverso orden, diatópicas*, diastráticas*, diafásicas*.

disimulación Fenómeno fonético contrario a la asimilación*: uno de los dos sonidos cercanos y similares se modifica para poder diferenciarse del otro: *venenum* > *veleno* en it., como la asimilacion, puede ser regresiva o progresiva (es decir, proceder de derecha a izquierda o de izquierda a derecha): por ej. lat. *marmor, arbor* que en español se convierten en *mármol* y *árbol.*

disipación En lingüística histórica (el término se encuentra en Ascoli), desaparición, caída de un segmento.

dislalia Perturbación de la articulación, de la emisión de voz y del ritmo.

dislexia (de *dis-* * y *lexia* 'lectura') Perturbación del lenguaje que dificulta la lectura; el niño disléxico aprende a leer más tarde que los otros y lo hace con esfuerzo, esfuerzo evidente, asimismo, en su modo de hablar. La tomografía por positrones (*Positron Emission Tomography*) permite afirmar que el hemisferio izquierdo es mucho más activo que el derecho; el exceso de actividad impide la correcta discriminación de las señales constituidas por las palabras escritas.

dislocación Término de Bally (fr. *dislocation*), retomado luego por J. Ross (ingl. *dislocation*, traducido también por *extraposición*) para indicar el desplazamiento de un componente a la derecha o a la izquierda de su sitio no marcado en la estructura superficial: por ejemplo, a la izquierda como en *La pipa ¿la fumas?*

disminución En fonética, reducción del grado de cierre de un sonido, sobre todo vocálico, obtenida a través del descenso de la lengua. Acústicamente, es el incremento del valor de la primera formante: /a/, con una F_1 de 750 H_z, es más bajo y abierto que

/u/, con F_1 de 250 H_z, que es alto y cerrado. $\neq$ *incremento*.

disponibilidad (fr. *disponibilité*, introducido por Gougenheim en 1956, cfr. ingl. *accessibility*) *a*) Posibilidad que el hablante posee para acceder a las unidades almacenadas en su memoria. Léxico disponible es el que se encuentra con seguridad en la memoria, independientemente de la frecuencia* efectiva de uso (que puede ser muy baja).

b) En general, en la gramática GT es el grado de permeabilidad de una estructura a las transformaciones. En la gramática relacional se designa con jerarquía de d. (ingl. *accessibility hierarchy*) una serie lineal de dependencias entre entidades nominales que rige la aplicabilidad de las reglas sintácticas; desde el punto de vista de la aplicación de una regla, cada elemento de la serie es más accesible que aquel inmediatamente sucesivo en la serie; es más probable que un nombre funcione como sujeto que no como objeto directo y como objeto directo que no como objeto indirecto, etc.

c) En lingüística aplicada, d. es la mayor o menor dificultad para el aprendizaje de una estructura dada de la L_2 por parte del hablante de la L_1; por ejemplo, para un italianohablante será más accesible el correcto uso del masculino y el femenino en español que no el del masculino, femenino y neutro del alemán.

distal/proximal (ingl. *distal/proximal*, neol. cultos del lat. *disco* 'disto' y *proximus* 'cercano', más -*al* del lat. -*alis*, como en *dorsal*, etc.) En las formas deícticas, una oposición entre una localización lejana y una cercana al hablante, como en *aquél* ~ *éste*.

distintivo $\Rightarrow$ *opositivo*.

distribución complementaria Dado que las variantes combinatorias* están condicionadas por el contexto, es evidente que donde aparece una no puede aparecer la otra; en un tipo de conexión como la del < esp. > /n + k/ tendremos [ŋk] pero no [nk]; de manera inversa, [ŋ] no podrá aparecer delante de /t/. Análogamente, operando con unidades de primera y no de segunda articulación*, en el paradigma del verbo italiano *nascere* 'nacer' tenemos dos variantes de un mismo morfema, [naʃʃ-/] delante de /i,e/ y /nask/ delante de /o,a/ y no se puede dar lo contrario; también aquí la presencia de una variante excluye automáticamente la otra. Este tipo de repartición de las variantes combinatorias recibe el nombre de d.c.

distribucional Procedimiento de análisis que observa el comportamiento de las diferentes unidades de la frase superficial según su capacidad de aparición en los diversos contextos.

distribucionalismo Con referencia a sus procedimientos de análisis, basados en gran medida en criterios distribucionales, recibe el nombre de d. una corriente de la lingüística, sobre todo americana, desde Bloomfield hasta Chomsky.

distribuido/no distribuido (ingl. *distributed/non distributed*) Par de rasgos distintivos* introducido por Chomsky y Halle, basado en la mayor o menor extensión del estrechamiento articulatorio: [s ~ θ], [δ ~ f].

distributivo *a*) Forma específica de numeral, con el significado de 'cada *x*, a *x* cada vez': lat. *bini* 'de dos en dos, cada dos', *seni* 'cada seis'.
b) Caso* que expresa el significado 'por cada *x*': húng. *hajó-nként* 'por cada barco', *óra-nként* 'cada hora'.

disyunción Relación lógica (o *aut*) entre dos proposiciones o dos conjuntos de rasgos semánticos que expresan alternancia; en las lenguas naturales la d. entre proposiciones es introducida por disyuntivos específicos.

disyuntivo *a*) En la fonología de Trubetzkoy, oposición que se basa simultáneamente sobre dos coeficientes: <esp.> /p/ ~ /m/ (nasalidad y sonoridad).
b) Elemento que establece una disyunción*, p. ej., <esp. *o, pero*,> it. *o, ma*, ingl. *but*, lat. *aut, vel*; compárese la relación diversa que se crea en latín con *aut* (disyunción exclusiva) y *vel* (disyunción inclusiva): *x aut y* significa que o se da *x* o se da *y*, las dos no son posibles simultáneamente; *x vel y* significa que la presencia de *y* no excluye automáticamente *x*.

dítología (gr. *disso-* o *dittología* 'repetición de palabras') *a*) Pareja de elementos en paralelismo, uno como sinónimo (en este caso lo mismo que *endíadis**) o glosa del otro: *rotos y quebrantados,* <*la reencarnación o metempsicosis*>.

b) ⇒ *alótropo*.

doble articulación → *articulación*.

doblete (fr. *doublet*, alem. *Dopelform*) ⇒ *alótropo*.

dominio *a*) Genéricamente, campo de aplicación de una regla. En un árbol un nudo domina a otro si el primero es más alto y está conectado al segundo: en

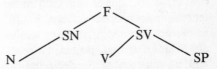

F domina a todos los otros nudos, SN domina N y SV domina V y SP.
b) En sociolingüística, el conjunto de argumentos caracterizado lingüísticamente por un léxico específico, por un cierto tipo de variaciones. El concepto es introducido en la sociología alemana por Schmidt-Rohr en los años treinta y es retomado por Weinreich (1956), J. Gumperz y J. A. Fishman; entre los principales dd. se encuentran la casa y la familia, el trabajo y el ámbito profesional, el colegio y la cultura, el ámbito religioso, la administración y el gobierno.

dorsal Articulación en la que interviene el dorso de la lengua.

"downdrift" (ingl. 'empuje hacia abajo') Fenómeno de asimilación tonal por el cual en muchas lenguas un tono alto es automáticamente realizado como más bajo si es precedido de un tono bajo. Si el tono bajo condicionante cae, por asimilación o anulamiento, el tono alto rebajado puede asumir un estatuto distintivo, tenemos así el llamado "downstep".

"downstep" (ingl. 'salto hacia abajo') → *"downdrift"*.

dual Un número gramatical en la conjugación verbal o en la declinación nominal, que se refiere a referentes que, habitualmente, se presentan como dos entidades no escindibles: ojos, manos, etc. El d., que es conocido en las lenguas indoeuropeas (griego, hindú, paleoslavo, lituano, irlandés) y semíticas (acadio, árabe), poseía, en realidad, un valor ambal*, es decir, indicaba la totalidad de dos cosas que, dada su naturaleza, se disponían en parejas: gr. *tó kheîre* 'las dos manos'; algo similar indica el it. *tutti e due gli occhi, tutt'e due le mani*, ingl. *with both hands*.

dubitativo Un aspecto verbal expresado en latín con el subjuntivo (*quid agam?* '¿qué hacer?' *Archiam non diligam?* '¿no tendría que amar Archia?*') y en <esp. o> it. con el infinitivo o el condicional (*¿Será verdad? ¿Qué podría hacer?*). La denominación se puede explicar recordando que las proposiciones dubitativas no poseen la fuerza de una verdadera pregunta (siendo así cada pregunta sería un d.), pero tampoco se pueden considerar como preguntas retóricas (porque el hablante no sabe de hecho cuál es la respuesta a la pregunta); su particularidad estriba en el hecho de que el hablante duda sobre todo que exista una respuesta definitiva a su pregunta: compárese *¿Qué debo hacer, según tú?* (dímelo ya que lo sabes) y *¿Qué debería hacer, según tú?* (no es seguro que tú lo sepas).

duración (fr. *durée*, alem. *Dauer*) Extensión de un enunciado en su dimensión temporal; la d. de un fonema puede constituir uno de los rasgos distintivos y, en este caso, se habla de cantidad*, como en latín (*uĕni* '¡ven!' *uēni* 'vine'); en <esp. o> en it., por ejemplo, no existe una oposición distintiva en cuanto a la d., aunque, de hecho, existen vocales breves y largas (una vocal acentuada es más larga que una vocal no acentuada, una vocal acentuada en sílaba abierta es más larga que una vocal acentuada en sílaba cerrada); en otras lenguas la duración puede ser concomitante a las variaciones de timbre; por ejemplo en alemán *Mieste* [mi:tə] 'alquiler' y *Mitte* [MItə] 'medio'.

durativo Aspecto verbal (introducido por Wackernagel 1920-24) que prevé un cierto espacio de tiempo entre el inicio y el final del proceso considerado. ≠ *puntual*.

duro Término tomado del impresionismo para designar un sonido consonántico más retrasado con respecto a uno más adelantado (llamado blando); la distinción la encontramos en la terminología tradicional del ruso, donde son llamados "signo duro" (*tvërdyj znak*) y "signo blando" (*mjagkyj znak*) los dos elementos gráficos que indican respectivamente las consonantes no palatalizadas y aquellas palatalizadas.

E

eco de acento Un acento* secundario que recae sobre las sílabas acentuadas de una palabra: < esp. *maravillosamente* o en> it. *'disin'centi'vizza''zione* (*desentivización) donde es fácil observar cómo un acento secundario (') incide sobre casa sílaba impar a partir de la sílaba que posee el acento principal ('').

ecolalia Manifestación propia de estados patológicos del lenguaje que consiste, por ejemplo, en la repetición sistemática de la última parte de una frase apenas pronunciada.

economía Un principio o tendencia característico de todos los organismos vivos es el llamado principio del mínimo esfuerzo, que consiste en la tendencia al mínimo dispendio de energías para conseguir un máximo resultado. Tal principio opera también en el comportamiento lingüístico colocándose en la base de la evolución lingüística, como ya notó Schleicher desde 1859. En el acto lingüístico el resultado es representado por la máxima eficacia de la comunicación, lo que se consigue a través de señales lo más perceptibles posibles (unidades largas, para reducir la posibilidad de confusión, poco frecuentes pero muy numerosas y articuladas de manera neta). El mínimo dispendio de energía exige, en cambio, la reducción del número y de la longitud de las unidades significativas (de ahí que términos como *automóvil, cinematógrafo, jardín zoológico*, etc., hayan sido reducidas muy pronto a *auto, cine* y *zoo*) y la elección de las articulaciones más ventajosas (una mayor intensidad articulatoria, si por un lado se traduce en una mayor claridad acústica, es también más gravosa en términos de energía). El comportamiento lingüístico en su conjunto es el resultado del constante reajuste entre las dos tendencias que podríamos indicar simplemente como e. A criterios de economía y a la exigencia de no multiplicar hasta el infinito las unidades significativas respoden las articulaciones en morfemas y fonemas, que permiten dar forma fónica a cualquier sentido con la utilización de un número limitado de formas resultantes de la combinación de un número aún menor de rasgos articulatorios. El principio de e. ha sido enunciado en varias ocasiones por los lingüistas (P. Passy, M. Grammont en el *Traité de phonétique*) pero ha sido también puesto en tela de juicio; en 1925 Bertoni criticaba que se asumiese como "reguladora de los fenómenos del lenguaje la llamada ley del 'mínimo esfuerzo', por la cual toda transformación o modificación dependerían de la tendencia de los hombres a obtener el mayor resultado con el menor esfuerzo o sacrificio posible", principio que es atribuido a la "escuela economista positivista", cuando, en cambio, "el esfuerzo es la condición para el aumento de las funciones; y, a medida que la humanidad prosigue por el camino del progreso, la necesidad de explicar una actividad cada vez más grande y compleja se deja sentir de manera aguda" (G. Bertoni, M. G. Bartoli, *Breviario di neolinguistica*, STEM, Módena, 1928, pp.54-55); una teoría de la e. ha sido dada en 1949 por G. K. Zipf sobre bases biológicas y estadísticas, y la influencia de Zipf se advierte en Martinet, que es el autor que de manera más persuasiva ha vuelto a proponer el principio de la e. en la lingüística moderna (cfr. Martinet 1949). Sin embargo, después de una valoración de los resultados de Zipf es importante recordar que éste se basó en el examen de textos escritos, para los que, efectivamente, son útiles ciertas constantes estadísticas. Pero las producciones escritas, que han sido redactadas, limadas, etc., poseen una redundancia* mucho menor que las habladas y sirven en su mayoría para fines para los cuales es importante que el contenido de información sea alto; en el lenguaje ordinario hablado no es la información la finalidad última y podrá ser muy frecuente que un elemento con un contenido poco informativo sea útil desde el punto de vista enunciativo (por ejemplo, un expletivo*).

ecthilipsis (gr. *ékthlipsis*, literalmente 'el sacar hacia fuera', traducido por Prisciano como *elisio*) Caída de algunos segmentos, casi siempre consonánticos, dentro de una palabra. → *síncopa*.

ecuación metacrónica Una equivalencia como la del lat. /k/ = it. /tʃ/ sin ninguna otra explicación.

ecuativo Caso* en lenguas como el tabasarano: *armi-sä* 'como un hombre'.

educación lingüística Si tradicionalmente la enseñanza lingüística formal se proponía como finalidad el dominio por parte de los alumnos —de los que se ignoraba programáticamente las diferencias sociales— de las estructuras gramaticales de la lengua de referencia, en estos últimos veinte años se ha ido afirmando y precisando una concepción mucho más amplia. El dominio de la lengua oficial ya no es visto como una capacidad circunscrita, que sirve para la aprehensión de textos literarios o para ocasionales operaciones de escritura, sino como un potente instrumento cognoscitivo y de emancipación social. Esta visión que, naturalmente, ha sido favorecida e influida por un movimiento general de democratización de las sociedades occidentales y, por lo tanto, de las estructuras didácticas, se sirve también de la nueva sensibilidad hacia los hechos lingüísticos. Ya no se hablará específicamente de enseñanza escolástica de la primera lengua o de las lenguas extranjeras, sino de una disciplina nueva en sustancia, una verdadera y propia e.l. que del material lingüístico de la L_1 o L_2 (donde L_1 puede ser no la lengua nacional, sino un dialecto nativo o una lengua minoritaria) toma el impulso para estimular las capacidades expresivas, creativas, analíticas y cognoscitivas del estudiante, persiguiendo, sobre todo, el conseguir que éste haga uso de modo diversificado y apropiado de sus conocimientos lingüísticos.

efecto de sentido → *sentido.*

efelcístico (gr. *ephelkustikón* 'colocado detrás, sufijo') ⇒ *paragógico.*

egresivo Sonido producido con la corriente de aire que sale de los pulmones. ≠ *avulsivo, ingresivo.*

eje Metafóricamente la imagen del e. de referencia es a menudo usada desde Saussure en adelante, y se habla del e. de la simultaneidad o del e. de las sucesiones.

elaborado, código → *código elaborado/restringido.*

elativo (neol. del lat. *elatus* 'levantado') *a)* Caso* espacial que indica 'movimiento desde el interior de un lugar', fin. *talo-sta* 'desde el interior de la casa', hún. *hajó-ból* 'desde el interior de la embarcación'.

b) Forma adjetival que posee el valor de superlativo absoluto: en árabe la forma *afʿal* como en *akbar* 'grandísimo' o en los nombres de colores (*azraq* 'azul').

elección La operación llevada a cabo por el hablante en el acto de la expresión, con la que selecciona entre los elementos que tiene a disposición y que están presentes en su conciencia aquellos que puede utilizar en la comunicación.

elemental, afinidad → *afinidad.*

elementos y disposiciones (ingl. *items and arrangement*) Modelo de descripción lingüística que observa la distribución superficial de los elementos, vistos simplemente como secuencias lineares de morfemas.

elementos y procesos (ingl. *items and process*) Modelo de descripción lingüística que intenta reformar el modelo estático precedente, introduciendo procesos de derivación que conducen a los diferentes elementos.

elevación *a)* En fonética, movimiento hacia arriba de la lengua.

b) En gramática GT la e. (ingl. *raising*) se da cuando el sujeto o el predicado de una frase incrustada (→ *incrustación*) son "elevados" a la frase principal y es cancelada la cópula.

elipsis (gr. *élleipsis*, literalmente 'insuficiencia') Término tradicional para designar la ausencia en la estructura superficial de un elemento que está presente en la estructura profunda;

por ejemplo las frases nominales ("*¿Cuáles las consecuencias de su gesto?*", "*Diez los heridos, tres los muertos*") no presentan las formas del verbo 'ser' que, sin embargo, se encuentra en la estructura profunda; un criterio puede ser la posibilidad de reintegrarlas sin ambigüedad. → *sobrentendido.*

elisión (lat. *elisio*, trad. del gr. *ékthlipsis*, → *ecthlilpsis*) Caída de un elemento vocálico entre dos morfemas: *la astrazione > l'astrazione*, en it. <o en esp. ant. *della > de ella*>.

-ema (de grecismos como *problema, teorema,* etc.) Sufijo usado para la construcción de términos técnicos propios de la lingüística estructuralista con el valor general de 'unidad abstracta distintiva': *fonema, grafema, morfema, noema,* etc.

emblema (gr. *émblēma* 'inserción', es decir el adorno introducido o aplicado en una superficie) Imagen a la que es coordinado un signo; *el lirio es el e. de la pureza*; es decir, un signo no verbal al que se asocia un signo no verbal.

émico (ingl. *emic*, de *phonemic*) Término acuñado por K. L. Pike para indicar un elemento que sobresale dentro del sistema estudiado; la fonética es ética* porque registra los sonidos de una lengua tal y como son realizados, sin otras distinciones, mientras que la fonología es é. porque intenta caracterizar las diferentes realizaciones, aquellas dotadas de una cierta relevancia; el par é. ~ ético ha tenido una

más larga aplicación fuera del ámbito de la lingüística para designar la oposición entre datos observados desde el exterior pero no necesariamente pertinentes y datos que, desde dentro, son interpretados como poseedores de diferencias funcionales.

emisión (fr. *débit*) El flujo del discurso.

enálage (gr. *enallagé* 'intercambio') En gramática tradicional, un intercambio entre dos elementos de la frase; especialmente la e. del adjetivo (o hipálage) y la que hace concordar el adjetivo con un sustantivo diferente del que se espera: por ejemplo, *per amica silentia lunae, il divino del pian silenzio verde* (que puede ser también una sinestesia*); en la doble e. (gr. *methupallagé*) son dos elementos intercambiados: *ibant obscuri sola sub nocte per umbram.*

encabalgamiento División sintáctica que supera la pausa métrica: *O sonno, o de la queta, umida, ombrosa/notte placido figlio; o de' mortali/egri conforto* (G. Della Casa, lvi, 1-3) <o en esp. *Y mientras miserable-/ mente se están los otros abrasando* (Fr. Luis de León)>. El it. conserva el término francés aunque Fubini (*Studi sulla letteratura del Rinascimento*, Florencia, 1947, pp. 257-258) ha propuesto traducir la noción con *inarcatura* <'arcatura, curvatura'>; en la tradición de los siglos XV y XVI se usaba, en cambio, *rompimento, spezzatura, spezzamento* <es decir, 'rotura'>. Se llama también *"rejet"* o *riporto* <'aplicación'> a un e. limitado a un elemento mínimo: *non odo parole/che dici*.

encadenante *a*) → *cadena* a).
   b) (ingl. *catenative*) En algunos tipos de sintagmas verbales, un elemento verbal que rige otro elemento verbal, no conjugado: *he likes to go*.

enciclopedia El conjunto de los conocimientos mentales de los que participan los hablantes de una misma comunidad y a los que cada uno de ellos recurre para la enunciación, incluso de modo no explícito, y que contribuye al logro del sentido deseado.

enclave Que habla en una lengua diversa de la oficial o mayoritaria de la zona en la que se encuentra: < *los enclaves catalanes de Alguer* >.

enclisis (gr. *énklisis* 'inclinación', porque la forma enclítica desplaza su acento sobre la palabra que procede) Fonéticamente, se produce una e. cuando un elemento (casi siempre monosílabo o bisílabo) se apoya acentualmente en un elemento contiguo formando con éste un solo grupo fonológico: p. ej., < *lo, la, se,* etc. en esp. (*escríbele, díselo*) o > *lo, la, li* en it. (*trovalo, trovala, trovali* 'encuéntralo, encuéntrala, encuéntralos*').

enclítico (gr. *enklitikós*, → *enclisis*) → *clítico*.

encuadramiento de sufijos Adición de sufijos a préstamos para adaptarlos a las formas previstas por la morfología derivacional de la lengua.

encuesta Procedimiento con el cual, a través de un protocolo de preguntas organizadas (cuestionario) o libres, se obtienen de un informador los datos relativos a la experiencia y competencia de su lengua. → *excusión*.

endíadis (gr. *hen dià duoîn* 'uno por medio de dos') Figura* mediante la cual un concepto único es expresado a través de un par de elementos: *Lo strazio e'l grande scempio* < 'El desgarro y la gran destrucción' > (Dante, *Inferno*, x, 85).

endocéntrico (del prefijoide *endo* y *centro* 'que tiene el centro en sí mismo') *a*) Compuesto e., aquél en el que uno de los elementos es simultáneamente sujeto de la frase de la que deriva: *la caja es fuerte* > *cajafuerte*.
   b) Para Bloomfield, construcción sintáctica en la que de un núcleo o cabeza* dependen otras formas. ≠ *exocéntrico*.

endofásico, lenguaje (alem. *innere Sprache*, r. *vnutrennjaja reč*') El discurso mental o interior, el hablar consigo mismo (por asociaciones, esbozos de frase, etc.), contrapuesto a la forma normal de expresión (exofásica o explícita) en la que se ven colmados los espacios vacíos y expresados explícitamente los nexos lógicos, etc.

endolenguas → *exolenguas*.

energía articulatoria ⇒ *fuerza articulatoria*.

enérgico En algunas lenguas, como el árabe, un modo* caracterizado morfológicamente, que expresa deseo o sugerencia: ár. *tunnabbi'anahum* '¡tú los anunciarás a ellos!'.

énfasis (gr. *émphasis* 'demostración') En general, el poner de relieve una parte o un rasgo de un enunciado.

a) En fonética, una determinada energía articulatoria, que lleva a un alargamiento o a una mayor tensión de las articulaciones, a una variación del perfil de la entonación y del tiempo de elocución (que puede ser frenado, obteniendo el efecto de escisión de las palabras).

b) En sintaxis, el é. puede ser obtenido a través de varios mecanismos, por ejemplo, focalizando el elemento que se quiere subrayar (*es a ti a quien le estoy hablando*), o repitiéndolo.

c) En el plano de la lengua escrita se consigue optando por uno o más expedientes como el subrayado, los guiones, los espacios, la mayúscula; por ejemplo, escribiendo < etno-grafía > en lugar de < etnografía > quiero remarcar que siento como presentes en la palabra los componentes etimológicos y que, por lo tanto, la disciplina es también una "escritura".

enfático *a*) En general, alargamiento, realización prolongada o más enérgica, con fines expresivos: *¡que noooooo!*

b) En las lenguas semíticas se llaman tradicionalmente e. (ár. *mufaxxama*) a una clase de sonidos caracterizados por una fuerte faringalización, que se han perdido en hebreo pero que han sido conservados en otras lenguas de la familia, como el árabe o las lenguas semíticas de Etiopía.

entimema (gr. *enthúmēma*) Una forma argumentativa del tipo: "¿Existe gente que se muere de hambre y tú no te quieres comer la verdura?"

entonación La secuencia de diferentes rasgos melódicos en un enunciado comprendido entre dos pausas. La e. posee formas y modelos característicos que cambian según las variantes personales, las variedades lingüísticas, etc., y es portadora de una cantidad de informaciones como, por ejemplo, las relativas a la fuerza ilocutiva* del enunciado.

entorno Para Coseriu (*Determinación y entorno*, 1955) el contexto* en cuanto opuesto al cotexto* (o determinación).

entrada *a*) Traducción del ingl. *input*, material que entra dentro de la regla. ≠ *salida**.

b) Calco del ingl. *entry*, alem. *Eintrag*, por voz léxica, lema*, etc.

entropía Medida del contenido de información* de un mensaje en relación a su grado de organización.

enumeración (lat. *enumeratio*, gr. *sunathroismós*) Figura* estilística equivalente a la acumulación* de elementos que poseen una misma función gramatical.

enumerativo Caso*: húng. *háromszor* 'tres veces'.

enunciación (fr. *énonciation*, del lat. *enunciatio*, el acto y el resultado del hablar, opuesto a *scriptum*, el acto y el resultado del escribir). Término introducido en el uso lingüístico por Benveniste (1966: 242-243; 1975: 79-88) para indicar el complejo proceso de elección y selección de elementos variables que acompaña la realización de un acto de la palabra fijándolo y consolidándolo en la situación, en los interlocutores y en el tiempo. → *alocución, anclaje, conmutadores, deíxis, discursivización*.

enunciado (fr. *enoncé*, ingl. *utterance*) Término neutro (introducido como término técnico probablemente por Bloomfield, 1926, *Deff*. 1, 4) para indicar el resultado de la enunciación, y, con sentido más general, una emisión verbal cualquiera que no ha sido analizada aún, comprendida entre dos pausas o entre dos cambios de interlocutor.

enunciador (fr. *énonciateur*) El que enuncia.

enunciatario (fr. *énonciataire*) Por analogía con *destinatario*, persona a la que va dirigida la enunciación.

epanadiplosis (gr. *epanadíplōsis* 'duplicación') Figura* estilística que consiste en la repetición de un término crucial.

epanalepsis (gr. *epanálēpsis* 'repetición') Figura* estilística que consiste en repetir una misma palabra pero declinándola de modo diferente.

epéntesis (gr. *epénthesis* 'intercalación') Intercalación o adición de un segmento, en general vocálico, en una secuencia fonológica para adaptar, por ejemplo, una palabra de origen extranjero a la forma canónica* de la lengua; en la literatura técnica la e. se llama también anaptixis*, *svarabhakti* (del nombre sánscrito), vocal eufónica (→ *eufonía*); casos particulares de e. son las vocales centralizadas llamadas *scevà* o *pepet* (malés *pĕpet*), en las que son neutralizadas varios rasgos y la prótesis*, adición de un elemento al inicio de la secuencia < (lat. *stellam* > esp. *estrella*) > .

epexégesis (gr. *epekségēsis* 'explicación') Desarrollo explicativo, adición. *Se ha equivocado, como siempre*.

epexegético Declarativo, explicativo. *Genitivo e.* o *declarativo*. En latín un nombre en genitivo colocado como aposición de otro nombre con una función explicativa: *urbs Romae* 'la ciudad de Roma'.

epiceno (lat. *epicoenum*, del gr. *epíkoinon* 'común') En un sistema lingüístico en el que los nombres son marcados según el género, un nombre que no muestra variaciones y que gramaticalmente es masculino o femenino (llamado también *nombre promiscuo*): < *la mosca, el tigre* (cfr. it. *la tigre*), *la víctima* > .

epiclesis (gr. *epíklesis* 'invocación') En la poesía clásica, la fórmula con la que es invocada y propiciada la divinidad.

epicórico o **encorio** (gr. *epikhorios, enkhorios* 'local, del país') Término de por sí genérico, sinónimo de *local*, pero que se refiere casi exclusivamente a una variante de lengua o escritura de las que no se conoce o no se quiere precisar mejor el nombre: *una inscripción en alfabeto y en lengua e.*

epidíctico, género (gr. *epideiktikós* 'demostrativo') En retórica antigua, el género declamativo persuasivo.

epifonema (gr. *epiphónēma* 'frase conclusiva', 'interjección') Exclamación, afirmación que concluye una argumentación.

epífora o **epístrofe** (gr. *epiphorá, espistrophé* 'repetición, retorno', etc.) Figura* que consiste en concluir más de un enunciado consecutivo con el mismo elemento.

epíploque (gr. *epiplokē* 'enlace, conexión', traducido en latín con *connexio*) Figura* que consiste en relacionar una serie de proposiciones repitiendo sucesivamente un término de una proposición en aquella que la sucede.

episema Término de Nida referido al significado de la relación gramatical entre morfemas.

episemema (ingl. *episememe*) Para Bloomfield (1933: 166, 264), el significado de los tagmemas, las unidades mínimas de significado de la forma gramatical.

epistémicas, modalidades (fr. *modalités epistémiques*; cfr. gr. *epistḗmē* 'saber') → *modalidad.*

epítesis (gr. *epíthesis* 'añadidura') Genéricamente, la adición de un sonido, de una sílaba o de un adjetivo (el derivado es *epitético*).

epíteto (gr. *epítheton* 'añadido') En general, un componente (adjetivo, nombre, locución) que se añade al nombre para cualificarlo (cfr. el alem. *Beiwort*). Sin embargo, el término ha sido restringido al uso poético, característico, por ejemplo, de la épica antigua, donde el e. acompaña al nombre con una simple función de elogio, aunque no sea pertinente con respecto al contexto: gr. homérico *rododáktulos Ēós* 'la Aurora de los dedos de rosa'.

epónimo (gr. *epónumos* 'que toma o que da el nombre') Sustantivo o adjetivo que se refiere a la transposición de un nombre propio de persona a una cosa: el arconte e. en Atenas, el éforo e. en Esparta daban su propio nombre al año; el héroe e. es el que da el nombre a la etnia; son ee. los nombres de muchos inventos; *biro, carter, diesel, gillette, palmer, roentgen.*

equidistancia entre fonemas Principio de economía* dinámica en un sistema fonológico, por el que éste tiende a convertir en equivalentes las presiones recíprocas tendiendo a la diferenciación máxima*.

equipolente En la fonología de Trubetzkoy, una oposición en la que los términos se encuentran en un plano de igualdad: por ejemplo, /p/ y /t/ son ambos oclusivos y sordos, pero uno es labial y el otro es dental; no se puede decir que la marca opositiva sea más la labialidad que la dentalidad o viceversa.

ergativo (lat. cient. *ergativus*, neol. del tema del gr. *érgon* 'obra, trabajo') En algunas lenguas, llamadas ee., el agente de los verbos transitivos es expresado con un caso específico, el e., mientras que el agente de un verbo instransitivo recibe un caso nominativo o no recibe ninguna marca: por ejemplo, el vasco *gizonak ogia jan du* 'el hombre ha comido pan', donde *gizonak* es el e. de *gizon* 'hombre'. Por extensión, puede llamarse relación e., incluso en lenguas no ee., a aquella existente, por ejemplo, entre frases inglesas como *The stone moved* 'la piedra se movió' y *John moved the stone* 'J. movió la piedra', en la que el sujeto del primer verbo, que es intransitivo, se convierte en el objeto del segundo verbo, que es transitivo, y emerge un sujeto e. que provoca la acción descrita.

erotética (gr. *erōtētiké*, en Aristóteles 'arte de hacer preguntas', de *erōtáō* 'hago preguntas') Rama de la lógica que estudia los usos de las preguntas.

error En la concepción normativa se distinguía entre varios tipos de e., como el solecismo* (contra la sintaxis) o el barbarismo (por influjo de otra lengua); en realidad, el concepto de e. presupone a un hablante que hable una lengua que no es la suya; en su propia lengua el hablante no puede, por definición, cometer errores. En todo caso los llamados ee. en cuanto

anomalías, lapsus o falsas construcciones ponen a la luz ciertas estructuras internas del lenguaje; en los demás casos conviene hablar de interferencia*; H. Frei (1929) ha sido el primero que ha usado sistemáticamente el e. como fuente de información estructural sobre la lengua.

esbozo Voz de la terminología artística ('trabajo inacabado') que indica asimismo una redacción preliminar, no acabada, de un texto literario. → *avantexto*.

escalas *a) de abstracción* (ingl. *scales of abstraction*). En la teoría de Halliday, denominada "gramática de escalas y categorías" (ingl. *scale-and-category grammar*), de principios de los años sesenta, se prevé un conjunto de cuatro categorías, pertenecientes a diferentes niveles y uno de tres ee. de a. que ponen en correlación estas categorías, especificando sus interrelaciones y las relaciones con los datos observables.

b) de implicación. En los modelos que dan cuenta de la variación lingüística, las diversas variantes son dispuestas en una gradación que depende de sus relaciones de implicación: la variante A no puede aparecer si no ha aparecido la variante B, que no puede aparecer si no ha aparecido la variante C, etc.

escansión (del lat. *scansio*, de *scandere* 'subir, ascender') En la métrica tradicional, la lectura de un verso siguiendo sus valores métricos, es decir, según los tiempos fuertes (arsis*) y débiles (tesis*).

escisión Término usado en la lingüística histórica para indicar que un sonido único se abre en dos sonidos distintos, como ocurre en la diptongación.

escribiente El término, ya propio del uso burocrático, puede ser útilmente conservado, por analogía con *hablante*, para designar al sujeto de un acto de escritura.

escrito *a)* Dícese de la variedad lingüística usada específicamente en la modalidad escrita, opuesto a hablado: *el árabe moderno escrito* (cfr. ingl. *modern written Arabic*), etc.

b) En oposición a *oral*, indica la modalidad de la expresión por escrito; para J. Peytard, que usa en francés *scriptural* en lugar de *écrit*, evidentemente para eliminar toda posible confusión con *escritura* en la acepción *a)* (*Oral et scriptural: deux ordres de situations et de descriptions linguistiques*, "Langue française" 6 [1970], pp. 35-47), el orden oral es aquél en el que se sitúa todo mensaje realizado por medio de la articulación y que es susceptible de ser leído.

escritura *a)* Un sistema comunicativo de signos gráficos que codifica un contenido lingüístico sea cifrando directamente significados (→ *pictograma*) sea transcribiendo con varios recursos los sonidos de formas explícitas de la lengua: *una inscripción en e. aramea, gótica*, etc.

b) La operación concreta mediante la que se trazan, utilizando un apoyo, los signos gráficos.

c) La modalidad expresiva, el horizonte cognoscitivo hecho posible y definido por la expresión a través de signos gráficos.

d) El estilo específico adoptado al expresarse por escrito; *una e. básica, redundante, seca, esencial*, etc.

esdrújulo ⇒ *proparoxítono*.

esivo Caso* con función local: finés *-na* en *isäni on kipeänä* 'mi padre (ahora) está enfermo', respecto a *isäni on kipeä* 'mi padre está (siempre) enfermo'; húng. *ajándél-ul* 'como regalo'.

eslogan (ingl., del escocés *slaughghairm* 'grito de guerra') Frase breve, estereotipo, emblema, blasón verbal; el término hoy es usado sobre todo para indicar los emblemas verbales políticos, publicitarios, etc.

espacial Que se refiere a la colocación o al movimiento en el espacio: *caso e.*

espacio semántico En la semántica experimental*, el ámbito multidimensional, definido por pares de adjetivos opuestos, dentro del cual puede situarse el valor de un término.

especial, lengua → *lengua especial*.

especialización Reducción de la extensión del significado de un signo a usos específicos y delimitados: lat. *cubare* 'yacer' > it. *covare* < 'incubar' >. ≠ *generalización*.

especie En glosemática, los dos miembros que constituyen un plano, es decir, constituyentes y exponentes.

especificación En glosemática, determinación entre dos miembros del sistema; dual presupone plural y singular, pero ni plural ni singular presuponen dual.

espectrograma o **fonoespectrograma** Trazado —obtenido con un instrumento llamado (fono)espectrógrafo— de las frecuencias de las vibraciones sonoras que componen un único fono o una secuencia de fonos. Dado que uno de los instrumentos más usados para este tipo de trazado es el Kay Sona-Graph, el e. se conoce también con el nombre de sonagrama.

espiratorio Que utiliza el aire pulmonar en salida: fuerza, unidad e. (ingl. *breath group*), acento.

espontáneo Mutación fonética, es lo mismo que no condicionado* por el contexto.

esquema *a*) Como término genérico es sinónimo de configuración, modelo, etc., y puede traducir el ingl. *pattern* de la lingüística distribucional o, en contextos sociolingüísticos, el ingl. *frame* (Goffman).

b) Para Hjelmslev (que usa, según las lenguas *schéma* o *charpente* en francés, *Sprachbau* en alemán, *pattern* en inglés), la "langue" 'lengua' de Saussure.

c) Para Goffman (ingl. *frame*).

estadística lingüística Aplicación de los métodos estadísticos a poblaciones de formas lingüísticas para estudiar las propiedades combinatorias y de aparición; la e.l. posee varias aplicaciones prácticas, por ejemplo en la lexicografía, en la preparación del material didáctico, en la proyección de instrumental de escritura e imprenta, etc. → *lexicoestilística*.

estado *a*) Término usado con varias acepciones en lingüística; e. de lengua (fr. *état de langue*) es, para Saussure, una sección de la lengua en un momento dado, en sincronía.

b) *e. absoluto/e. construido*. En varias lenguas (semíticas, hausa, bereber) el nombre se presenta con dos formas morfológicas diversas, según se encuentre aislado o en relación de anexión*.

estándar (*standard*, ingl. /ˈstaendəd/) *a*) Aplicado a la lengua indica una variante que se ha establecido más o menos artificialmente debido a intercambios y contactos o por una acción normalizadora impuesta desde arriba. El < español > que podría ser considerado e. sería el de la radio, el de la prensa, etc., que no refleja ninguna variedad particular del < esp. > histórico y que no es hablado de forma nativa por ninguna comunidad. No todas las variedades de uso generalizado pueden ser llamadas e.: tiene que existir una norma explícita de referencia escrita y hablada que impida las oscilaciones, y privilegios precisos de uso.

b) *Teoría estándar*: en el ámbito de la gramática GT, es la versión de la teoría chomskyana presentada en los *Aspects of the theory of syntax*, de 1965; algunas modificaciones sucesivas nos han llevado a la t.e. ampliada.

estandarización La operación de construcción o planificación lingüística con la que se crea una lengua estándar (fijando morfología y grafía, ampliando el léxico, etc.), a partir de una única variedad o de una media entre variedades.

estativo Término propio en su origen de la gramática hebrea, con el que se señala una clase de formas verbales que indican estado o cualidad (como *kabed* 'es pesado'), e introducido en la lingüística por B. L. Whorf en la oposición *estativación/verbación* y, luego, definitivamente, por G. Lakoff en 1965 (= Cinque 1979: 45-60) para indicar un verbo que expresa no una acción del sujeto, sino un modo de ser, un estado (hasta el punto de no permitir la forma imperativa): *pertenecer*, etc. Un verbo como *pesar* puede ser no e. en *hay que pesar las ventajas y los inconvenientes* o en *El tendero pesa el queso* (es posible *¡Pésate! ¡Péseme esto!*) pero es e. en *ahora peso diez kilos más que cuando tenía veinte años* (en esta acepción es imposible* *¡Pesa (tú) ochenta kilos!*).

estereotipo Como traducción del fr. *cliché**, una construcción que el hablante no selecciona a partir de las disponibilidades de su paradigma sino a partir de las que ya tiene a disposición; la noción equivale a la de sintagma fosilizado*, con la diferencia de que éste puede ser un término del todo neutro (*chaise-longue*, <*estar en vilo*>) mientras que el e. es el correspondiente lingüístico del lugar común, de *l'idée reçue* y sus connotaciones son las de un lenguaje banalmente repeti-

tivo, consumido, carente de eficacia (<*rojo como un tomate, una situación complicada*>).

estilema (de *estilo* y -*ema*) Rasgo distintivo estilístico, por ejemplo una determinada elección lexical, una colocación verbal, etc.

estilística Para Bally, la disciplina "que estudia los hechos de expresión del lenguaje organizado desde el punto de vista de su contenido real"; objeto de la e. son las asociaciones entre signos y valores expresivos, sociocontextuales, etc., y los procedimientos puestos en acto para obtener el mejor resultado.

estilístico Un fenómeno lingüístico de cualquier nivel (léxico, orden de las palabras, etc.) que no esté condicionado por el contexto o, simplemente, previsto como única posibilidad por el sistema y que responda a una elección subjetiva con el fin de conseguir una mayor expresividad y eficacia comunicativa.

estilo (lat. *stilus*, el punzón usado para escribir, cfr. fr. *style*, que quizá haya influido en la desinencia final de la forma italiana) *a)* La obvia metáfora 'instrumento para escribir' > 'acto, modo de escribir' > 'cualidad de lo que es escrito' es ya corriente en los autores latinos. Los modernos siguen usándola con mayor o menor énfasis, según los períodos; para los Humanistas *stilus* es también, en ciertos casos, el modo material para escribir, pero luego prevalece el significado actual de 'cualidad específica de las selecciones lingüísticas usadas dentro de una determinada variedad'; se entiende que nos referimos corrientemente al uso en una obra literaria o, sea como sea, al uso escrito (así, *e. telegráfico* es un tipo de enunciación caracterizada por la elipsis, la reducción de nexos, etc.). Además, con e. se ponen en relieve sobre todo las características ligadas a la personalidad, a la individualidad o al específico momento histórico, al alejamiento respecto a una norma corrientemente aceptada, a lo usual o a lo contemporáneo.

b) En lingüística el concepto es usado de manera más general y más definida; se puede hablar de e. para cualquier manifestación lingüística, escrita u oral, con tal que esté caracterizada por específicas selecciones (léxicas, sintácticas y, eventualmente, de entonación) dentro de la (o de las) variedades de referencia y de una específica referencia funcional; se llaman, de hecho, ee. funcionales (ingl. *functional styles*, etc.) a los diversos conjuntos de selecciones orientados hacia específicas finalidades comunicativas (e. científico, coloquial, comercial, oficial, periodístico, etc.) y en esta función son socialmente reconocidos y definidos.

c) Como sinónimo de *discurso* en las expresiones *e. directo libre, e. directo e indirecto.*

estiloestadística   Método desarrollado sobre todo por G. Herdan, que aplica al estudio de la estilística el análisis cuantitativo y, en general, los presupuestos de la teoría de la información*.

estrategia   Tecnicismo frecuente debido al influjo del ingl. *strategy*, es

decir 'rutina', 'plano, regla de conducta': *ee. perceptivas, e. de discurso.*

estratificación   *a*) Para Hjelmslev y, después, para la lingüística llamada estratificacional, la presencia simultánea de varios niveles de fenómenos y, por lo tanto, de análisis en la lengua.

b)   La presencia en la lengua de varios estratos correspondientes, si bien de manera no rigurosamente biunívoca, a los estratos sociales.

estratificacional, gramática   → *gramática estratificacional.*

estratigrafía   Por analogía con la estratificación geológica, el estudio de los elementos de una lengua divididos por estratos cronológicos o por origen (los elementos griegos, latinos, germánicos, árabes), o por nivel (cultismos, elementos populares).

estrato (lat. *stratum* 'superficie', plur. *strata*)   En glosemática, cada una de las cuatro extensiones, forma y sustancia del plano del contenido y forma y sustancia del plano de la expresión.

estrecho   En los fonetistas ingleses transcripción* e. (*narrow transcription*) es la que señala el mayor número posible de rasgos fonéticos.

estridente/mate (ingl. *strident/mellow*)   En la teoría fonológica de Jakobson y Halle, rasgos acústicos caracterizados respectivamente por un ruido de intensidad más alta o más baja y articulatoriamente por bordes contraídos o lisos.

estructura La organización de las partes que componen un sistema. La noción de e. se remonta a Saussure que, sin embargo, usa sólo el término de sistema*: "...sería ilusorio considerar un término sólo como la unión de cierto sonido con cierto concepto. Definirlo así sería como aislarlo del sistema del que forma parte; sería creer que se pueda comenzar con los términos y construir el sistema haciendo la suma de ellos, mientras que, por el contrario, hay que partir de la totalidad solidaria para obtener por análisis los elementos que encierra" (Saussure 1968: 157). El término de e. aparece por primera vez en las *Tesis* de Praga, en las que se considera la lengua como un sistema que posee una e. caracterizada por las relaciones recíprocas que se establecen entre sus elementos (Benveniste 1965: 31).

estructura poco profunda (ingl. *shallow structure* 'estructura poco profunda') En la gramática GT, es un nivel poscíclico de la derivación, sucesivo a la mayor parte de las inserciones lexicales y precedente a los movimientos estilísticos; es también el nivel apropiado para la definición de las frases idiomáticas y para la pertenencia al tipo de orden de palabra (cfr. Postal en Cinque 1979: 220).

estructura profunda Traducción del término chomskyano *deep structure*; en un enunciado es la matriz (en sentido matemático) a partir de la cual éste ha sido generado; se opone a e. superficial (ingl. *surface structure*), que es la relación sintagmática tal como se observa en la frase realmente pronunciada. Las frases *El fusilamiento de los rehenes aterrorizó a los presentes* y *La muerte de los rehenes aterrorizó a los presentes* tienen la misma estructura superficial pero se diferencian en su e.p.: en el primer caso tenemos que *alguno fusila a los rehenes*, en el segundo que *los rehenes mueren* (Lepschy 1966: 179).

estructura superficial → *estructura profunda*.

estructural o **estructuralista, lingüística** → *lingüística estructural*.

ético a) Dativo e. → *dativo* e.*

b) Término acuñado por K. L. Pike (ingl. *etic*, de *phonetic*) en contraposición a *émico** para indicar un método descriptivo, la aproximación inicial a un sistema determinado, pero que se encuentra aún fuera de éste, transcultural, basado en criterios lógicos universalmente válidos, etc. Los datos objetivos son registrados desde fuera, sin distinción de relevancia.

étimo (gr. *étumon* 'sentido verdadero', palabra de origen desconocido) Ya para los gramáticos y los filósofos griegos, el é. era la forma más antigua de una palabra, la originaria y que, al mismo tiempo, era la garantía del verdadero significado. También en lingüística histórica el é. es el origen de una palabra determinada o, por lo menos, la forma más antigua a la que nosotros podemos llegar.

etimología Estudio de los orígenes más remotos que pueden ser documentados de una forma lingüística y de su evolución.

e. asociativa. Término propuesto por J. Orr para sustituir el más usual de e. popular.

e. popular (alem. *Volksetymologie*) ⇒ *paretimología.*

etimológico *a*) Figura e. → *figura etimológica.*

b) Grafía e., una grafía que conserva elementos no justificados sincrónicamente por el estado de la lengua pero que pueden ser recuperados etimológicamente: el ingl. *debt* deriva del fr. *dette* y se pronuncia /det/; la grafía con < b > es debida a una preocupación e. ya que figura en la palabra latina *debitum* que es su origen más remoto; ee. son en inglés y en francés las formas < ph, ch, th > que se pronuncian como /f, k, t/ en palabras cuyo origen son palabras griegas con /ph, kh, th/, adaptadas eventualmente en latín con < ph, ch, th >.

c) Método e. en la interpretación de lenguas que de otra manera resultarían desconocidas es el que intenta recuperar el valor de un signo a través de la comparación con signos conocidos que pertenezcan a lenguas emparentadas con la lengua objeto de análisis.

etiqueta o **rótulo** *a*) (trad. del ingl. *label*) Nombre o símbolo atribuido al nudo de un grafo: *parentización* etiquetada o rotulada* (ingl. *labelled bracketing*), una descripción estructural de la frase en la que cada componente es puesto entre paréntesis con la indicación (e.) de la categoría a la que pertenece.

b) (trad. del fr. *etiquette*). Un comportamiento, un ceremonial lingüístico, que prevé el uso de fórmulas, léxico especial o formas verbales apropiadas a los interlocutores.

etnociencia Una orientación de la investigación que postula una visión indígena, característica de cada grupo social, del mundo natural; visión entendida no como un catálogo de datos, sino como una suma de conocimientos articulados y estructurados. Cada una de estas visiones del mundo es equiparable a una ciencia de éste (en el sentido etimológico de *scire* 'saber') y se basa en una estructuración cognoscitiva que adquiere forma no como auxiliar de la lengua aunque requiere ésta para expresarse y transmitirse. → *etnolingüística, relativismo lingüístico.*

etnografía de la comunicación (ingl. *ethnography of communication* o también *of speaking*) Orientación o ciencia auxiliar, más que verdadera rama de la lingüística, favorecida por Dell Hymes desde finales de los años sesenta. Tiende a reconocer la máxima importancia a los comportamientos lingüísticos (más que a las estructuras lingüísticas de por sí), al modo en que una comunidad utiliza el lenguaje para construir, modificar o resolver sus relaciones sociales, a los significados simbólicos, metafóricos y sociales atribuidos al habla. En la práctica, la e. de la c. dirigida a aprehender el sentido social de la comunicación, coincide sólo en parte con la sociolingüística *tout court*; existe, de hecho, la posibilidad de estudiar incluso el uso en situaciones como un sistema formal *sui generis* (al igual que muchos sociolingüistas) limitándose a colocar en correlación variantes y estratos sociales ignorando todo valor dinámico y simbólico del habla.

etnolingüística (del prefijoide *etno-* como en *etnología*, cfr. gr. *éthnos* 'pueblo' y *lingüística*) o **lingüística antropológica** o **antropología lingüística** En una primera fase, hacia los años sesenta, una especie de lingüística auxiliar de las ciencias etnológicas, que se ocupaba de las técnicas de transcripción y, en general, del estudio y descripción de las lenguas de pueblos sin escritura; en una acepción más restringida, e. indicaba también un criterio difundido para caracterizar las etnias del mundo, subdividiéndolas según las lenguas habladas: *un mapa e. de la distribución de los pueblos de África.* Actualmente se indica con e. (la primera documentación en este sentido parece ser un artículo de B. Malinowski de 1920, donde se habla de "ethnolinguistic theory") el estudio del campo delimitado por la intersección de lengua, pensamiento y cultura, y, por lo tanto, de sus recíprocas influencias, de los sistemas de categorías y de los aspectos lingüísticos de la etnociencia*.

etnónimo (de *etno-* con el sentido de 'pueblo' y *-ónimo**) Nombre de pueblo: *Búlgaro, Ostrogodo.* → *glotónimo*.

etnosema Para Nida, un rasgo mínimo de significado basado en el significado etnológico, distinto del sema específicamente lingüístico (ingl. *linguiseme*).

etnosemántica o **semántica etnográfica** (ingl. *ethnosemantics*) Una orientación que coincide sustancialmente con la etnociencia*, salvo porque pone un mayor énfasis en los signos lingüísticos y no en los procesos cognoscitivos.

eufemismo (gr. *euphemismós* 'pronunciar una palabra de buen augurio', del gr. *euphēmeîn* 'hablar bien', 'decir palabras de buen augurio') Procedimiento que consiste en romper una asociación entre situaciones y cosas consideradas como desagradables, molestas o inoportunas y sus denominaciones motivadas; los procedimientos para la obtención de ee. son de varios tipos: la antifrase* (como en it. *quel figlio di buona donna!* <o en esp. *¡aquel hijo de buena madre!*), la metonimia (*gorge* 'garganta' en *soutien-gorge*), diferentes clases de perífrasis (*bajo vientre, económicamente débiles*), o, también, la adopción de un registro estilístico más alto o neutro (científico o médico) o más bajo y burlesco (como el infantil). La palabra que cumple la función eufemística (alem. *Deckwort*, o *noa*, de un término de la Polinesa) a su vez puede resultar a la larga molesta y exige, por lo tanto, un nuevo e. → *interdicción lingüística, tabú lingüístico*.

eufonía (gr. *euphōnía* 'sonido o voz agradable') Tendencia a evitar secuencias de sonidos que resultarían, respecto a determinados hábitos articulatorios, desagradables al oído, cacofónicas o, simplemente, difíciles de pronunciar: fr. *parlera-t-il?*

evanescente Aplicado a sonido, lo mismo que *reducido**.

evento lingüístico (ingl. *speech event*) Dentro de una situación lingüística, en ocasión de la comunicación, tenemos ee. ll., es decir, unidades discursivas estructuradas. Un e. está condicionado por más de un factor (los participantes, el argumento tratado, la escena y la situación, etc.) que D. Hymes reúne bajo el acróstico *SPEAKER* y que está caracterizado por señales de apertura y de clausura (como las fórmulas de saludo y de despedida) y por otras particularidades en las elecciones lingüísticas, en los géneros textuales, etc. La conciencia de actuar dentro de un determinado e. conduce y dirige la comprensión que los hablantes tienen de las cosas expresadas.

evolución Concepto dudoso, que se puede usar sólo en sentido neutro, como aplicado al proceso que nos lleva desde la fase t_1 a la fase t_2, sin implicaciones que indiquen una tendencia hacia un estado mejor. → *desarrollo*.

exclamación → *interjección*.

exclamativo Una frase e. posee determinadas características enunciativas al no tener un destinatario explícito y su fuerza ilocutiva parece ser únicamente la expresión de un sentimiento por parte del hablante: *¡Antes la muerte! ¡Qué asco! ¡Qué pena destruirlo!*

exclusivo Pronombre, forma verbal, que se refiere sólo a quien habla, excluyendo al que escucha; *nosotros* (para el término cfr. M. Haas, "International Journal of American Linguistics" 35, 1969, pp. 1-7). ≠ *inclusivo*.

excusión (ingl. *eliciting, elicitation,*. alem. *Befragungstechnik*) Por analogía con la e. jurídica de los textos en un proceso o en un acto instructorio, se indica con este término el procedimiento por el que obtienen las formas, los paradigmas o los textos objetos de análisis a partir de la competencia nativa del informador.

existencial Construcción que afecta a la existencia de *x*, del tipo 'hay, existen, se da', etc.: it. *c'è, ci sono, si dà*, fr. *il y a*, lat. *sunt qui* (*dicunt*, etc.), ingl. *there is*.

éxito (ingl. *happiness*) Las condiciones para el buen é. de un acto lingüístico son aquellas que tienen que cumplirse para que un acto lingüístico logre su finalidad.

exocéntrico *a*) Compuesto nominal* en el que el sintagma nominal es el objeto y no el sujeto de la frase de la que deriva <*Alguien que guarda las barreras* → *guardabarreras*>.
b) Para Bloomfield, construcción sintáctica cuya raíz es externa y no interna a la construcción misma. ≠ *endocéntrico*.

exofásico → *endofásico*.

exolenguas o **heterolenguas/endolenguas** (fr. *exolingue* o *hétérolingue/endolingue*, siguiendo el modelo de *bilingüe*) En glotodidáctica el hablante de L_2 o L_1 respectivamente.

exolingüística → *metalingüística*.

exotismo ⇒ *extranjerismo*.
falso e. (cfr. fr. *faux-emprunt*,

alem. *Sekundärentlehnung*) Construcción que no es tomada efectivamente como tal de otra lengua, sino que es construida con elementos exóticos o pseudoexóticos (cfr. Gusmani 1986: 106-110): en <español> son ff.ee. *footing* (en inglés 'base, medida en pies', en lugar de *jogging*), *slip* en inglés 'combinación') o en it. *blocnotes* (que en inglés sería *note-block*), *vitel tonné* <'ternera con salsa de atún'> (palabra inexistente en francés), etc.

expansión (ingl. *expansion*, fr. *expansion*) *a*) Para Bloomfield (1933) cada ampliación de una posición sintáctica dada: en la frase *el estudiante vuelve a su casa*, en la primera posición (*el estudiante*) pueden colocarse las ee. *el estudiante alto, el estudiante iraní alto con la chaqueta negra,* etc.

b) Para Martinet (1960) cada uno de los elementos añadido a un enunciado que no modifica las funciones y las relaciones de los elementos preexistentes.

c) En la GT un tipo de transformación: $a \rightarrow b + c$.

d) Integración de un enunciado de por sí defectuoso o polisémico, con la recuperación, consecuentemente, de su información. = *constituyente*.

experiente (ingl. *experiencer*) ⇒ *paciente*.

expletivo (fr. *explétif*) Elemento carente (o que ha sido vaciado) de contenido semántico autónomo, y que es utilizado para obtener matices o gradaciones en la fuerza ilocutiva*: <esp.

bueno (en *Y entonces me dijo... bueno, me vino a decir...*), > it. *bene*, fr. *bien*, alem. *doch, mal.*

explicativa → *relativa*.

explícito *a*) Una de las propiedades de una gramática formal es la de ser e., es decir, la de hacer que todas sus formas deriven de formas de base por medio de procedimientos mecánicos.

b) En oposición a *implícito* (ingl. *overt/covert*), se puede referir a una categoría de la lengua que recibe una marca o una expresión visible evidente (→ *criptotipo, fanerotipo*).

c) Lenguaje e. o esofásico → *endofásico, lenguaje.*

explosión (ingl. *release*) o **metástasis*** En la articulación de un sonido, el momento en el que los órganos vuelven a la posición de reposo o pasan a asumir la posición adecuada para el sonido sucesivo. La e. puede ser perceptible si la articulación es completamente explosiva (como en la pronunciación romana de *gas, ATAC*, etc., casi /gass^e/, /'atakk^e/) o no perceptible, si la articulación no es explosiva (como en la primera consonante en *abduzione* <'abducción'>).

explosiva *a*) En fonética, articulación que presenta una metástasis* completa *inexploso*.

b) En fonética, lo mismo que oclusivo*, aplicado a la articulación.

expolio (fr. *dépouillement*) Operación lexicográfica preliminar que consiste en catalogar y registrar todas las formas buscadas en un determinado texto o *corpus*; los ee. léxicos pueden ser organizados según específicos fenómenos buscados o, simplemente, ser enumerados por orden alfabético.

exponencia → *exponente b*).

exponente *a*) En glosemática, uno de los dos miembros, extenso o intenso.

b) (ingl. *exponent*). En una concepción jerárquica de la estructura gramatical (por ejemplo la de Halliday) podemos decir que una determinada unidad abstracta que subyace en un determinado nivel tiene como e. una unidad correspondiente a un nivel abstracto inmediatamente superior: una palabra tiene como ee. los fonemas que la componen, éstos, por su parte, tienen los rasgos fonéticos. Según una concepción algo diversa, aunque no inconciliable, se puede afirmar que la unidad abstracta tiene como ee. sus realizaciones y apariciones concretas.

expresión En glosemática, se distingue entre el plano de la e. y el plano del contenido*. El plano de la e. es aquel en el cual, una vez establecida la relación semiótica entre los planos, se segmentan los significantes del signo; la e. puede llevarse a cabo por medio de cualquier materia* (la voz, el gesto, los signos gráficos); una vez formada, ésta sería la sustancia de la e.

expresivo *a*) Fenómeno estilístico, opción léxica, modificación fonética, etc., dirigidos a enfatizar una información emotiva o a dar una connotación mayor respecto a un nivel neu-

tro ideal del mensaje: *duplicación, acento e.*

b) *función e.* La función e., señalada ya por K. Bühler *(Ausdruck)*, que se centra sobre el emisor comunicándole estados de ánimo, actitudes o tensiones.

extensión *a*) Por analogía con el uso lógico, llamaremos e. de un signo al conjunto de todos los objetos designados o significados por el mismo signo; la e. se encuentra en relación inversa a su opuesto, la intensión*: cuanto mayor sea la una menor será la otra: *moneda* posee mayor e. que <*peseta*>, desde el momento en que existen muchos objetos 'moneda' que no son 'peseta', pero <*peseta*> tiene más intensión, ya que serán necesarios más rasgos para caracterizar una <'peseta'> que para caracterizar una 'moneda'.

b) En semántica llamamos e. de un significado al proceso por el cual un signo pierde parte de su especificidad y pasa a designar un significado más amplio que aquel originario o que el contiguo o, incluso, de e. en e., diverso o lejano: en francés y, de ahí, <en esp.> o it., la palabra *toilette* 'pequeña tela' ha pasado a designar el mueble con espejo delante del cual se hacía la *toilette* y de ahí el *cabinet de toilette*, la habitación dedicada a la toilette y, después, por eufemismo, el cuarto de baño (término que, a su vez, era un eufemismo). ≠ *restricción.*

extensional Una definición externa del objeto definido: *todos éstos son caballos.* ≠ *intensional.*

extensivo/intensivo (fr. *extensif/intensif*) Para Hjelmslev, una oposición análoga a la de *marcado/no marcado*. → *extenso/intenso*.

extenso/intenso Para Hjelmslev, la oposición corresponde a aquella que existe entre centrífugo y centrípeto; en el plano pleremático, son ee. los elementos de la flexión verbal (tiempo y modo), intensos los de la flexión nominal (caso, género, número), en el plano cenemático es e. la modulación prosódica (decreciente/creciente), i. el acento (fuerte/débil).

extracción Término propuesto por Valessio para el concepto de *dislocación**.

extradiagético → *intradiagético/extradiegético*.

extralingüístico Con este término genérico nos referimos a todo lo que no se encuentra dentro de la estructura de la lengua: la cultura, el mundo de los fenómenos, etc., en una palabra, la realidad e.

extranjerismo (fr. *xénisme*, siguiendo el modelo del gr. *ksenikòn ónoma*, lat. *verbum peregrinum*, alem. *Gastwort*) Préstamo léxico que no ha sido aclimatado y cuyo origen extranjero es bien claro: *flirt, jazz*.

extranocional Para Guiraud, asociación que se añade al sentido lingüístico de un signo.

extrapolación (fr. e ingl. *extraposition*) ⇒ *dislocación*.

extraposición ⇒ *dislocación*.

extrínseca, ordenación ≠ *intrínseco*.

eyectivo o **glotalizado** Sonido (oclusivo o fricativo) producido con la oclusión y elevación de la glotis; después de la realización de los contoides se abre la glotis y el efecto acústico producido se añade al de la articulación primaria.

F

F En fonética instrumental, abreviación de *formante* en su sentido *b*): F_0, F_1, F_2, F_3.

facilitación (fr. *facilitation*) Operación con la cual el hablante intenta agilizar y favorecer a sí mismo *(autof.)* o al interlocutor *(heterof.)* la verbalización de lo que quiere decir y, en sentido más general, la participación en la interacción verbal. → *conversación, discurso, postulado.*

facti(ti)vo *a*) Caso*: húng. *emberé* o *ember-vé* '(se ha hecho) hombre'.
b) Verbo f. ⇒ *causativo.*

factitivo o **causativo** En la teoría de los casos de Fillmore, el caso del objeto o ser originado por la acción o estado indicado por el verbo o entendido como parte del significado del verbo.

facultativo *a*) Una variante* que no está condicionada por el contexto pero que puede ser realizada o no realizada según el deseo del hablante.
b) En la gramática GT, una transformación no obligatoria, que puede no aplicarse.

falsete Término del canto que designa una cualidad de voz más alta de lo normal, obtenida teniendo los cartílagos aritenoides juntos y alargando las cuerdas vocales.

falso par (trad. del ingl. *matched guise technique*) Test sociolingüístico, ideado por el canadiense W. Lambert (*A social psychology of bilingualism*, en *Language, psychology and culture*, Stanford UP, Stanford, 1972, pp. 212-236), que consiste en proponer a un cierto número de sujetos una serie de estímulos lingüísticos (frases, palabras individuales) pidiéndoseles que las emparejen con otras indicaciones (proveniencia, estrato social del hablante, etc.).

familia *a*) Genéricamente, f. de palabras, un conjunto de palabras que comparten, sincrónica o diacrónicamente, la misma base* o raíz*: por ejemplo, *desear, considerar, sideral* (que derivan, en último análisis, del lat. *sidus* 'estrella').

b) f. de lenguas. Agrupación más o menos extensa de lenguas que derivan de una misma lengua común o que están relacionadas por una afinidad genética.

c) f. de signos. Para Morris, "una serie de medios sígnicos* semejantes entre ellos y que para un determinado intérprete poseen los mismos significados" (Morris 1949: 38).

d) f. de intérpretes. Para Morris, los intérpretes para los que un signo es interpersonal (Morris 1949: 39).

faringalización Articulación dental o alveolar con retroceso y descenso de la raíz de la lengua; en las lenguas semánticas, las llamadas articulaciones enfáticas*.

faríngeo En fonética, punto de articulación localizado a la altura de la faringe; por ejemplo, los contoides ff. sordo /ħ/ y sonoro /ʕ/ del árabe.

fático (del gr. *phatikós* 'relativo a la expresión') *a)* comunión (ingl. *phatic communion*). Concepto introducido por B. Malinowski (en Ogden y Richards 1923) para indicar el clima de solidaridad comunicativa que existe en una comunidad y que garantiza la continua comprensión recíproca más allá de los significados transmitidos.

b) Función f. Introducida por Jakobson, con una explícita referencia a la comunión f., para designar la función que mantiene abierto el canal de la comunicación (en la conversación, las frases y fórmulas de circunstancia).

faucalización Articulación o cualidad de la voz obtenida estrechan-

do y aproximando los pilares faucales.

"faux amis" (fr. [foz a′ mi], lit. 'falsos amigos') En glotodidáctica, las semejanzas únicamente formales entre L_1 y L_2 que inducen al error al principante; ingl. *eventually* 'al final' y no 'eventualmente', fr. *finalement* 'al final, en fin de cuentas' y no 'finalmente' (que es, más bien, *enfin*).

felicidad (it. *felicità*, calco del ingl. *happyness*) ⇒ éxito.

fema (fr. *phème* del tema griego de *phēmi* y *-ema**) Para Pottier, un rasgo distintivo del plano de la expresión que se opone al sema que pertenece, en cambio, al plano del contenido; equivalente, por lo tanto, a rasgo pertinente*.

femenino → *género a).*

fenotipo o **categoría evidente** (*fenotype, overt category*) → *criptotipo.*

ficha contexto En el análisis léxico, una ficha que aporta un contexto de varias líneas acerca de la palabra elegida como lema, además de otras referencias.

fidelidad lingüística (ingl. *language loyalty*) Sentimiento de pertenencia, identificación, etc., que une al hablante a una lengua y que se opone a que ésta sea abandonada por parte del mismo (→ *sustitución b)*).

figura *a)* En la retórica clásica, una determinada construcción lingüística destinada a la artificiosidad de la expresión y que establecía un alejamiento consciente del nivel normal de la expresión neutra; así, decir "Tengo hambre" puede ser la opción neutra, mientras "¡Me muero de hambre!" o "Lo que es seguro es que no me siento saciado" son opciones marcadas. En retórica antigua la primera sería una hipérbole*, la segunda una lítote*. El catálogo de las figuras establecido por los tratadistas es amplísimo: aquí recogemos *aliteración, antanaclasis, antítesis, quiasmo, comparación, elipsis, gradación, inversión, hipérbole, ironía, lítote, metáfora, metonimia, oxímoron, paronomasia, omisión, repetición, silepsis, sinécdoque y zeugma.*

b) Hjelmslev llama ff. a los elementos que no son aún signos lingüísticos pero que pueden entrar en un sistema de signos como partes constituyentes de éstos. Estas ff. o no signos presentan un número restringido por razones de economía*, ya que puede ser posible aprender a usarlas sin un excesivo esfuerzo; pero su combinación puede dar lugar a un número ilimitado de signos: "una lengua está, por lo tanto, organizada de manera que, gracias a un pequeño grupo de ff. y a disposiciones cada vez más innovadoras de éstas, se puede crear un enorme número de signos. Si la lengua no estuviese organizada, sería un instrumento inutilizable" (Hjelmslev 1968: 51).

figura etimológica Combinación estilística que une en un solo sintagma dos palabras ligadas por la misma etimología: *vivir una vida*, ingl. *to dream a dream.*

fijo En fonética, se habla de sitio f. o previsible, en oposición a sitio libre, en fenómenos como el acento*.

filosofía del lenguaje (alem. *Sprachphilosophie*, ingl. *philosophy of language*) Si bien la reflexión sobre el lenguaje nace con los orígenes mismos del pensamiento occidental (los presocráticos, Platón, Aristóteles) y es, por lo tanto, parte integrante desde siempre de la reflexión filosófica, sólo a partir de finales del siglo pasado el lenguaje ha pasado a ser visto no sólo como objeto de estudio de la filosofía sino como condición misma de la posibilidad de una reflexión filosófica. Sobre todo en este siglo la f. del l. se ha erigido como ciencia autónoma (con Russell, Wittgenstein, Cassirer, Austin), que investiga temas como la constitución del signo* y la estructura del significado*, las relaciones entre lenguaje, pensamiento y realidad (→ *relativismo*), el sitio que ocupa el lenguaje entre las otras formas simbólicas, las condiciones de uso del lenguaje ordinario (*acto lingüístico*) y las relaciones entre éste y los lenguajes formales.

filtro (ingl. *filter*) Término de Ross (1967) para indicar las restricciones específicas que operan sobre la salida o sobre la estructura superficial de una frase.

final Tradicionalmente, una proposición que expresa finalidad: *te lo he dicho para que lo sepas.*

final de palabra (alem. *Wortende*, fr. *fin de mot*) Una de las tres posiciones en la que puede encontrarse un fono (→ *inicial, interior*). Puede estar caracterizada por varias propiedades de orden fonético: por ejemplo, puede no admitir ciertos sonidos de la lengua (como las consonantes que no sean /r,l,n/ en italiano) o convertir en sordos los elementos sonoros (cuando la pausa o el silencio que los suceden se comportan como sonidos sordos), etc.

finalidad (ingl. *goal*) En el análisis del discurso puede ser pertinente la finalidad que el hablante se propone alcanzar con sus actos lingüísticos; si es conocido para el interlocutor ello permite obtener un sentido y no otro.

finito Tradicionalmente, cada forma verbal sujeta a la conjugación (de tiempo, modo o género), en oposición al infinito* y a las formas que derivan de él.

flexión En general, procedimiento de derivación, especialmente desarrollado en ciertas familias lingüísticas y casi ausente en otras, por el que una forma sufre una serie de modificaciones que indican las diversas valencias gramaticales: declinación*, comparación*, conjugación*.

flexionables, categorías En una lengua que usa la flexión, las diferentes categorías semántico-sintácticas marcadas por tales procedimientos.

flexiva, lengua (alem. *flektierender Sprachbau*) En la tipología lingüística* tradicional, una lengua que usa la flexión (como las indoeuropeas).

focalización Operación que convierte a un elemento en el foco* del enunciado a través de realces prosódicos de acento o de intensidad (*¿Y soy yo el que tengo que descargar las maletas?*), dislocación (por ejemplo, en fr. *c'est le ton qui fait la chanson* respecto a *le ton fait la chanson*, o en it. coloquial *a me quelle cose non mi piacciono* < 'a mí esas cosas no me gustan' en lugar de *a me quelle cose non piaciono* que es la construcción correcta>), partículas específicas, etc.

foco (ingl. *focus*; el término se encuentra en Mathesius 1924 con la forma checa *ohnisko*, contrapuesto a *základ* 'base') Las estrategias propias de la enunciación de un mensaje verbal exigen que en cada enunciado exista un punto de mayor interés, que el hablante somete a la atención del oyente subrayándolo por medio de elementos sintácticos y fonológicos. Por analogía con la imagen de una lente que resalta un particular dentro del conjunto, este punto se llama f. del enunciado. → *focalización*.

fon(o)- Prefijoide* extraído de los compuestos griegos con *phoné* 'voz', con el valor de 'relativo al plano de la expresión sonora, vocal'.

fonación Término genérico que indica el aspecto articulatorio de la expresión. Aparato de f. es el conjunto de los órganos que intervienen en la emisión de la voz, desde las cuerdas vocales a los labios (→ *aparato de fonación, articulación, fonética articulatoria*).

fonema (gr. *phónēma* 'sonido, emisión de voz', de *phōnē*) El raro término griego es recuperado de manera estable por los lingüistas europeos en la segunda mitad del pasado siglo: Dufriche-Desgenettes y después Havet (fr. *phonème*, quizá anterior a los primeros testimonios que datan del 1873-1874), J. Winteler (alem. *Phonem*, 1876), Kruszewski (r. *fonema*, 1880), Baudouin de Courtenay (1881), Guarnerio (1897), para indicar una unidad de análisis de la cadena fónica (no necesariamente mínima: los primeros autores lo usan como logatomo*, es decir, referido también a la sílaba, una secuencia como *ere, re*). Los diferentes autores varían notablemente en la definición del concepto, por lo que se refiere a la indivisibilidad o ulterior divisibilidad, a su naturaleza psicológica o física concreta y a su distintividad. Para Saussure el f. es "una entidad material no formal, que se encuentra no en el plano de la 'langue'* sino en las 'paroles' ", mientras que él prefiere denominar "elemento irreducible" (*unité irréductible*) a "un elemento puramente distintivo y opositivo, un puro esquema formal carente de toda conformación precisa y, por lo tanto, no obtenido por abstracción a partir de las realizaciones fónicas". Baudouin de Courtenay, al que siguen Kruszewski y Trubetzkoy, oponía f. a sonido, considerándolo como una representación psíquica que se puede lograr por abstracción de los sonidos de la lengua. Para Martinet f. es la unidad de segunda articulación (→ *articulación* b), para D. Jones f. (ingl. *phoneme*) es una clase o familia de sonidos concretos, con un exponente

principal. Con todo, es posible catalogar algunas características comúnmente admitidas para una unidad de este nivel: el f. es la mínima unidad divisible a lo largo de la dimensión de la linealidad (y, de hecho, la descomposición en rasgos habla sólo de copresencia pero no de suma lineal): es funcional en la lengua en la medida en que puede establecer una diferencia de significado pero no posee un significado en sí mismo; es una unidad discreta* y las variaciones en la realización acústica no corresponden a variaciones en el significado*; los ff. de una lengua constituyen un sistema en sí mismo en el que se establecen oposiciones y correlaciones; tal sistema es cerrado y no es susceptible de ser aumentado a voluntad. La distribución de los fonemas es característica de cada lengua individual y puede ser medida estadísticamente. Para la historia del concepto cfr. J. Krámský, *The phoneme. Introduction to the history and theories of a concept*, Mouton, La Haya, 1974; G. C. Vincenzi, *"Sistema" e "fonema" nel primo Saussure*, "SILTA". 5 (1976), pp. 229-251; R. Amacker, *Quand le phonème n'était pas le phonème (Contribution à l'histoire de la terminologie linguistique)* "CFS" 41 (1987), pp. 7-20. → *fonemática, fonémico, fonología*.

fonemático Relativo al nivel de los fonemas; en Italia aparece ya en L. Heilmann, *La parlata di Moena. Saggio fonetico e fonematico*, Bolonia, 1955. Fonemática es un sinónimo de fonología como nombre de la rama de la lingüística que estudia el nivel de los fonemas (si se usa fonología incluyendo también la fonética); es, asimismo, el nombre de la teoría lingüística de L. Hjelmslev, P. Lier y H. J. Uldall presentada en Londres en 1935 y que ha sido desarrollada después por la glosemática.*

fonémico (ingl. *phonemic*) Relativo al nivel de los fonemas; aceptable como adjetivo *(transcripción f.)*, lo es menos como sustantivo para indicar la rama *(fonémica,* del ingl. *phonemics),* siendo preferible *fonemática.*

fonestético (neol. de *fon(o)** y el gr. *aísthēsis* 'percepción') Relativo a la percepción que el hablante posee de los sonidos que está articulando; a los hechos ff. se conectan ciertos fenómenos de fonosimbolismo (el hablante siente que al pronunciar una determinada secuencia sus órganos de fonación están cumpliendo un movimiento análogo a aquel evocado: *susurrar, resbalar,* etc., o, por ejemplo, la denominación tradicional de las "líquidas").

fonética (del gr. *phōmnētikós,* 'relativo a la voz', siguiendo el modelo de los nombres de disciplina en *-ikē*) Disciplina que tiene como objeto de estudio los sonidos del lenguaje en su concreta manifestación física.

fonética acústica Estudia los efectos acústicos producidos por la fonación. El aparato de fonación* en la articulación* se comporta como una fuente sonora cualquiera, produciendo vibraciones que provocan compresiones y enrarecimientos del aire circunstante con frecuencias que están entre los 60 y los 2000 Hz, pero también como fuente de resonancia, a través de las modificaciones de su conformación y de su longitud. El registro de tales vibraciones, llevado a cabo en los primeros tiempos de modo puramente auditivo (el fonetista registraba los sonidos tal y como su oído los percibía), ha sido favorecido por el uso de instrumentos de grabación cada vez más precisos y sensibles. Cada articulación posee un trazado característico que puede ser puesto en evidencia a través del haz de luz de un osciloscopio; métodos aún más perfeccionados pueden descomponer las varias frecuencias que constituyen un segmento de un enunciado, dando una representación del espectro de las frecuencias (espectrograma).

fonética articulatoria Estudia la posición, la modificación y la función de los órganos del aparato de fonación en el acto lingüístico, precisando, combinando métodos subjetivos e instrumentales, en qué modo se comportan en una articulación* los diferentes órganos y sus partes; caracterización del punto de articulación de una unidad fonética, es decir, en qué punto del aparato se forma el diafragma o el estrechamiento del canal de fonación, análisis de los grados de apertura diafragmática oral y de la glotis (modo de articulación), etc.

fonética sintáctica → *fonología de juntura.*

fonía *a)* El término se encuentra en Ascoli con el significado general de fonética: "el toscano es tanto más genuino en la f. de lo que lo es el véneto o el lombardo..." (De Felice 1954: 25 y, también, en AA.VV., *In memoria di N. Caix e U. A. Canello. Miscellanea de filologia e linguistica*, Florencia, 1886, p. 8 n.) y en algún otro autor vuelve con el significado genérico de 'producción fónica'.

b) En general, la emisión fónica que no ha sido analizada aún; una secuencia de sonidos entre dos pausas (Canepari). L. J. Prieto distingue en cada acto de la palabra dos órdenes de hechos concretos: el sentido y la f. "A excepción de los casos en los que se usa una lengua escrita, las señales de los actos de palabra consisten en sucesiones de sonidos. Éstos reciben por ello la particular designación de ff. Los sonidos [rendetemelo], por ejemplo, constituyen una f." (Prieto 1968: 24).

fónico (gr. *phōnikós* 'relativo a la voz') Término genérico para referirse a cualquier aspecto sonoro del lenguaje sin que implique un análisis.

fono (ingl. *phone*) El término es relativamente común en el estructuralismo; para Brøndal *phones* son las categorías fundamentales, los átomos, por decirlo de alguna manera, que componen el fonema. En el estructuralismo americano, en paralelismo con morfo*, el f. es una entidad fónica concreta e individual, producida por el irrepetible e individual acto lingüístico de un hablante, que tendría con el fonema la relación hecha concreta: clase abstracta; en el uso de algunos fonetistas como Canepari f. es un tipo clasificatorio de realizaciones concretas, susceptible de ser descrito y reconocido.

fonoestilístico *a*) Genéricamente, recurso que refuerza el significado emotivo, modificando, por ejemplo, la longitud de la vocal o el tono o el acento: la realización más intensa de [b] en *¡Basta!* con respecto a *nos basta con eso*.

b) Para Trubetzkoy la f. es una rama que estudia las funciones expresivas y de apelación de los elementos fónicos de un enunciado oral, a su vez dividida en estilística fonológica y fonética.

fonología (neol de *fon(o)** y *-logía*) Ascoli y su escuela, definían la f. genéricamente y según su etimología como 'ciencia de los sonidos', es decir, lo mismo que fonética. El mismo valor poseían el alem. *Phonologie* y el fr. *phonologíe*; para Trubetzkoy f. es, en cambio, el estudio del nivel funcional de la expresión, explícitamente diverso de la fonética. El valor oscila: f. puede contener en sí misma los dos aspectos del estudio de los sonidos y englobar también el aspecto fonético (éste es el uso de W. Belardi, que a finales de los años cincuenta era uno de los primeros que escribía sobre f.) o bien contraponerse a él y estudiar sólo el aspecto funcional.

fonología de juntura El conjunto de fenómenos fonológicos (adaptaciones, duplicaciones, etc.) que se producen en el punto de contacto entre dos morfemas contiguos en la cadena hablada: *la silla* [lassiλa/, *a casa* [akkasa], ingl. *don't you* [dəUntʃu].

fonología generativa Orientación fonológica que nace con la expansión de los principios de la gramática GT; mientras que la fonología precedente operaba con un nivel autónomo* de la lengua, la f.g. considera el nivel fonológico jerárquicamente enlazado a todos los demás niveles de la gramática y susceptible, por lo tanto, de dar informaciones morfosintácticas. El nivel fonético superficial es la realización concreta de formas subyacentes abstractas previstas por el léxico y especificadas en términos de rasgos binarios en la competencia del hablante. → *representación* b).

fonologización Término de Jakobson aplicado al proceso diacrónico con el que un elemento antes irrelevante (automático, redundante, etc.) se convierte en pertinente: en las lenguas románicas la oposición en el grado de apertura de las vocales representa la f. de rasgos concomitantes a la longitud vocálica, único rasgo pertinente en latín clásico. → *desfonologización, refonologización*.

fonometría Para Eberhard y Kurt Zwirner *(Grundfragen der Phonometrie*, 1936), el estudio (situado entre fonética y fonemática) de la norma que regula cada acto de pronunciación; la norma es más o menos el valor estadísticamente medio entre las diferentes realizaciones de un fonema, la pronunciación media, "normal".

fonosimbolismo Procedimiento que utiliza características perceptivas, fonetísticas, de los sonidos individuales y sobre todo sus combinaciones y oposiciones: un esquema como *tic-tac, zig-zag, tip-top*, etc., que obliga a la lengua a pasar rápidamente desde una articulación avanzada a una posterior, se presta en un gran número de lenguas a representar fonosimbólicamente los conceptos de 'cambio improvisado, movimiento en dos direcciones opuestas, inversión, etc.'.

fonosímbolo Signo lingüístico con valor autónomo, normalmente exento de relaciones sintagmáticas y cuya misma fonía a veces no es analizable en unidades discretas. Los ff. se encuentran sólo parcialmente integrados en el sistema de la lengua, no siendo, de todas maneras, completamente externos. Por ejemplo, una interjección alemana como *Pfui* conlleva un sonido inicial africado [pf] que se integra en el sistema fonológico alemán, mientras que el sonido vibrante bilabial de la interjección italiana *brr* no se integra en el sistema italiano.

fonosintáctico Relativo a la disposición y combinación de sonidos y a los procesos con la que, eventualmente, es eliminada o ajustada una secuencia no permitida o que se quiere evitar (elisión, epéntesis, etc.); duplicación o reforzamiento f. en algunas variedades del < español y del > it. es el de la consonante inicial de una palabra si es precedida por una palabra que acaba en vocal: *a casa* [akkasa], *la silla* [lassiλa], *le sedie* [lessedje], en algunos casos, esta duplicación en italiano es fijada también en la ortografía: *davvero* < 'de verdad' >, *dabbasso* < 'desde abajo' >.

finosintaxis (neol. de *fon(o)-** y *sintaxis**) Disposición de los sonidos en la secuencia lineal.

fonotáctico (ingl. *phonotactic*, introducido por R. Stockwell en los años cincuenta) Relativo a las combinaciones de segmentos posibles en la cadena hablada.

fonotipo Para A. Castellani (*Fonotipi e fonemi in italiano*, "Studi di Filologia Italiana", 14 [1956], pp. 435-453) la clase de sonidos que constituye el campo de dispersión* o el conjunto de las posibles realizaciones de un fonema.

forma *a*) De acuerdo con el uso lingüístico general, también en la lingüística distribucional después de Bloomfield, f. es un término genérico para designar una unidad de análisis que aún no ha sido bien precisada y observada: f. libre (ingl. *free form*) y f. ligada (*bound form*) son, respectivamente, los morfemas que pueden aparecer solos y aislados o los que, en cambio, se presentan dependiendo siempre de otros.
b) En la lingüística saussauriana la lengua es forma y no sustancia. En la lengua la f. es aquello que puede ser descrito sin recurrir a ninguna premisa extralingüística (Barthes).
c) Para Hjelmslev, un conjunto de subdivisiones del continuo fónico o semántico que permite localizar de manera distintiva las configuraciones que corresponden a las diversas unidades dotadas de valor lingüístico. → *conmutación*.

forma canónica El modelo de distribución de las unidades significativas en la cadena hablada típico de cada lengua. Cada lengua utiliza sólo un cierto número de modelos teóricamente posibles (por ejemplo, en italiano CVCV pero no CVVC o VCC, /kapo/ pero no /koap/ o /akp/); las palabras extranjeras que se alejan de la f.c. pueden ser reajustadas con la adición o la supresión de ciertos elementos (< esp. *bistec,* > it. *bistecca*, < ingl. *beefsteak*, esp. *escuadrón* < it. *squadrone*, etc.). El mismo hablante demuestra poseer conciencia de la existencia de la f.c.: un hablante español excluirá inmediatamente que una palabra como *Günstilingswirtschaft* pueda ser < española >, no podrá hacerlo con la misma certeza con formas como *safa* o *farfara* que se adaptan a la f.c. del < español > (aunque, en realidad, sean formas turcas).

forma exterior (fr. *forme extérieure*, alem. *äussure Sprachform*, en Marty *Untersuchungen*, 12 y ss.) El conjunto de características inmediatamente perceptibles de una lengua; el concepto está justificado por la oposición con forma interna* (el término opositivo de ésta para Von Humboldt era *Lautform*, forma fónica).

forma interna Término preestructural que traduce el "innere Sprachform" de Von Humboldt (*genio de la lengua* o algo similar) y con el que se designa el conjunto de características no analizables en términos de inventarios de signos, que constituyen un modelo interno abstracto de cada lengua (lo que se manifiesta apenas se intenta traducir de una lengua a otra haciendo corresponder forma a forma).

forma subyacente (ingl. *underlying form*) Los diferentes niveles de representación presupuestos por la gramática GT se disponen según una profundidad variable con respecto a la realización superficial final; cada una de las representaciones, especificada por sus rasgos distintivos, que se coloca en uno de estos niveles de diversa profundidad es una f.s.; también el nivel fonológico de la lingüística estructuralista hipotiza en cierto modo ff.ss. llevadas a cabo después en términos fonéticos.

formación *a*) *f. de las palabras* (cfr. fr. *formation des mots*, ingl. *word formation*, r. *slovoobrazovánie*). Conjunto de procedimientos y transformaciones que permiten obtener, combinando las bases* con los varios elementos de derivación o entre ellos, el conjunto de nuevas palabras prefijadas y sufijadas de la lengua.
b) *buena f.* (ingl. *well-formedness*). La propiedad que una construcción posee de estar bien formada, es decir, de responder a los requisitos de la lengua.

formal *a*) Caso ⇒ *modal* a).
b) Aplicado a estilo, registro, nivel, etc. (por influjo del ingl. *formal/informal*) indica las selecciones lingüísticas más altas, controladas, etc., respecto al otro extremo, que es el llamado coloquial*, familiar, etc.

formalización Operación de reducción de la descripción lingüística a símbolos e indicaciones de operaciones calculables y que pueden ser comprobadas.

formante (alem. *Formant* en Brugmann) *a*) En general f., a menudo sin un preciso correlato morfológico, es un segmento que amplía una raíz para transformarla en formas de otro tipo; sin embargo, en el estructuralismo puede considerarse un equivalente de morfema* (*formative* en Bloomfield 1926: 490-91).
b) En fonética experimental cada grupo de armónicos* reforzados en intensidad (lo que supone una mayor concentración de energía) después de una serie de modificaciones articulatorias o de deformaciones de la cavidad bucal. Las modificaciones articulatorias son continuas mientras que los efectos percibidos son discretos (→ *categorial, percepción*).
c) Para Hjelmslev, la sustancia de la expresión del morfema. ≠ *formativo*.
d) En la gramática GT se llama f. (ingl. *formative*) a la mínima unidad dotada de funcionamiento sintáctico.

formativo (fr. *formatif*, dan. *formativ*) Para Hjelmslev, la sustancia de la expresión del semantema. → *formante* c).

fórmula de perfil Orientación sintética usada en sociología del lenguaje, que concentra los datos esenciales de un país en términos de lenguas usadas, número de hablantes, etc.

formular Verso, cláusula fosilizada, sobre todo en la poesía tradicional, en la épica, etc.

fósil (cfr. alem. *Erstarrung*, fr. *figement, pétrification*) Expresión producida a través de un mecanismo que ha dejado de ser activo en la lengua o que no es visto como tal en ese caso en particular: por ejemplo *dícese, alquílase, véndese* donde el enclítico se encuentra aún pospuesto, fr. *docteur ès lettres, ci-gît*.

frasal Relativo a la frase*. Sin embargo, el término es frecuentemente usado como calco del ingl. *phrasal* y, por lo tanto, relativo al sintagma y no a la frase: verbos frasales son los verbos ingleses del tipo *come off, come in* donde el verbo forma un sintagma con la preposición.

frase (gr. *phrásis* 'expresión') o **período*** Nombre de una de las unidades del discurso. Mientras que es relativamente fácil dar una definición objetiva y operativa de las unidades menores del lenguaje, es casi imposible proporcionarla para las unidades mayores; si no se asume el término simplemente en el sentido del lenguaje ordinario, se pueden dar de f. las más diversas definiciones, formales o semánticas, todas ellas más o menos insatisfactorias: enunciado con sentido completo, unidad sintáctica comprendida entre dos pausas e independiente sintácticamente, sintagma predicativo unido a sus argumentos, el conjunto de los elementos que dependen de un mismo predicado, etc.

frase idiomática (ingl. *idiom*, fr. *locution idiomatique* o *idiotisme*) Construcción cristalizada que no puede ser modificada y que posee la propiedad de tener un significado diferente de aquel dado por la unión de los significados de las partes: compárese la expresión it. *fare venti passi* (es decir, 'cubrir efectivamente una distancia de veinte pasos') con *fare quattro passi* (que es una f. i. por 'dar un pequeño paseo'). Por sus características una f.i. no puede ser casi nunca traducida literalmente a otra lengua si no es con una expresión equivalente: <esp. *llueve a cánta­ros,*> it. *piove a catinelle*, ingl. *it rains cats and dogs*, fr. *il pleut des cordes*, r. *dozd' l'ët iz vedrá*, húng. *esik, mintha dézsából öntenék*. Las connotaciones, muchas veces populares o familiares, propias de las ff. ii. son debidas al hecho de que su eficacia expresiva está ligada a su referencia a algo muy concreto y relacionado con el mundo de la experiencia (<*escapar por pies, perder los estri­bos, hacérsele a uno la boca agua, cortar por lo sano*>).

frase nuclear (ingl. *kernel sentence*) En la gramática GT las ff.nn. son un subconjunto de las frases que poseen un solo indicador sintagmático de base; son frases de tipo muy simple que exigen un mínimo aparato transformacional para ser generadas. → *núcleo*.

fraseología (alem. *Phraseologie*, etc.) Conjunto de frases idiomáticas*, del discurso repetido* de una lengua.

fraseológico Lo mismo que *idiomático* o que *sintagma cristalizado*; por ejemplo verbos fr. son los ingleses con preposiciones.

frasoide Siguiendo el modelo del ingl. *sentoid*, bloque frástico* que no ha sido aún analizado.

frástico (gr. *phrastikós* 'expresivo', der. de *phrásis*) Término usado como adjetivo relativo a *frase: bloque f.* → *interfrasal, neústico, transfrástico.*

frecuencia *a*) En fonética acústica, el número de vibraciones por unidad de tiempo; se mide en herzios (Hz); un sonido lingüístico es reconocido por las ff. de las formantes* que usa.

b) En lingüística cuantitativa, el porcentaje de realizaciones efectivas de un determinado fenómeno obtenido dentro de un determinado muestrario (por ejemplo, un *corpus* de enunciados): en italiano la f. del fonema /a/ es del 11,46 %, la del fonema /e/ del 10,76 %, etc. Si se disponen las ff. de un fenómeno en un orden creciente, se llama rango al sitio ocupado en esta disposición por cada fenómeno; entre los dos, rango y f., existe una relación matemática que ha sido descrita por G. K. Zipf: en un texto el producto entre la f. de una palabra y su rango es aproximadamente constante: $f.r = K$ (I ley de Zipf); además, es constante el producto entre la f. de una palabra y el número de palabras que poseen la misma f.: $f^2 \cdot n = k$ (II ley de Zipf).

frecuentativo (ingl. *frequentative*) → *iterativo.*

fricativo (fr. *bruyante*) Articulación producida por el acercamiento de los órganos articuladores con un estrechamiento del diafragma; el aire espirado produce de este modo un efecto de fricción claramente perceptible.

fuerte *a*) o **fortis** En fonética, término bastante impreciso que puede designar, según los autores, una articulación realizada con una particular energía, es decir una tensa, una glotilizada, o una sonora desonorizada. ≠ *lene.*

b) *sílaba f.* La sílaba con acento de intensidad.

c) En morfología y en ciertas lenguas, una clase de formas verbales que no se adapta al modelo general de conjugación. ≠ *débil.*

fuerza *a*) En fonética, la f. articulatoria o espiratoria (fr. *force articulatoire*, etc.) se encuentra en función de la energía con la que es pronunciado un sonido, en términos de esfuerzo muscular, cantidad de aire espirada, etc. A una mayor fuerza le corresponde una mayor claridad perceptiva, un mayor volumen, etc.

b) En la teoría de los actos lingüísticos la f. de un acto es dada por la intención del hablante; un acto puede tener una f. ilocutiva* o perlocutiva*.

función *a*) Ya en Saussure se hace referencia a f. en la lengua, cuando dice, por ejemplo que "la serie de las formas del sustantivo *phúlaks* no se convierte en un paradigma de flexión sino mediante el cotejo de las ff. relacionadas con las diferentes formas; recíprocamente estas ff. son justificables en morfología sólo si a cada una de ellas le corresponde un signo fónico determinado... formas y ff. son solidarias y es difícil, por no decir imposible, separarlas" (Saussure 1968: 186).

b) Las *Tesis* de Praga de 1929 distinguen entre una f. de comunicación, en la que el lenguaje es dirigido hacia el significado, y una f. poética, en la que el lenguaje es dirigido hacia el signo mismo. Para Bühler las ff. del lenguaje son tres: presentación *(Kundgabe)*, apelación *(Appell)* y representación *(Darstellung)*, dependiendo de que el lenguaje se oriente hacia el hablante, hacia el oyente o hacia las cosas; esta distinción es retomada por Trubetzkoy (1937: 17), el cual usa el término genérico *Seite* 'lado, aspecto', reservando el término específico *(Funktion)* al análisis fonológico: en el nivel fonológico Trubetzkoy distingue una f. asociativa (aquella, característica de las variantes combinatorias, que indica el fonema siguiente), una f. culminativa (que indica el número de unidades contenido en la frase), una f. demarcativa (que establece el límite entre dos unidades) y una f. distintiva.

"Los lingüistas contemporáneos —observa Martinet (1949: 32)— usan de buena gana la palabra f., pero no se ponen de acuerdo en absoluto sobre el valor que se le ha de conferir, y no se toman siempre la molestia de precisar qué es lo que entienden a este propósito." Jakobson clasifica las ff. según los que él define componentes del acto comunicativo, es decir, el emisor del mensaje, el destinatario, el contexto, el mensaje mismo, el contacto o canal entre remitente y destinatario y el código. "Cada uno de estos seis factores da origen a una f. lingüística

diversa. Aunque distingamos seis aspectos fundamentales del lenguaje, difícilmente podremos encontrar mensajes verbales que se refieran sólo a una f. La diversidad de los mensajes no se funda sobre el monopolio de una u otra f., sino sobre el diverso orden jerárquico que existe entre ellas" (Jakobson 1966: 186). Una vez admitido esto, Jakobson distingue una f. expresiva o emotiva "que se concentra en el emisor, dirigida a una expresión directa de la actitud del sujeto referida a aquello sobre lo que habla", una f. conativa, orientada a llamar la atención del destinatario, una f. referencial o denotativa orientada hacia el contexto, una f. fática que establece el contacto, una f. metalingüística en la que el objeto es el código mismo y una f. poética donde el acento es puesto sobre el mensaje. A diferencia de Jakobson, Halliday prefiere no circunscribir en un inventario cerrado las varias ff. que son consideradas por él macrofunciones (interpersonal, textual, ideativa) y señala numerosas ff. más, ligadas también a los aspectos mentales e interpersonales del uso del lenguaje.

c) Un aspecto aparte es el concepto de f. en glosemática; f. en una clase de elementos homogéneos convertida en el objeto de análisis glosemático, es cada una de las dependencias entre la clase y uno de los elementos, o entre los elementos; los términos de una f. son los funtivos (Hjelmslev 1943: 37).

funcional   *a*) Rendimiento f. ⇒ *rendimiento funcional.*

b) Gramática f. ⇒ *gramática f.*

c) Perspectiva f. de la frase ⇒ *perspectiva funcional de la frase.*

funcionalismo Corriente de análisis del lenguaje (Círculo de Praga, Martinet, Prieto) que se basa en el estudio de las funciones de la lengua, y, más en general, en el presupuesto de que el sistema lingüístico tiene su razón de ser en el logro de un nivel óptimo de las funciones comunicativas y que, por lo tanto, en esta dirección debe ser entendida e interpretada cada una de sus modificaciones. Pero también Halliday llama f. a su método de análisis.

fundamental En fonética acústica, el armónico* de más baja frecuencia es un sonido lingüístico; es el más ligado a la variación de perfil musical (tono o entonación).

funtivo En glosemática, cada uno de los miembros de una función.

funtor Término propio de la lógica, usado con varias acepciones. En lógica, el f. es una expresión que determina a otra llamada argumento; pueden darse ff. con uno, dos, tres, *n* elementos; en ciertas teorías de la sintaxis viene a indicar simplemente un elemento funcional de la frase (por ejemplo la negación, la conjugación o el verbo).

fusión Término a menudo utilizado para indicar la simplificación de diversos morfemas en una palabra, de manera que no se posee una correspondencia entre ellos y los diferentes significados que los expresan. La f. es el procedimiento típico de las lenguas flexivas*, en oposición, por ejemplo, a las lenguas aglutinantes*. → *amalgama.*

fusionante (del "fusionarse" de varios elementos) Tipo de lengua en la que varios morfemas se fusionan en un mismo morfema superficial: en la desinencia *us-* de la forma latina *lupus* se unen las marcas de singular, masculino y nominativo.

futuro Tiempo verbal que indica que la acción no se ha producido aún; en muchas lenguas no existe un tiempo f. ya que todo aquello que ha sucedido aún es visto más bien como aspecto* (ingresivo, volitivo, etc.). Incluso en las lenguas indoeuropeas el f. se desarrolla secundariamente y en las lenguas románicas, donde es analítico* o perifrástico*, se muestra basado en una concepción aspectual de la acción futura: 'tengo que hacer *x*', 'quiero hacer *x*', 'voy a hacer *x*', lexicalizados de forma diversa. En italiano <como en español> existe un f. que puede presentar valores diversos de aquellos temporales: *saranno due ore che ti aspetto* <'te espero desde hace unas dos horas,> o el que Bertinetto llama f. epistémico (→ *inferencial, presuntivo*): *tuo figlio sarà un gigante ormai* <'tu hijo estará ya hecho un gigante'>.

G

"gapping" (ingl. [gaepIη] 'abertura de una laguna (*gap*)') → *supresión interna*.

geminada (del lat. *geminatus* 'duplicado, repetido', cfr. it. *gemello* 'gemelo') En fonética se llama g. una articulación no simplemente prolongada sino que es repetida, como el fr. *netteté* [net'te].

generación (ingl. *generation*) La operación matemática de la g. ha sido aplicada a la lingüística por N. Chomsky en *Syntactic structures* de 1957, con el sentido formal de producir y especificar explícitamente todas las frases posibles de una lengua partiendo de sus descripciones estructurales. Una lengua generada L es el conjunto (infinito si se prevé que las reglas puedan aplicarse recursivamente, es decir, si pueden seguir operando sobre sus mismos resultados) de las secuencias enumeradas de las reglas de la gramática de L, acompañadas cada una de ellas por al menos una descripción estructural que especifica los elementos que forman cada secuencia y las relaciones entre estos elementos.

generalización *a*) Extensión de un rasgo lingüístico (una realización fonética, una característica morfológica, etc.) dentro de un área geográfica o de un estrato social a partir de un punto de irradiación.

b) En el aprendizaje lingüístico, la extensión de un modelo o de una estructura a formas que no podrían ser permitidas en la lengua adulta: el niño dirá *salo* en lugar de *salgo*, por g. sobre *tú sales, él sale*.

generativo Relativo al proceso de generación de estructuras lingüísticas a partir de estructuras de base;

a) Gramática g. ⇒ *gramática generativa*.

b) Fonología g. ⇒ *fonología generativa*.

c) Semántica g. ⇒ *semántica generativa*.

género *a*) En algunas lenguas, una categoría gramatical según la cual algunas clases de palabras (el nombre, el pronombre, el adjetivo y, en ocasiones, algunas formas verbales) son marcadas explícitamente según el rasgo masculino/femenino/neutro (como en las lenguas indoeuropeas más antiguas) o animado/inanimado* (es incluso posible que esta última subdivisión preceda históricamente a la otra). Aunque se deba suponer un motivo originario, en las lenguas históricas que presentan la categoría no existe una necesaria relación entre el g. de los signos y el g. biológico de su referente y, a menudo, puede darse una contradicción entre los dos (pero, en este caso, la concordancia se realiza según el género gramatical y sólo raramente según el sentido del g. del referente: *las víctimas han sido hospitalizadas* (aunque sean hombres), etc.

b) En la etnografía de la comunicación un g. es un tipo textual con precisas características formales y reglas de aplicación y de uso en el discurso: los refranes, la fábula, el cuento, los saludos, etc., pero también la conferencia y el informe, la carta, la descripción, el ensayo, etc.

genético   *a)* En fonética el aspecto g. de la fonación es el conjunto de los órganos individuales que forman el aparato de fonación considerados en su capacidad motoria y potencial. ≠ *gennémico.*

b) En lingüística histórica, se refiere a las relaciones de parentesco entre lenguas: *la clasificación genética de las lenguas de África.*

c) En filología del texto, *crítica g., edición g.,* etc., remiten a la consideración (descripción, interpretación, valoración) de las fases creativas del texto de un autor, desde la fase ideativa, representada por los primeros esbozos* a la redacción definitiva (→ *avantexto, borrador*).

genitivo (lat. *genitivus*, que interpreta erróneamente como 'patrio, poseído' el gr. *geniké* 'del género, de la especie') Caso que expresa habitualmente una relación entre el que posee y lo poseído; los gramáticos tradicionales distinguían entre g. subjetivo y g. objetivo; así *amor patris* puede ser 'el amor que el padre siente por los hijos' (subjetivo) o 'el amor que los hijos sienten por el padre' (objetivo).

gennémico   En fonética constituyen el aspecto g. los diferentes fenómenos físicos (modificación del volumen y de la posición de los órganos) que se producen durante la realización de la articulación*. ≠ *genético* a).

geografía lingüística   Método de estudio establecido por J. Gilliéron (1856-1926) que se propone observar la distribución de los fenómenos lingüísticos en el espacio geográfico; los resultados obtenidos a través de encuestas de tipo dialectológico son después distribuidos en atlas geográficos que puedan dar una representación visiva de la difusión de los diversos fenómenos (presencia de determinados tipos léxicos, características fonéticas y morfológicas, tipos sintácticos, etc.). Considerando que los datos son relativamente homogéneos entre ellos por su datación y procedencia, un mapa lingüístico representa una sección, un estado de la cuestión sincrónico que se presta a interpretaciones y a reconstrucciones, lo que no sería posible si se comparasen datos con un origen o una datación disímiles. → *atlas lingüístico, encuesta.*

geolingüístico   Relativo a la distribución territorial de hechos lingüísticos.

geosinónimo o **sinónimo territorial**   Una variante léxica local dentro de la misma lengua para un mismo referente; en lenguas como el <esp.> (dejando aparte las variedades dialectales) los ff. son frecuentes para muchas nociones de la vida cotidiana (objetos de uso normal, pescado, carnes, ensaladas, etc.) que no son reflejados y, por lo tanto, unificados, en la lengua literaria.

gerundio (bajo lat. *gerundium*, de *gerundus*, variante de *gerendus* 'que ha de ser llevado consigo', en la expresión técnica *modus gerundi* 'modo de llevarse')   En la gramática tradicional, una forma verbal no finita que expresa una circunstancia que debe ser coordinada inmediatamente a la expresada por la principal, sin otros elementos de conexión: en it. y en <esp.> las formas en *-ando (cantando, habiendo cantado)*, en turco las formas en *-ip*, en *-arak*, etc. (*kitabï alïb götürdü*, lit. 'el libro-habiendo cogido, se llevó', es decir, 'cogió el libro y se lo llevó'). En italiano coinciden sólo formalmente con un g. nominalizado derivados como *laureando* 'que está preparando la tesis de licenciatura' o *dottorando* 'que está preparando la tesis doctoral', que, en realidad, han generalizado un *-ando* a partir de latinismos obtenidos de gerundivos* latinos en *-ndus* (*ammirando*, estas formas se pueden crear casi siempre, si no exclusivamente, con verbos que poseen una vocal temática *-a: un fucilando, assassinando* pero no **uccidendo*).

gerundivo (bajo lat. *gerundivus* de *gerundium*, → *gerundio*) *a)* Una forma nominalizada del verbo con valor pasivo; lat. *laudandus* 'que tiene que ser o que tendrá que ser loado'.
   b) Proposición, forma g. Una subordinada que contiene un g. ('hablaremos de ello comiendo'), o, simplemente, una forma verbal que posee el valor de gerundio (las formas turcas citadas s.v. *gerundio* pueden ser consideradas más bien gg.).

gestovisual, señal   Señal que tiene como sustancia un gesto. A menudo se encuentra en correlación integrativa con las señales verbales. → *cinésica; gestual, lenguaje.*

gestual, lenguaje   Sistema de comunicación cuyos signos están constituidos por gestos rituales y codificados: el lenguaje de los sordomudos, de los indios; en términos de Hjelmslev la materia de la expresión es la gestualidad y cada signo posee un significado gestual.

"glide" (ingl. [glajd] 'resbalón')   En fonética, término musical asumido con su valor técnico de 'ligamiento'*.

globales, reglas (ingl. *global rules*)   En la gramática GT, reglas que operan sobre toda la derivación. → *ciclo.*

glosa (lat. med. *glosa* 'anotación a una palabra extranjera, rara o difícil', del gr. *glôsa, glôtta* 'lengua')   En filología y lingüística histórica el término mantiene el significado originario de 'anotación, comentario al margen, traducción de palabra inhabitual'; en el análisis del discurso g. es más bien una observación metalingüística con la que el hablante aclara y orienta el sentido de su discurso: "Lo que estoy intentando decirte es que...", "Es decir, quiero decir"; "Cioè..."; "I mean...".

glosario (bajo lat. *glossarium*, del lat. *glossa**) En el bajo latín y en la Edad Media, una lista lexicográfica (entre los más antiguos se encuentra el g. de Reichenau, siglo VIII y el de Monza, siglo X); en un principio la finalidad era la de mostrar, con fin didático, los equivalentes correctos en latín clásico de un cierto número de palabras del latín vulgar (*iecore, non ficato*), más tarde fue la de glosar palabras raras y complicadas; actualmente se llama g. a un diccionario de dimensiones relativamente circunscritas, dedicado en general a un léxico especializado (una profesión, una disciplina o una técnica, un autor, etc.).

glosema (del gr. *glôssa* 'lengua' + *-ema* y no del griego *glossema* 'glosa') El término fue introducido por Bloomfield (1926) (ingl. *glosseme*) para referirse a cada uno de los elementos dotado de significado: "Cada elemento que posea un significado será denominado g. El significado de un g. se denominará noema. Por lo tanto, el término g. incluye (1) formas, (2) construcciones, (3) elementos cero" (*Definizione* 50). En (1933: 264) el g. viene definido como "la mínima unidad significativa de demarcación lingüística". El término lo volvemos a encontrar en Hjelmslev, que llama gg.

a "las formas mínimas lingüísticas que la teoría nos lleva a establecer como bases de explicación, las variantes irreducibles".

glosemática (de *glossema**) Nombre de la teoría lingüística elaborada y presentada por L. Hjelmslev y H. J. Uldall en 1953. → *conmutación, contenido, figura, isomorfismo, plano de la expresión*.

gloso → *gloto-*.

glosolalia (gr. *glossolalía* de *glossaîs laleîn* 'hablar otras lenguas', término técnico de los *Hechos de los Apóstoles*, 10,46 y 19,6; en otros lugares de los *Hechos* la misma expresión indica el don de entender y hablar otras lenguas) Verbalización automática sin contenido semántico; se manifiesta a través de secuencias de sonidos que poseen una semejanza aparente con el habla ordinaria pero que en realidad no son realizadas a partir de un código verdadero. Sin embargo, aunque incomprensibles en el plano formal, las producciones glosolálicas pueden transmitir "globalmente", de modo empático, un determinado contenido en presencia de interlocutores fuertemente motivados o en situaciones comunicativas favorables. Así se explica que se recurra con frecuencia a la g. dentro de manifestaciones religiosas de grupos estrechamente unidos como los de las iglesias pentecostales. Existe un paralelo gráfico de la g., una especie de glosografía, donde el sujeto, en un estado semejante al del trance, realiza secuencias de signos gráficos que tienen la apariencia de escrituras conocidas. Pseudoglosolalia es una condición patológica del lenguaje en la que se presenta una "deformación fonética sistemática de todas las palabras de la frase".

glotal En fonética, articulación producida en la glotis, es decir, el pasaje del aire espirado delimitado por las cuerdas vocales y por los cartílagos aritenoides. Varias lenguas conocen la oclusiva g., llamada también "golpe de glotis" (*colpo di glottide*, fr. *coups de glotte*, ingl. *glottal stop*): el árabe (*hamza*), el danés (*stød*), etc.; en alemán posee una función delimitativa al preceder a todos los morfemas que empiezan por vocal incluso en las formas compuestas; en lenguas como < el español > o el italiano puede ser usada para subrayar el límite entre dos vocales que, en caso contrario, no sería perceptible: *lo detto a Antonio/lo ʔho detto a ʔAntonio,* <Se lo he dicho a Antonio/ Se lo ʔhe dicho a ʔAntonio>.

glotalizado En fonética, articulación seguida por el cierre de la glotis; encontramos series de glotalizadas en las lenguas caucásicas, en oseto y en muchas lenguas americanas.

gloto-, gloso- Prefijoide (del gr. *glôssa, glôtta* 'lengua') que significa 'relativo a la lengua'.

glotocronología (ingl. *glottochronology*) o **método lexicoestadístico** Método elaborado por M. Swadesch que aplica a la evolución lingüística el principio del carbono 14; parte del presupuesto de que la velocidad con que se altera el patrimonio léxico de una lengua (índice de conservación) es constante y puede ser calculada, de manera que, por ejemplo, de *x* palabras se pierden *n* cada *y* años. De este modo, dadas dos o más lenguas a las que se les supone una misma raíz se podrá, examinando las modificaciones que han sufrido sus léxicos, calcular el tiempo transcurrido desde que éstas se han separado de la raíz originaria. El examen se basa en el vocabulario de base (ingl. *core vocabulary*) compuesto por un cierto número de palabras seleccionadas entre aquellas que se consideran fundamentales en cada vocabulario y menos sujetas a ser modificadas por otras lenguas. La g., concebida en su origen para ser aplicada a lenguas sin documentación escrita y para las cuales no era posible trabajar con datos cronológicos precisos, se ha revelado como defectuosa si es empleada con lenguas cuyas frases históricas son conocidas. Sin embargo, el método (y en esta acepción se prefiere hablar de lexicoestadística) es útil cuando es usado, independientemente del cálculo del tiempo de separación, para clasificar de modo objetivo grupos muy numerosos de lenguas con las que sería imposible la clasificación tradicional.

glotodidáctica La aplicación de los principios de la teoría lingüística a la enseñanza tanto de la primera lengua o lengua materna (L_1) como, y más frecuentemente, de las lenguas extranjeras (L_2). Entre los conceptos básicos se encuentran la previsibilidad del error o de la interferencia a partir del conocimiento de los sistemas de la L_1

y de la L_2, previsibilidad que permite la elaboración de ejercicios *ad hoc*, la insistencia sobre la adquisición de las estructuras y sobre su expansión respecto a la adquisición de modalidades fosilizadas (características de la didáctica tradicional), el aprendizaje del léxico en orden decreciente con respecto a la frecuencia de uso (que permite acceder antes a las palabras más frecuentes y luego, progresivamente, a las otras), respecto a la casualidad del aprendizaje tradicional, etc.

glotogénesis (cfr. r. *glottogónia*) Proceso de formación de una lengua, paralelo a la etnogénesis (el derivado es *glotogónico* o, más comúnmente, *glotogenético*).

glotología (neol. de *gloto** y *-logía*) Término característico del lenguaje médico ('estudio de la formación de la voz'), adoptado por Ascoli en 1867, con los derivados *glotólogo* y *glotológico*, para traducir el alem. *Sprachwissenschaft*, como denominación de la disciplina que estudia científicamente el lenguaje humano, sin correspondencias en el uso de las otras lenguas europeas (que usan formas paralelas a *lingüística*), el término g. sobrevive exclusivamente en los lenguajes oficiales ministeriales; en los demás contextos ha sido sustituido por *lingüística**, término del que no puede ser claramente diferenciado.

glotónimo (neol. de *gloto** y *-ónimo**) La denominación de una lengua; el sistema de los gg. está estrechamente enlazado con el de los etnónimos*. Muy a menudo un g. es simplemente el derivado de un etnónimo, eventualmente con un elemento que se ha especializado en esta función: arm. *-ēren*, como en *hayēren* 'armenio', *parskēren* 'persa', swahili *ki-* como en *kiswahili, kiluba*, ingl. *-ese* como en *Vietnamese, Japanese, Burmese* (*-ese*, de origen románico en inglés ha sido naturalizado hasta tal punto que puede hoy ser usado en cualquier forma de derivación, incluso burlesca: *motherese* 'la lengua hablada por la madre al niño', *airlinese* 'la jerga de las compañía aéreas'); o también puede ser un adjetivo derivado idéntico al etnónimo: *el japonés, el vietnamita* (aplicado evidentemente a un nombre masculino, *lenguaje, idioma*) y esto vale para muchas otras lenguas (ár. *faransawī* 'francés', implícito *lugha*, hindi *hindī, newārī*, implícito *bhāṣā*). Los gg. pueden ser adoptados por otras lenguas: el it. *malese* proviene del fr. *malais*, mientras que el inglés *Malay*, el esp. *malayo* o el port. *malaio* provienen directamente del malayo *malay*, cfr. en el uso docto *maleo*. En algunas lenguas existe una forma adverbial particular para indicar el hablar 'en la lengua *x*', por ejemplo, los adverbios en *-í* del griego helénico: *hebraïstí* 'en hebraico' (o en arameo), *ellēnistí* 'en griego' *hrōmaïsti* 'en latín'. Para la denominación de la propia lengua (autog.) no parece que existan estrategias especiales y sirven los modelos citados.

glototécnica o **lingüística aplicada** o **neopurismo** Para B. Migliorini, una rama de la lingüística que nace con la intención de aplicar "las enseñanzas de la lingüística a la creación de los términos individuales o a la revisión de nomenclaturas'', sustancialmente, se trata de un purismo iluminado que pretende eliminar los extranjerismos* volviendo a utilizar al máximo el fondo de la lengua italiana a través de los neologismos* (Migliorini 1957: 308): y, de ahí, <en it.> *autista* y no *chauffeur, spogliarello* y no *strip-tease, calcolatore* y no *computer*, etc.

gnómico (gr. *gnōmikós* 'relativo a la sabiduría') Forma verbal que posee un valor atemporal, usada a menudo en la formulación de proverbios y máximas: aoristo g. (gr. *Gnôti seautón!* 'conócete a ti mismo'), presente g. (*Quien ríe el último ríe mejor*).

gradación (lat. *gradatio* 'avanzar por pasos, por escalones') Figura* retórica que consiste en el disponer los elementos de una misma clase (verbos, adjetivos, adverbios) en orden crecientee (*clímax**) o decreciente (*anticlímax**) de intensidad semántica. En este ejemplo clásico el último elemento de una cláusula se convierte en el primero de la que sigue: *Haec testimonia animae quanto vera tanto simplicia, quanto simplicia tanto vulgaria, quanto vulgaria tanto communia, quanto communia tanto naturalia, quanto naturalia tanto divina* (Tertuliano, *Text*. 5,1).

grado *a*) En fonética, g. se refiere casi siempre a la actividad de las cuerdas vocales o de la glotis durante la articulación: distinguimos, así, entre articulaciones de g. sonoro, sordo, aspirado y susurrado. Se puede también hablar de g. para designar el va-

lor del diafragma de una articulación, por ejemplo, g. de abertura de un timbre vocálico.

b) En lingüística histórica se distinguen varios gg. apofónicos (*apofonía*) de la raíz: g. cero (alem. *Schwunstufe*), g. pleno y g. alargado (alem. *Dehnstufe*).

c) g. *de comparación*. Relación creada en la comparación (igualdad, superioridad, inferioridad). → *comparación*.

gradual En la fonología de Trubetzkoy una oposición cuyos términos se diferencian en el grado con que presentan las características pertinentes: /e/ ~ /ɛ/.

grafa El elemento gráfico { } usado en algunos tipos de notaciones; por ejemplo para transcribir los morfemas.

grafema (r. y pol. *grafema* en Baudouin de Courtenay 1912, del gr. *gráphēma*, sinónimo de *grámma* 'letra, signo de escritura') La mínima unidad significativa en el plano de la lengua escrita, por analogía con fonema*, que lo es en el plano de la lengua hablada. En un uso relativamente aproximativo de la terminología estructuralista, g. viene a ser utilizado como sinónimo ''docto'' de letra del alfabeto, dado el presupuesto implícito de que la escritura tiene que reflejar con más o menos fidelidad la lengua hablada. De hecho, si se aplican con coherencia los métodos habituales de la conmutación*, se podrá llegar a la delimitación de unidades mínimas incluso en el plano de la grafía y no sólo en el de la lengua hablada; pero entre las unidades de los dos tipos no tiene que existir necesariamente una relación biunívoca, ya que se trata de dos planos de expresión diversos.

grafémico (ingl. *graphemic*) o **grafemático** Relativo a los grafemas; por analogía con *fonémico*, g. puede indicar un nivel pertinente del signo gráfico (que se expresará entre < >); se denominará *grafemática* la consideración de los fenómenos pertinentes en el plano de la expresión gráfica.

grafía *a)* Término genérico para indicar la representación concreta de una determinada producción gráfica: *escribir con bonita g., con una g. nerviosa y diminuta.*
b) Específicamente, una variedad de escritura *en lengua mediopersa y g. aramea.*

graficación La elección del símbolo gráfico con el que se representa un determinado elemento fonético o fonológico: *la g. de /x/ con <ch> en alemán.*

grafismo (fr. *graphisme*) Término genérico que es usado en determinadas ocasiones con el sentido de manifestación gráfica o conjunto de características gráficas de un manuscrito o también en el sentido de *grafo* b).

grafo *a)* El diagrama arbóreo que permite representar gráficamente una derivación ramificada.
b) Por analogía con *fono* y *morfo*, podría considerarse como un elemento de una manifestación gráfica de la que aún no ha sido determinada la pertinencia, o una variante de una grafema*.

-grama Sufijoide (del gr. *grámma* 'letra, elemento de escritura') usado para formar nombres de unidades gráficas: *heterog., ideog., logrog., silabog.*

gramática (lat. *grammatica* del gr. *he grammatikē* entendido como *tékhnē* 'el arte de los caracteres, de leer y escribir') Como término de tradición ininterrumpida, g. ha ido adquiriendo en el tiempo numerosas acepciones (para las caracterizaciones específicas, véase más abajo).

a) En la acepción más antigua, como verdadera y propia *tékhnē*, la g. era el estudio de las características particulares de la lengua (escrita) —análisis y reconocimiento de sus partes, desde las letras a las derivaciones de las palabras y a las figuras—, cuya finalidad natural era la de llegar a una mejor comprensión del texto literario o, eventualmente, a la producción de otros textos literarios.

b) Por derivación inmediata de este sentido, g. es el conjunto de las reglas de una lengua y de sus concretas descripciones, el manual que las contiene (independiente, como es obvio, del método seguido para analizarlas): si yo digo "estoy estudiando la g. del japonés" o, en cambio, "estoy estudiando una g. del japonés", pongo el acento sobre la primera o sobre la segunda acepción.

c) En oposición a *fonología, léxico, semántica*, g. indica el sector de la lingüística que estudia las estructuras gramaticales: *estudios de g. italiana.*

d) Sobre todo en la g. GT, siguiendo el modelo de los sistemas formales lógico-matemáticos, g. es el conjunto abstracto de reglas inmanente en una lengua natural; a diferencia de un sistema lógico-matemático cualquiera, el hablante posee una competencia "nativa" de la misma.

gramática comparada Un tipo de descripción lingüística que supone una relación genética dentro de un grupo de lenguas y que describe sistemáticamente los hechos que este conjunto tiene en común o sus puntos de discordancia: *g.c. de las lenguas germánicas.*

gramática de casos (ingl. *case grammar*) Modelo de análisis elaborado sobre todo por Ch. J. Fillmore en los años setenta que observa las funciones semánticas de los componentes de una proposición que permanecen estables, por ser inherentes, independientemente de las opciones de realización: en la proposición "Hércules mató al monstruo con la clava" podemos señalar un sujeto, un objeto directo y un instrumento profundos, prescindiendo del hecho de que en la superficie se puedan dar varias realizaciones:

a) "Hércules mató al monstruo con la clava."

b) "El monstruo fue matado por Hércules con la clava."

c) "La clava de Hércules mató al monstruo."

La g. de c. determina un cierto número de casos profundos* (agente, instrumental, dativo, factitivo, locativo y objetivo) que componen el marco casual alrededor del verbo de la proposición.

gramática descriptiva Exposición de los comportamientos gramaticales de una variedad de lengua en sincronía; a diferencia de la g. normativa o prescriptiva* intenta describir la lengua tal y como es y no tal y como debería ser. Pero probablemente la diferencia entre los dos tipos de g., ambas tienen que describir efectivamente y enumerar un conjunto de fenómenos, no es sustancial y se encuentra más bien en la cualidad de la lengua descrita: si existe una oposición entre una lengua literaria escrita y una lengua de uso cotidiano, que es hablada y puede ser también escrita, es obvio que la segunda forma presentará todos los fenómenos de variación característicos de la sincronía, y una g. descriptiva tendrá que anotarlos, sin poder formular reglas prescriptivas.

gramática estratificacional Modelo elaborado por S. Lamb en los años sesenta (*Outline of stratificational grammar*, 1966) basado en una concepción de la lengua como un sistema complejo de estratos o niveles dispuestos en una jerarquía y en interacción entre ellos: primero, el semiológico, después el gramatical y en tercer lugar el fonológico; en cada nivel operan reglas sintácticas; el paso de un estrato al otro es regido por reglas de realización.

gramática formal Una teoría descriptiva de la lengua que se propone enumerar las propiedades formales (es decir, de la forma) de la lengua, en términos de reglas y operaciones explícitas y susceptibles de comprobación, sin recurrir a hechos de contenido o extralingüísticos.

gramática funcional Una teoría gramatical que se basa en una concepción pragmática del lenguaje como forma de interacción social, regida por reglas específicas; la expresión lingüística utiliza predicaciones nucleares (los predicados* son enumerados en el léxico y especificados según sus argumentos*) completadas por satélites* que indican el modo, el lugar, etc.

gramática generativa En oposición a la gramática tradicional llamamos g. g. (→ *generación*) a cada una de las teorías que considera la g. como un conjunto de reglas en grado de poder generar un enunciado cualquiera de una lengua. Son tipos de g.g. la g. con estructura sintagmática (ingl. *phrase-structure grammar*), la g. categorial desarrollada particularmente por Y. Bar-Hillel, la g. transformacional (varias corrientes: Z. S. Harris, N. Chomsky, K. S. Šaumjan). Esta última parte de la base de que las relaciones profundas entre las frases, más allá de la estructura superficial, son de orden transformacional. Por lo tanto, es posible determinar un grupo de reglas que permitan obtener a partir de un limitado número de frases las demás frases permitidas por la lengua, a través de sucesivas transformaciones.

gramática histórica Si la g. descriptiva es una descripción de la sincronía, una g.s. lo es de la diacronía; de hecho, tal objetivo es probablemente inalcanzable. Una g., por norma, no es más que una suma de hechos pertenecientes a estados de lengua diversos, que intenta describir la evolución diacrónica presentando las sucesivas fases de un mismo fenómeno, como fotogramas seguidos de una misma película.

gramática normativa o **prescriptiva** Descripción de una variedad elegida como punto de referencia (lengua literaria, lengua estándar), cuyas indicaciones poseen un valor normativo. Son gg.nn. las que se basan en un *corpus** o canon de autores considerados clásicos; la delimitación del *corpus*, por un lado, y el prestigio de los modelos, por otro, determinan que la enunciación de una construcción o de una opción se convierta automáticamente en una proposición con valor normativo.

gramática relacional Una continuación de la gramática GT que se basa en la noción de relación gramatical, como Sujeto y Objeto, más que en categorías como Sintagma Nominal y Sintagma Verbal.

gramática universal o **general** o **filosófica** Construcción ideal hipotizada ya por la especulación medieval y retomada luego en los siglos XVII-XVIII, que se propone definir los conceptos fundamentales característicos del lenguaje como expresión de la mente humana y válidos, por lo tanto, para cualquier lengua, más allá de las diferencias superficiales. Descalificado por la lingüística histórica y más tarde por la estructural —que sostenían la historicidad y la singularidad de los hechos lingüísticos— este proyecto ha vuelto a ser, de alguna manera, actual gracias a la explícita revalorización dada por Chomsky (que se refiere expresamente a la lingüística cartesiana) y a la aún más reciente especulación sobre los universales*.

gramatical *a*) En la gramática GT, permitido por la gramática, conforme a las reglas; en este sentido, se opone a lo no gramatical, no es un sinónimo de significativo, ya que una frase puede ser g. y carecer de significado; según el ejemplo de Chomsky, "Descoloridas ideas verdes duermen rabiosamente" es posible porque es g. mientras que no lo es "Verdes rabiosamente ideas duermen descoloridas".
b) *Palabras gg.* → *autosemánticas, palabras.*

gramaticalidad Correspondencia entre un enunciado y las reglas morfosintácticas de la lengua; se trata de una categoría discreta: sobre la g. de una frase no pueden darse discrepancias o incertidumbres mientras que sí pueden darse sobre la aceptabilidad*.

gramaticalización Proceso mediante el cual una construcción se convierte a todos los efectos en un elemento morfológico con función única, sin atenerse a su significado léxico originario: por ejemplo los futuros del tipo fr. *je vais faire*, r. *ja xoču čitat'* en los que ya no es posible advertir el valor de 'ir' o de 'querer' o en las preposiciones italianas como *tranne* 'excepto' (de *tráine* 'quita'), *salvo, eccetto* o los

adverbios en -*mente* (que derivan de un sintagma latino con el ablativo en *mens* del tipo *laetā mentē* 'con mente feliz').

gramatología (ingl. *grammatology*, fr. *grammatologie*) El término ha sido propuesto por I. Gelb (1952) para una teoría del nivel gráfico y retomado después por J. Derrida (*De la grammatologie*, París, 1969) como nombre de una teoría de los fundamentos filosóficos de la operación de describir.

gramema Para Pottier, un morfema gramatical distinto del lexema que es un morfema léxico.

grave/agudo En la teoría fonológica de Jakobson y Halle, un rasgo caracterizado, acústicamente, por una concentración de energía en las frecuencias más bajas (o, respectivamente, más altas) del espectro y desde el punto de vista articulatorio por una articulación periférica o media.

grupo En algunas terminologías, por influjo del ingl. *group*, noción genérica que designa un conjunto de elementos que no ha sido aún bien analizado: g. nominal o sintagma nominal.

gutural (lat. *guttur* 'garganta') Designación anticuada de un contoide velar*.

H

habitual   Aspecto* que indica acción regularmente repetida; lo expresan ciertos usos del imperfecto ("Durante las vacaciones dormía más que ahora") o, en inglés, ciertas construcciones con *would* (*she would brew coffee* 'ella hacía el café' (normalmente)).

habla (sust.)   Sinónimo, hoy en desuso al igual que el fr. *parler*, de variedad lingüística local o individual: *el h. de Pievelivinallongo*.

hablado (sust.)   Las producciones concretas de la lengua hablada: *análisis de lo h., un corpus de diez horas de h.; hablado-hablado, hablado-escrito, hablado-recitado* (título de un artículo de G. Nencioni, "Strumenti Critici", 1976).

hablante (ingl. *speaker*, fr. *locuteur*) Uno de los componentes esenciales del acto comunicativo. → *alocutor, locutor, emisor, narrador.* ≠ *oyente.*

hápax (gr. *hápaks legómenon* 'dicho una sola vez') Unidad léxica que aparece una sola vez en el *corpus**.

haplografía (gr. *haplóos* 'simple' y *-grafia*) Simplificación de una secuencia gráfica, por la caída de elementos similares.

haplología (gr. *haplóos* 'simple' y *-logia*) Simplificación de una secuencia de sonidos por la caída de sílabas: *anfibología* de **anfibolología, morfonología* de *morfofonología.*

haz (ingl. *bundle*)   *a*) En la fonología de Trubetzkoy, dos o más correlaciones* fonológicas forman un haz de correlaciones.
b) En la fonología de Jakobson, el fonema es un h. de rasgos distintivos.

hereditario   En la lingüística histórica se designa con h. (alem. *Erbwöter*) el léxico que figura desde sus orígenes en una lengua (o del cual, por más que se vaya hacia atrás no se conoce un origen externo), en oposición al léxico de préstamo o alotrio (alem. *Lehnwörter*).

hetero-   Prefijoide (gr. *eterós* 'otro') con el valor de 'diverso de, perteneciente a otro orden'.

heteróclito (gr. *heteróklitos*, lit. 'que se declina de otro modo') *a*) En la gramática tradicional, un nombre que posee un paradigma compuesto por más de un tema: por ejemplo, el lat. *vis, roboris, vires*.
b) Anómalo, irregular.

heterodiegético/homodiegético (fr. *homodiégétique/hétérodiégétique*) Término de G. Genette (*Figures III*, Seuil, 1972, p. 229) para referirse, respectivamente, al narrador que narra una historia de otros o al narrador que narra su misma historia. → *intradiegético/extradiegético*.

heterograma En ciertos sistemas de escritura, un signo que pertenece a otro sistema o que se debe leer según otro sistema. Por ejemplo en las escrituras medioiranias se encuentran hh. arameos: en un contexto donde hay que leer en pehlevi puede darse una secuencia que puede ser leída en pehlevi pero que nos remite a un signo de otra lengua, el arameo.

heterolenguas → *exolenguas*.

heterónimo (*hetero-** y *-ónimo**) *a*) Otro nombre con el que firma un autor, seudónimo: *los hh. de Pessoa*.
b) Nombre de un pueblo dado por los que no pertenecen a aquel pueblo: *Graeci* en lugar de *Hellenes*, etc.

heterorgánico En fonética, articulación que no se realiza en el mismo lugar de la articulación contigua (fenómeno raro). ≠ *homorgánico*.

heterosilábico Dos segmentos son hh. si forman parte de dos sílabas distintas. ≠ *tautosilábico*.

heterotópico En la teoría del relato, espacio h. es el que se construye en un lugar distinto respecto al espacio del relato, que es el tópico por excelencia.

hiato (lat. *hiatum* 'abertura') Secuencia de dos vocales contiguas: *crear, leer, espia, acreedor*, etc.

híbrido *a*) Término compuesto con un préstamo y un elemento indígena, como el fr. *bureaucratie* acuñado en la mitad del s. XVIII por el economista Vincent de Gournay uniendo *bureau* 'despacho' y *-cratie*, obtenido a partir de *démocratie* (del gr. *demokratía*), o el it. *tramvia*, < esp. *tranvía*, > de *tramway* y *via*.//
b) Término en ocasiones usado para variantes especializadas que presentan características de varias lenguas; por ejemplo, las lenguas con las que se realiza la exégesis de un texto sagrado o filosófico en otra lengua y que traslucen la influencia de la lengua del texto que se explica, como las varias lenguas de los comentarios de textos budistas, que son sustancialmente un sánscrito o pali mezclado con el siamés, el birmano, etc.

hipálage (gr. *hupallagḗ*) → *enálage*.

hiper- Prefijoide que forma términos con el valor de 'al más alto nivel de *x*'.

hipérbaton Figura* que consiste en la alteración del orden normal de los constituyentes sintácticos para llevar un constituyente a una posición de mayor relieve o, simplemente, para obtener una secuencia de acentos estéticamente más agradable: *precisamente esta promesa tuya habrías tenido que mantener.* → anacoluto, anástrofe.

hipérbole (gr. *huperbolḗ*) Figura* estilística que consiste en elegir imágenes, metáforas o expresiones que nos conducen a un nivel situado más allá de lo verosímil: *te lo he dicho un millón de veces, una horda de personas, ganar dinero a montañas.*

hipercorrectismo o **hipercorrección** Se presenta cuando al intentar adaptarse a una norma de referencia hablada o escrita no suficientemente conocida se excede en la corrección de los presuntos errores < (*todalla* por 'toalla', *Bilbado* por 'Bilbao' > ; se pueden atribuir a fenómenos de h. grafías latinas como *pulcher* (en lugar de *pulcer*), *porphyra* (en vez de *purpura*).

hiperdiferenciación Un tipo de interferencia* en la que el hablante introduce cuando habla una L_2 distinciones no necesarias, por influjo de la L_1: el hablante de una lengua como el ruso, donde se distinguen entre consonantes palatales y consonantes no palatales, podría aplicar esta misma oposición incluso al hablar una lengua como el italiano y decir [l'ira, p'ino], etc.

hiperfáctica, función (fr. *fonction hyperphatique*) Para F. Rodegem (1974), una función del lenguaje que encontramos sobre todo en las sociedades de la oralidad: se trata de un exhibicionismo del enunciatario*, cuyo comportamiento de ostentación está dirigido a manipular al auditorio sin que éste tenga conciencia de ello, con técnicas verbales rítmicas, eventualmente cargadas de connotaciones de poder o de miedo.

hiperfrase (ingl. *hypersentence*) Término de Sadock (1969) para designar el esquema profundo que contribuye a la realización de una frase superficial y que comprende presuposiciones, modalidades e indicadores de fuerza ilocutiva y perlocutiva.

hiperónimo (de *hiper-** y *-ónimo**) Signo que semánticamente incluye a otros, sus hipónimos*: *pez* respecto a *besugo, trucha, salmón.*

hiperurbanismo Forma de hipercorrección* donde la norma de referencia es la de la ciudad.

hipo- (gr. *hupò*) Prefijoide* con el valor de 'debajo'.

hipocorístico (gr. *hupokoristikós* 'diminutivo, afectuoso') Forma diminutiva, familiar, de un nombre propio: < *Toni* por *Antonio, Pepe* por *José, Paco* por *Francisco* > , etc.

hipodiferenciación Un tipo de interferencia* en la que el hablante confunde distinciones fonémicas de la L_2 porque no corresponden a las de su L_1; por ejemplo, un < español>, que usa cinco fonemas vocálicos, muy probablemente hablará el inglés eliminando las oposiciones entre /i,u/ e /I,U/.

hipograma (fr. *hypogramme*, del gr. *hupógramma*) Término usado por Saussure en sus notas manuscritas para referirse a un determinado tipo de anagrama o paragrama* que consiste en el subrayar (en uno de los sentidos, por lo tanto, del gr. *hupographeîn*) un nombre o una palabra con particulares repeticiones o inversiones de sílabas y sonidos.

hipónimo (neol. de *ipo-** y *ónimo**) Término de Ch. E. Bazell (1955) para indicar un signo que semánticamente está incluido en otro signo: *gato* es h. de *animal*; todos los términos igualmente subordinados a un término hiperónimo son denominados cohipónimos.

hiposema (neol. de *hipo-** y *sema**) Término de M. Lucidi (1966: 71) para designar "todas las entidades que suelen llamarse signos lingüísticos". El nombre indica "bastante bien la inherencia a un tiempo y la subordinación al signo lingüístico". De hecho, los h. (o subsignos) son considerados en relación a un signo que para Lucidi es "el producto del acto lingüístico en su totalidad".

hipotaxis (neol. de *hipo-* y gr. *táksis* 'disposición', siguiendo el modelo de *sintaxis*) → *subordinación*.

historia de la lengua En la práctica, un tratado monográfico disciplinar que estudia la dimensión temporal del desarrollo de una lengua. Cfr. A. Varvaro, *Storia della lingua: passato e prospettive di una categoria controversa*, "Romance Philology", 26 (1972), pp. 16-51; 27 (1973), pp. 509-531, recog. en Varvaro (1984: 9-77).

historia transformacional → *transformacional*.

holofrástico (del gr. *hólos* 'entero' y *phrastikós*, → *frase*) *a*) Dícese del signo que expresa el contenido semántico de una frase entera (¡*Basta!*, ¡*No!*, etc.); el período h. es característico del primer estadio del lenguaje infantil.

b) Aplícase al tipo de construcción propio de las lenguas polisintéticas* o incorporantes*, en las cuales la frase puede estar constituida no por un signo único sino por varios morfemas que se comportan como una sola palabra (*holófrasis* es para Boas "la tendencia de una lengua a expresar una idea compleja con un solo término", Boas 1911: 46). → *monorrema, monorremático*.

homo- Prefijoide* (gr. *homo-* de *hómoios* 'semejante, igual') que crea una afinidad entre varios elementos que comparten una misma característica.

homodiegético (de *homo-** y *diégesis**) → *heterodiegético/homodiegético*.

homófono (gr. *homóphonos*) Dos signos son h. cuando sus significantes tienden a ser idénticos: fr. *sain* 'sano', *sein* 'seno', *saint* 'santo', *ceint* 'cinto', en todos los casos [sɛ̃/, it. *(io) tócco* <'yo toco'> y *(un) tócco* <'un toque, una campanada', esp. *vota* y *bota*>. Si los h. son de la misma clase de formas (dos nombres, dos formas verbales) es probable que, para evitar confusiones*, uno de los dos sea sustituido o modificado.

homógrafo (gr. *homógraphos* 'escrito con las mismas letras') Dos formas gráficas que coinciden en la forma: it. *venti* < 'veinte' > y *venti* < 'vientos' >, ingl. *bear* 'oso' y *bear* 'llevar'.

homonimia (gr. *homōnumía* 'idéntica denominación') → *homónimo*.

homónimo (gr. *homōnumos*) Son h. dos palabras que se pronuncian del mismo modo pero poseen diferentes significados, o dos personas que tienen el mismo nombre. ≠ *heterónimo*.

homorgánico Dos sonidos son h. si son articulados en el mismo lugar de articulación, por ejemplo [m] y [p] en el it. *campagna* < 'campo' >. ≠ *heterorgánico*.

homotópico ≠ *heterotópico*.

honorífico Un elemento, autónomo o afijo, que el hablante introduce en la enunciación para demostrar deferencia y respeto hacia el interlocutor. → *cortesía, expletivo, etiqueta lingüística, formas de tratamiento.*

"hysteron-proteron" (gr. 'lo que viene en último lugar puesto en primer lugar') Inversión involuntaria o deseada del orden de los elementos de una proposición: el orden formal presentado de manera explícita es B,A mientras que el lógico o semántico es A,B.

I

iconicidad La capacidad que posee el signo de poder transmitir; por ejemplo, en italiano < como en español > las vocales /e/ y /o/ son caracterizadas desde el punto de vista articulatorio como bajas respecto a /i/ que es alta; los que sostienen la i. del signo señalan la existencia de vocales bajas en palabras como *bajo, foso, base* y de vocales altas en palabras que expresan la noción de 'alto' (*cima, pico*).

icónico Que está contenido en las imágenes: *mensaje i.* Un signo es i. en la medida en que presenta a la percepción sensorial propiedades análogas a las de sus "denotados" (Morris 1949: 42).

icono (gr. *eikón* 'imagen') Término de Ch. S. Peirce, que designa el signo en el cual ciertos aspectos del significante reproducen de manera inmediata o intuitiva aspectos del significado: el gesto de levantar tres dedos de una manor es un i. para indicar '3', etc.

"ictus" (lat. 'golpe') En la métrica antigua acento rítmico que marcaba en el verso una sílaba para ponerla de relieve con respecto a las otras; el i. no coincidía necesariamente con el acento gramatical.

ideativa, función Para Halliday, la macrofunción* lingüística que permite organizar el contenido de la propia experiencia, el propio conocimiento de sí mismo y del mundo en los sistemas de signos previstos por el lenguaje.

identidad aproximativa (ingl. *sloppy indentity*) En la gramática GT, dados dos constituyentes idénticos uno de los dos puede ser eliminado; en ciertos casos, sin embargo, puede existir una supresión incluso cuando la i. no es perfecta sino sólo aproximativa: en frases como "*x* sabe cómo agradar a sus amigos, tú no" la interpretación no marcada (respecto a aquélla de que los amigos sean en todo momento los de *x*) presupone la cancelación de *no sabes cómo agradar a tus amigos*, que no es idéntico al primer constituyente.

ideófono (ingl. *ideophone*) Término introducido por C. Doke, que lo aplicaba a la lingüística bantú, para indicar una clase de formas con un fuerte contenido fonosimbólico*.

ideograma Término tradicional con el que se conocen en Occidente desde el siglo XVIII los caracteres de la escritura china o los que se han asimilado a éstos, según la errónea convicción de que los símbolos chinos representan no palabras de la lengua sino conceptos, ideas, como si fueran una ideografía. Muy a menudo lo que llamamos i. es, en realidad, un logograma*.

idiolecto (ingl. *idiolect*, de un posible, aunque no documentado, gr. *idiólektos* 'forma particular de lenguaje', opuesto a *diálektos* que es una variedad lingüística de uso difundido) El modo característico de hablar de una sola persona, una especie de lenguaje personal. El término, introducido por H. Paul (*Prinzipien*) es retomado por B. Bloch en 1948 y se convierte en algo habitual en las descripciones de las lingüísticas estructuralistas (Trager, Hockett, Hall) para referirse a la determinada variante examinada, sea del autor mismo de la descripción sea del informador en el caso de las lenguas exóticas. Para Jakobson, sin embargo, "la propiedad privada no existe en el lenguaje; todo es social. La comunicación verbal, como cada una de las formas de relación humana, requiere al menos dos interlocutores; y el i. resulta ser una fantasía errónea" (Jakobson 1936 :12). Para Jakobson se pueden designar como i. sólo ciertos casos particulares, como el lenguaje del afásico, el estilo de un escritor (en cierta medida), o, en un sentido más

amplio, el lenguaje de una comunidad lingüística. Sin embargo, puede ser útil, en la práctica, indicar con i. el conjunto de las variaciones personales respecto a un estándar lingüístico (por ejemplo, los determinados hábitos léxicos o de pronunciación).

idioma (gr. *idíōma* 'propiedad peculiar') Término genérico, y hoy en día algo anticuado, que designa una lengua o la variedad de lengua: *los ii. indoeuropeos*; en ingl., en cambio, *idiom* se refiere a 'frase idiomática'.

idiomático (calco del ingl. *idiomatic*) → *frase idiomática*.

idiosincrónico Término de Saussure: "En el fondo el término sincrónico no es del todo preciso; tendría que ser sustituido por aquel, a decir verdad algo largo, de i." (Saussure 1968: 128); i. es el sistema de cada lengua individual. Para Hjelmslev (1928) idiosincrasia indica la gramática descriptiva de una lengua; idiodiacronía, en cambio, es la gramática histórica e idiocronía, la unión de ambas. → *sincronía*.

idiotismo o, más raramente, **idiomatismo** ⇒ *frase idiomática*.

ilativo Caso* espacial que expresa el significado de 'movimiento hacia dentro': húng. *hajó-ba* 'hacia el interior de la embarcación'.

ilocutivo o **ilocutorio** (ingl. *illocutionary*) Acto i. es aquel que se cumple en la enunciación; fuerza i. es la tensión impuesta a la proposición que es enunciada: fuerza interrogativa, de or-

den, de constatación. *Voluntad i.*
→ *voluntad.*

imagen acústica Término de Saussure ("No es el sonido material, sino la huella psíquica de este sonido, la representación que nos viene dada por el testimonio de nuestros sentidos", Saussure 1968: 98), que él mismo sustituye luego por *significante.*

imperativo (lat. *imperativus*) Un modo verbal que se usa para transmitir una orden al interlocutor. En algunas lenguas se usa también el futuro con valor imperativo (alem. *Heischefuturum*): *tu ne tuera point* 'no matarás', *you vill leave at once* 'y, sin embargo, te irás inmediatamente'.

imperfectivo → *perfectivo.*

imperfecto En muchas tradiciones gramaticales, un tiempo que define una acción situada en el pasado y en su aspecto durativo; lat. *amabam*, it. *dormivo* < esp. *cantaba* >. En las lenguas semíticas, la oposición entre las formas conocidas tradicionalmente como i. y perfecto* es sólo aspectual (imperfectivo/perfectivo), sin ninguna referencia al tiempo, que no es marcado morfológicamente.

impersonal Tradicionalmente, construcción que neutraliza la oposición entre personas en una no persona, la 3.ª del singular o del plural: *se dice que*, fr. *l'on fait*; los verbos ii. se construyen habitualmente con la 3.ª del singular, pero pueden hacerlo también con la 3.ª del plural, perdiendo el va-

lor i. en el plural (*llueve, nieva*, pero *llueven tortazos, multas*).

implicación La relación lógica 'si *p* entonces *q*', o, también, 'p ∍ q'.

implicado Aplicado a la sílaba, lo mismo que cerrada*.

"implicadura" (ingl. *implicature*) Para H. P. Grice lo que se deduce a partir de la forma de un enunciado sobre la base de algunas convenciones; por ejemplo, una frase como "He encontrado todos los estancos cerrados" implica la petición de un cigarrillo al interlocutor contando, eso sí, con el postulado* de cooperación de Grice, que parte de la base de que el interlocutor quiere cooperar para lograr una mejor comprensión.

implicativos, verbos Definición propuesta por L. Karttunen (*Implicative verb*), "Lg" 47 [1971], pp. 340-348) para un grupo de verbos ingleses construidos con *thrat*, como *care, dare, bother*, etc., que suponen o implican la verdad de la proposición que rigen.

implicitación (ingl. *entailment*) Es llamada a veces así la relación de implicación* estrecha, introducida por Ch. E. Lewis en 1918: *q* sigue lógicamente, se deduce necesariamente de *p*.

implícito Forma específica de elipsis*, en la que falta una forma que se puede integrar de nuevo: sujeto i., en *llueve*, pero también *arroz < a la cubana >, ternera Stroganov*, donde se sobreentiende un componente mucho más extenso (*arroz cocinado como se*

tiene por costumbre < en Cuba>, ter-
nera cocinada en el modo que ha to-
mado el nombre de Stroganov, etc.

implosivo ⇒ *ingresivo* a)

imprecación (lat, *imprecatio*, de *im-*
precari 'pregar contra alguien') Independientemente de su contenido
proposicional, que puede ser violento
pero también inofensivo o eufemístico, la i. se caracteriza como un acto
lingüístico especial, como lo demuestra su mismo nombre tradicional, que
alude a un ejercicio verbal (petición
formal a la divinidad de un castigo
contra *x*); en este sentido, la i. poseería la misma estructura profunda del
augurio, salvo por el valor negativo y
no positivo de lo que se pide; piénsese, por otro lado, en la simetría entre
maldecir y *bendecir*. A diferencia del
insulto, la i. puede no ser polarizada
sobre un destinatario explícito.

impulso cultural (ingl. *drift*) Término de Sapir para designar la tendencia estructural de una lengua a evolu-
cionar siguiendo una dirección que le
es peculiar (cfr. la trad. alemana *Ent-*
wicklungstendenzen). → *tendencia.*

"in absentia" Para Saussure, la relación que une los términos que componen un tesoro* mnemónico: "Por
encima del discurso (plano sintagmático), las unidades que tienen algo en
común se asocian en la memoria formando grupos en los que dominan relaciones diversas."

"in praesentia" Para Saussure, la
relación que une entre sí los elemen-

tos de una cadena hablada ⇒ *sintag-*
mático. ≠ *"in absentia".*

inciso (lat. *incisum*, trad. del gr. *kóm-*
ma) Término genérico para designar
una intercalación sintáctica. → *paren-*
tético.

inclusivo Pronombre u otra forma
referidos a la 1.ª persona (sing. o plur.)
incluyendo también al interlocutor.
≠ *exclusivo.*

incoativo o **ingresivo** (ingl. *ingressive,*
inceptive) Un verbo que expresa el
significado de 'empezar, ponerse a hacer algo': *enamorarse, enrojecer*, ingl.
to fall in love diverso de *to be in love.*

"inconcinnitas" → *concinnitas.*

incorporación En gramática GT, introducción del nombre o del objeto en
un cierto estadio de la historia derivacional.

incorporante, lengua (alem. *einverlei*
ende Sprache, término de A. F. Pott,
1849) Tipológicamente, aplícase a
una lengua que, como ocurre con muchas lenguas americanas, tiende a incorporar en la expresión verbal el objeto de la frase, tanto si es nominal
como pronominal: nahualt *nipetla-*
chiua 'hago esteras', de *petlatl* 'este-
ra' (Boas 1911: 111).

incrustación (trad. del ingl. *embed-*
ding, cfr. fr. *enchassement*) En la
gramática GT la operación con la que
una frase es introducida en otra frase: *el amigo / que me ha prestado el*
libro (frase incrustada) / *es un colec-*

cionista de ediciones antiguas. → *in-serción.*

"indexing" (ingl. 'rubricación') Operación que indica la rubricación del sentido en el curso de un discurso.

indicador (ingl. *indexical*) *a*) Expresión i. o expresión índice, escrita u oral, es la que aporta las indicaciones contextuales relativas al hablante y a la situación de la enunciación* (quién, dónde, cuándo, cómo) que permiten obtener una determinada interpretación. → *deíctico.*
   b) (fr. *indicateur*). Para Benveniste, lo mismo que deíctico*.

indicador sintagmático (ingl. *phrase-marker*) Representación de la estructura en constituyentes de una frase por medio de parentización etiquetada (→ *etiqueta*) o de un grafo* arbóreo.

indicativo (lat. *indicativus*, con la que Quintiliano traducía el gr. *horistiké*) Un modo verbal no marcado, característico de las aserciones y de la constatación de la realidad.

índice o **indicio** *a*) Para Peirce, un signo que se refiere al objeto que aquél denota en virtud de su contigüidad y de estar realmente determinado, a diferencia del icono*, que se le asemeja solamente (Peirce 1980: 140): el humo es i. del fuego.
   b) En gramática GT los indicadores, números y letras que se añaden a los varios elementos para indicar su correferencia: *i. referencial.*

indirecto   *a*) Objeto i., lo mismo que caso oblicuo (→ *oblicuo*)
   b) Discurso i. → *discurso*

indiscutibilidad de las leyes fonéticas (alem. *Ausnahmslösigkeit der Lautgesetze*) Fórmula que resume uno de los principios constitutivos de la lingüística histórica neogramática*.

inducción   La operación con la que en una serie de préstamos es extrapolado, a menudo por metanálisis, un morfema que después se hace productivo; por ejemplo, el sufijo it. *-izzare (realizzare)* inducido a partir de formas griegas en *-izō (badizō* 'chimenea'), el ingl. *-age*, el it. *-aggio* < o el esp. *-aje* > de formas francesas en *-age*, los sufijos del ingl. americano *-ette* (*kitechenette, launderette,* etc.), del diminutivo francés *-ola (granola, phonola, motorola), -ex* en los nombres de productos (*pyrex, kleenex, lastex,* etc.).

inductivo/deductivo   La conocida polaridad metodológica (pertinente a las teorías lingüísticas, pero expresamente reclamada por Hjelmslev) entre un procedimiento que se remonta desde la observación de los datos particulares a consideraciones teóricas de valor general, y el que, a partir de premisas de orden universal deduce conclusiones particulares. En el estudio del lenguaje la distinción se debe precisar: una gramática rigurosamente deductiva acabaría por ser una construcción inutilizable, útil sólo para describir una lengua lógica construida *a priori* pero sin correspondencia con los datos empíricos; una investigación rigurosamente inductiva tendría que abstenerse de toda inducción hasta no haber completado sus observaciones empíricas (aunque éstas no puedan nunca considerarse completas). El único método adecuado a la realidad de los hechos lingüísticos —observa Hjelmslev— es el método que es simultáneamente empírico y deductivo: "un valor no se manifiesta si no es porque constituye una oposición respecto a otros valores; y esta oposición, a su vez, se da sólo en virtud de su categoría y puede explicarse sólo gracias a ésta" (*La structure morphologique,* 1939, en *Essais,* 1971, p. 139).

inesivo Caso* espacial que expresa el significado de 'el lugar dentro del cual se produce un hecho': húng. *hajó-ban* 'en la embarcación'.

infantil *a) lenguaje* → lenguaje infantil.

b) palabras ii. (alem. *Lallwörter,* o *Ammensprache,* ingl. *nursery words*) Algunas formas —como los términos para 'padre', 'madre', 'nodriza', 'seno', 'mamar'— que se consideran, quizá erróneamente, típicas del lenguaje i. y, por lo tanto, de posible recurrencia, como afinidades elementares*, en las lenguas más diversas (→ *baby talk*).

inferencial Aspecto verbal: *ya tendría que estar cocido.* → *presuntivo.*

infijo Un afijo* que es introducido dentro de la base nominal o verbal de un derivado; para indicar un elemento que no posee valor morfológico en sí mismo sino que se utiliza para la for-mación de derivados. Y. Malkiel usa el término *interfijo* (*Los interfijos hispánicos. Problema de lingüística histórica y estructural,* en *Miscelánea homenaje a André Martinet. Estructuralismo e historia,* I, Universidad de La Laguna, Canarias, 1958, pp. 107-190): por ejemplo, la -*t*- del esp. *cafetero, cocotero* (para evitar **cafeero,* *coquero), -*al*- en *fe-al-dad.*

infinitivo (lat. *infinitivus,* trad. del gr. *aparémphatos* 'no definitivo') Tradicionalmente, en el paradigma del verbo, las formas que no son conjugadas en cuanto a la persona y al número sino sólo en cuanto al tiempo; al carecer de estas determinaciones, a menudo tienen que ser construidas dependiendo de formas finitas.

i. personal. Un i. al que sirven como sufijos los pronombres personales, en concordancia con el sujeto de la frase: port. bras. *antes de partirmos do Brasil.*

i. sustantivado: el beber mucho lo destruirá.

inflexión Sinónimo no técnico de *acento** a), *entonación*: hablar con i. dialectal, extranjera.*

información Dado un emisor que transmite un mensaje compuesto por una secuencia de símbolos, y concediendo a cada uno de estos símbolos la misma probabilidad de ser transmitido, tendremos un estado de máxima entropía*. Si todos los símbolos presentan la misma probabilidad y son independientes, una vez que ha sido transmitido el primero no se puede tener ninguna especial expectativa en cuanto al segundo. Diremos entonces que está dotado de i. todo aquello que provoca la reducción de la incerteza (Martinet 1966: 176) o de la entropía. Si imaginamos que el mensaje que se tiene que transmitir está constituido por una secuencia fónica (como en el caso de las lenguas naturales) y si consideramos cada unidad transmitida (sea un fonema u otra unidad mínima) como equiprobable e independiente, cada nueva unidad es portadora de una cierta cantidad de i. En la secuencia /llegaré mañana/ el primer fonema /a/ es portador de i. ya que permite al destinatario excluir del mensaje todas las palabras < españolas > que empiezan por /ll/; la segunda unidad /e/ circunscribirá ulteriormente el mensaje a las palabras que empiezan por /lle/ y así progresivamente hasta la /a/ final de *mañana* que no dará ninguna nueva información (dado que no es posible completar de manera diversa la secuencia) si no es la de final de mensaje. Sin embargo, en una lengua natural no todos los elementos son igualmente portadores de i.; algunas se pueden obtener automáticamente de aquellos que los preceden. En una secuencia como < *queso* > la /u/ no nos da i. alguna porque no existen /q/ que no vayan seguidas de /u/ y lo mismo ocurre con ciertas secuencias fónicas: un [ts] japonés presupone necesariamente que a continuación encontremos la realización de una /u/. Los elementos que no son portadores de i. se llaman redundantes y se indica con redundancia la acumulación de elementos que no son estrechamente necesarios para la correcta recepción e interpretación del mensaje. Las formas normales de comunicación son ampliamente redundantes pero, en la práctica, cuando no sean utilizadas formas de economía* en la transmisión del mensaje (y, en este caso, más unidades transmitidas = más costo), incluso los elementos redundantes poseen una funcionalidad que es la de controlar y confirmar la recepción. Existe una teoría, formulada por Hartley y Shannon, que mide la cantidad de i. con métodos estadístico-matemáticos (para un símbolo la cantidad de i. es dada por el logaritmo de lo contrario de su frecuencia o probabilidad).

informante (ingl. *informant* o *native informant*)   El hablante a cuya competencia se recurre para obtener informaciones sobre la lengua.

infralexical, oposición   Una variación en el valor de una voz léxica obtenida gracias a un cambio aspectual debido, a su vez, a un cambio de tiempo gramatical: por ejemplo, el valor del adjetivo it. *carino* en *le commesse erano molto carine* < 'las dependientas eran muy guapas' > y *le commesse furono molto carine* < 'las dependientas fueron muy amables' > .

ingeniería lingüística (ingl. *language engineering*) → *planificación lingüística*.

ingresivo   *a*) o **implosivo** o **inyectivo** En fonética, sonido producido bajando la glotis: la presión negativa que se crea hace entrar el aire desde el exterior; la articulación es producida, por lo tanto, con el aire que entra en los pulmones y no con el que sale.

b) Término introducido por Wackernagel (1920-24) para designar un aspecto* verbal que indica el inicio de la acción que se va a producir.

c) *Verbo i.* ⇒ *incoativo*.

inicial En fonética, la posición inicial posee propiedades características; por ejemplo en italiano no es posible oponer en esta posición /s/ a /z/, que, sin embargo, pueden oponerse en posición interna. En chino mandarín la posición i. es la única en la que pueden aparecer todas las consonantes.

injuntivo (alem. *Injunktiv*) Denominación de K. Brugmann para una categoría verbal de las lenguas indoeuropeas, con valor imperativo: por ejemplo, lat. *sequere* '¡sigue!'.

inmediato, constituyente → *constituyente*.

innatismo Un tema clásico del pensamiento filosófico (qué parte de nuestros conocimientos y mecanismos de pensamiento es intrínseca a nuestra mente desde nuestras primeras manifestaciones de vida y qué parte ha sido aprehendida a lo largo de la misma) que ha vuelto a ser propuesto por N. Chomsky en más de una obra (por ejemplo *Cartesian linguistics*, de 1966) a propósito de la competencia lingüística: la especie humana posee de modo innato algunas de las fundamentales capacidades lingüísticas o, incluso, una especie de gramática universal más o menos especificada. La posterior exposición a las lenguas individuales ha dirigido de modo permanente esta disposición innata sobre los pasos de la lengua específica. Si se excluyen las observaciones genéricas sobre la velocidad y la productividad demostradas por el niño en el aprendizaje de la L_1, no existe demostración alguna de que este postulado, si bien sugestivo, no sea más que una hipótesis.

innovación Término genérico para designar la introducción en una variedad de un elemento nuevo que proviene de otra lengua o de una variedad de la misma lengua pero con mayor prestigio, etc. Aunque es fácil determinar ii. en la lengua a lo largo de un cierto arco de tiempo, sincrónicamente se puede efectuar sólo con el léxico; las otras requieren mucho tiempo y a menudo escapan a la conciencia del hablante.

inserción (trad. del ingl. *nesting*, cfr. fr. *emboîtement, emboîtage*)

a) En la gramática GT la operación que lleva a introducir un nuevo elemento (un sintagma, una cláusula) en una frase (→ *incrustación*).

b) Por analogía, se puede hablar de i. de elementos dentro de una narración.

c) *i. de reglas* (ingl. *rule insertion*). En la gramática GT la adición de una nueva regla en un ciclo transformacional.

insistencia → *acento*.

instancia de discurso (fr. *instance de discours*) Para Benveniste (1966: 255) el acto discreto, único en cada ocasión, a través del cual la lengua es actualizada como discurso del hablante; cada i. de d. se caracteriza a base de referencias internas, como los pronombres 'yo' y 'tú', etc.

instantánea, formación (alem. *Augensblicksbildung, -formation*) ⇒ *"una tantum".//*

instrumental *a*) En algunas lenguas indoeuropeas antiguas y modernas, el caso que expresa el instrumento con el que se lleva a cabo una acción.

b) En la teoría de los casos, el caso de la fuerza o el objeto inanimado que interviene según una relación casual en la acción o estado indicado por el verbo.

instrumental-asociativo Caso*, húng. *kes-sel* 'con el cuchillo'.

insulto, injuria (alem. *Schimpfwort*) Desde un punto de vista lingüístico el i. presenta no pocas dificultades de caracterización: la interpretación más obvia, teniendo en cuenta el tipo de entonación que lo acompaña (decidida, que no admite réplica), es que la forma pronunciada es lo que emerge de una compleja frase declarativa: "Yo declaro solemnemente, llamo como testigos a los dioses de que tú eres un *x*)"; el mismo análisis puede ser aplicado a un acto análogo, la imprecación*.

integrado *a*) Un fonema es considerado i. en su sistema fonológico cuando es intercalado en una correlación, es decir, comparte con otros fonemas un rasgo pertinente: en <esp.> /b/ es i. porque presenta el mismo rasgo, la sonoridad, que /d/, /g/, /n/, /l/, etc. En casos como éste el fonema se puede conservar fácilmente mientras

que el fonema no i. tiende, diacrónicamente, a desaparecer.

b) Un préstamo se denomina i. cuando se ha adaptado completamente a las reglas fonológicas o incluso gráficas: <esp. *champú* (< ingl. *shampoo*),> it. *lanzichenecco* (<alem. *Landsknecht*), *sciuscià* (<ingl. *shoeshining*). → *aclimatación, asimilación.*

intención fónica (trad. del alem. *Lautabsicht*) Finalidad de los procesos neuromusculares del hablante que se imagina un cierto fonema, aunque luego lo realice de modo diverso en palabras diferentes.

intensidad En fonética acústica, el volumen de un sonido, el efecto conseguido a través de la amplitud de una onda sonora (se mide en decibelios, dB).

intensificador (ingl. *intensifyer*) Nombre dado, en el ámbito de la gramática GT, a una clase de modificadores como la del ingl. *utter, mere, very*, it. *puro, semplice* <esp. *simple, mero*, etc.>, en expresiones como *La sola idea de verlo, Esto es un puro error de cálculo, Un simple movimiento puede destruirlo*. Se observará que, a diferencia de las frases en las que el adjetivo cumple una función atributiva (*La confortante idea de verlo*), en estos casos no podemos encontrar una correspondencia en la estructura profunda del tipo **Esta idea es sola, *Este error de cálculo es puro*, etc.

intensión *a*) El conjunto de propiedades, atributos, rasgos semánticos, etc., de un signo. ≠ *extensión*.

b) **i.** o **catástasis** El primer momento de la articulación en el que los órganos articuladores se disponen según la posición característica de la emisión.

intensional Referido a las propiedades internas que definen un signo: *todos los animales que poseen dos colmillos y una trompa son elefantes.* → *extensional.*

intensivo *a*) Prefijo (como en it. *stra-* en *stravecchio* < 'extraviejo' >) o prefijoide (como *super-, hiper-*), que intensifica, incrementándola, la propiedad indicada por el elemento al que se aplica.
b) Para Hjelmslev lo mismo que marcado*/no marcado. ⇒ *extenso/intenso.*

intenso *a*) Sonido; para Lucidi un sonido es i. o extenso según la energía de articulación que conlleva.
b) En glosemática, un exponente que caracteriza una cadena, por ejemplo el caso o el número. → *extenso/intenso.*

inter- Prefijoide* (del lat. *inter* 'entre') que se presenta en oposición a *intra-;* mientras que éste alude a fenómenos que se encuentran dentro del campo considerado, i. alude a fenómenos que se sitúan entre dos campos diversos.

interacción (ingl. *interaction*) Término genérico, muy usado en ciencias sociales, que se refiere a la relación comunicativa y simbólica —pero no necesariamente lingüística— que se es-

tablece entre varios sujetos (que entran en interacción; el adjetivo es *interactivo*). Desde un punto de vista lingüístico se estudia con particularidad la llamada i. "cara a cara" (*faccia a faccia*) (otro anglicismo, de *face-to-face*), es decir, el comportamiento entre interlocutores inmediatos.

interactante (fr. e ingl. *interactant*) Cada uno de los participantes en un proceso discursivo.

intercomprensión La i. se manifiesta cuando los hablantes de variedades lingüísticas diversas pueden comprenderse entre ellos sin que cada uno posea necesariamente un real conocimiento previo de la lengua del otro; la i. se usa como indicador bastante fiel del grado de acercamiento entre variedades.

interdefinición La red de remisiones internas (cuyo modelo es el diccionario) que permite explicar los conceptos de un determinado dominio. → *circularidad.*

interdental En fonética, articulación en la que el ápice de la lengua se coloca entre los dientes superiores permitiendo que el aire pase a través de ellos: [θ] en el esp. *cero* [θero], o en el ingl. *thin* [θIn] 'delgado'.

interdependencia En glosemática, dependencia mutua entre dos términos donde cada término presupone el otro.

interdependiente En glosemática, el funtivo de una interdependencia, solidaria en el proceso y complementaria en el sistema.

interdicción lingüística o **tabú lingüístico*** Dado que pronunciar los nombres de las cosas supone representar, evocar y no sólo designar esas mismas cosas, según una concepción universalmente difundida, de lo que es desagradable o temido se evitará dar el nombre, sustituyéndolo con un eufemismo* verbal o gestual o, incluso, con el silencio. Los conceptos tabú cambian de cultura a cultura y de un período a otro dentro de la misma cultura; se encuentran, de todas maneras, estrechamente conectados al conjunto de las concepciones que una cierta cultura se construye del mundo, de lo sobrenatural y de lo divino o de la conducta social y de la sexualidad.

interés de conservación → *glotocronología*.

interferencia (fr. *interférence,* ingl. *interference;* el término se remonta a I. Epstein, *La pensée e la poluglossie,* Lausana, 1915) En un ejercicio (hablado o escrito) basado coherentemente en un código determinado se denomina i. (o también *transfer,* hoy vocablo desusado) a la transposición momentánea, en un punto cualquiera, de una variación (léxica, fonológica, morfológica o gráfica) debida a la presencia simultánea y al influjo de otro código, con el cual se crea una especie de "cortocircuito"; limitándonos a la i. fonológica se puede distinguir entre hipodiferenciación*, hiperdiferenciación, reinterpretación* y sustitución de fonemas*; aún suponiendo la presencia de dos códigos, la i. no alude necesariamente a un estado de completo bilingüismo. → *conmutación, error.*

interfijo → *infijo.*

interjección (lat. *interiectio* 'interposición', referida a una palabra que entra en el discurso sin enlace alguno con el resto de la frase) Clase de palabra dotada de una caracterización sintáctica oscilante (teniendo en cuenta que cualquier palabra puede ser usada como i.); aunque es difícil encuadrar gramaticalmente la i. e incluso, en ocasiones, representarla de forma adecuada por escrito ligada como se encuentra a hechos de entonación y de cualidad de la voz, es posible dar cuenta de ella recurriendo a la teoría de los actos lingüísticos: incluso el más pequeño de los soportes fónicos (¡*bah!,* hum, ¡*zas!,* etc.) está regido por un acto lingüístico.

interlengua *a)* En las técnicas de traducción automática el texto en la lengua natural tomado como punto de partida es convertido en primer lugar en i., es decir, en una lengua lógico-simbólica, llamada también *lengua perno* o *lengua intermedia,* y ésta, a su vez, será transformada en la lengua a la que se traduce.

b) Por analogía con este uso, en glotodidáctica se llama a veces i. a la forma particular que se construye, casi siempre por un proceso de interferencia*, con material que aunque es ya de la L_2 posee aún estructuras de la L_1.

interlineal Glosa o traducción que sigue al pie de la letra el original que explica, remitiendo al ejercicio medieval de glosar los pasos más complejos de los clásicos entre las líneas del texto, debajo de la palabra correspondiente.

interlingüística *a*) Estudio de las lenguas artificiales y auxiliares como el esperanto o la interlengua de G. Peano (definición que emerge en el VI Congreso Internacional de Lingüistas, de 1949).

b) Para M. Wandruszka (*Interlinguistik. Umrise einer neuen Sprachwissenschaft*, Piper, Munich, 1971, cfr. M.W. e I. Paccagnella, *Introduzione all'i.*, Palumbo, Palermo, 1974) una especie de estilística comparada que estudia los medios expresivos de las lenguas, por ejemplo, cotejando más de una traducción de un mismo texto.

c) Para R. Gusmani, el estudio de las condiciones en las que se determina el contacto entre lenguas y de los efectos resultantes.

d) Remitiendo a la acepción *c*), se puede hablar de variantes ii., es decir, entre lenguas: "Tanto en la fase de adopción como en la de difusión la mutación se configura como una sustitución de variantes, no importa si son intralingüísticas o interlingüísticas" (R. Lazzeroni).

interlocutario (fr. *interlocutaire* siguiendo el modelo de *destinataire*) → *interlocutor*.

interlocutor (neol. como el fr. *interlocuteur*, que combina el valor del lat. *inter* 'entre' y el de *loquor* 'hablar'; en latín *interloquor, interlocutio* presentaban otros valores, que se conservan, por ejemplo, en el término jurídico *interlocutorio*) Cada uno de los participantes en un intercambio verbal; se podría introducir una distinción entre i. e interlocutario o, lo que es lo mismo, entre el destinador y el destinatario del acto ilocutivo (que serán también, según el punto de vista considerado, elocutor y elocutario, alocutor y alocutario y narrador y narratario).

interludio (ingl. *interlude*) Término propuesto por Hockett (1955) para designar una secuencia cualquiera de consonantes dentro de una palabra; según un uso más reciente, puede designar también una consonante ambisílaba*.

interpersonal *a*) Un signo que posee la misma significación* para un cierto número de intérpretes (Morris 1949: 39).

b) *Función i.* Para Halliday es la función que permite expresar y definir las relaciones sociales y personales.

interpretativo En la gramática GT es el componente que interpreta el resultado de las estructuras sintácticas asignándoles apropiadas representaciones semánticas y fonéticas; para Chomsky y otros, semántica i. (ingl. *interpretive semantics*) es el nivel sintáctico que contiene todo el poder generativo de la gramática.

intérprete En semiótica, "cada organismo por el que algo se convierte en signo" (Morris 1949: 34).

intertextualidad Con Baxtin y, más tarde, Kristeva, llamamos i. a la relación que existe entre un texto y los otros textos del mismo período o del mismo autor. El conjunto de todos ellos forma un macrocontexto que contribuye fuertemente a orientar las posibles interpretaciones de cada uno de los textos.

intra- Prefijoide (del lat. *intra* 'dentro') en oposición a *inter-**.

intradiegético/extradiegético Términos de G. Genette (*Figures III*, Seuil, 1972, p. 229) para referirse, respectivamente, al narrador que se encuentra él mismo incluido en la historia que está contando (es un personaje de la narración, como Sheherezade en *Las mil y una noches* o los narradores de los relatos del *Decamerón*) y al que se encuentra fuera de la historia, distanciado de ella. → *heterodiegético/homodiegético*.

intransitivo Verbo que no admite objeto directo.

intratextualidad Hablamos de i. cuando un texto atribuye a sus fragmentos características ajenas a él, por ejemplo, utilizando como cita una narración hecha por otros.

intrínseco/extrínseco Referido a la ordenación de las reglas en una gramática GT, es i. el orden de las reglas que se impone sobre bases lógicas (B no puede operar si antes no ha sido aplicado A) y e. el que es dado por convención dentro de la específica descripción gramatical.

introflexión Procedimiento morfológico que conlleva no la adición de morfemas sino una variación dentro del morfema léxico: alem. *Maus/ Mäuse*, ingl. *foot/feet*, ár. *baḥar/ buḥūr*. En algunos casos se trata de

una apofonía* originada por una metafonía*.

intrusivo o **anorgánico** (alem. *Einschubvokal* 'vocal de apoyo') → *parásito*.

intuición El saber espontáneo que el hablante posee de las estructuras lingüísticas. → *"Sprachgefül"*.

invariable Elemento que no sufre modificaciones morfológicas como las preposiciones o los adverbios.

invariante Una unidad del sistema abstracto de la "langue" independiente de su realización concreta; por ejemplo, el fonema respecto a sus alófonos; "Dos miembros de un paradigma perteneciente al plano de la expresión (o al significado) se llama *conmutables* (o *ii.*) si la conmutación de uno de estos miembros con el otro implica un intercambio análogo en el plano del contenido (o en el significado)" (Hjelmslev 1971: 112).

inventario Si se establece un i. de los morfemas de una lengua se observará que tienden a diferenciarse netamente: para los morfemas gramaticales es posible establecer un i. limitado; la lengua posee un número finito (por ejemplo, las desinencias pueden ser sólo aquéllas y no otras, no está permitido alterarlas o crear otras nuevas); en cambio los morfemas léxicos constituyen un i. ilimitado: no sólo es casi imposible enumerarlos de modo exhaustivo (si se hace, por ejemplo en un léxico, se debe delimitar el *corpus** considerado: sólo ciertos autores o sólo el uso de un período o de un texto, etc.) sino que son también ilimitadas las posibilidades de añadir morfemas nuevos o de modificar los ya conocidos. Una noción cercana a la de ii. (o listas) limitados e ilimitados es la de clase abierta y cerrada*, sólo que éstas pueden comprender morfemas del mismo tipo gramatical (verbos regulares y verbos irregulares).

inversión *a*) → *hipérbaton*.
b) En la gramática GT la i. de reglas es la transposición del orden de las reglas en un ciclo*.

inverso (cfr. alem. *rückläufiges Wörterbuch*) Un diccionario* que enumera los lemas según el orden alfabético i. desde la última letra a la primera.

invertido ⇒ *postalveolar*.

IPA ⇒ *API*.

ironía (gr. *eiróneia*) Figura* estilística que consiste en el enunciar un contenido opuesto totalmente a aquel que se quiere comunicar en realidad, advirtiendo al destinatario —a través de la entonación, el énfasis, la hipérbole, etc.— de la clave justa de la interpretación: *Godi, Fiorenza, poi che se' si grande / che per mare e per terra batti l'ali / e per lo'nferno tuo nome si spande!* (Dante, *Inferno*, xxvi, 1-3). La i. puede ser vista como una especie de cita: el locutor se comporta como si estuviese exponiendo no una opinión suya sino la de alguien que él no comparte, demostrándolo a través de específicos gestos y enfatizaciones.

irradiación sinonímica (fr. *rayonnement*, en Dauzat, *Vie des mots*, p. 7) Evolución semántica paralela de dos o más sinónimos (Migliorini [1957: 11-22]). → *contagio*.

irrelevante Variación o rasgo no pertinente, no distintivo, para la caracterización. Por ejemplo, la aspiración de las oclusivas sordas intervocálicas en el italiano toscano es i. a fines distintivos: [pra:θo] es lo mismo que [pra:to] 'prado'. Pero un rasgo i. en el plano fonológico puede no serlo en el plano estilístico, sociolingüístico, etc.

isla (ingl. *island*) *a*) En gramática GT, término introducido por J. R. Roos (1967) para designar una configuración de elementos que se comportan como un conjunto único e indivisible ante los procesos transformacionales, como el sujeto de la frase o el SN complemento.
b) I. referencial es, por analogía, un bloque que es atraído enteramente por la referencia.

iso- (gr. *isos* 'igual') Prefijoide* que forma términos con el significado de 'que posee como igual o parecido *x*'.

isocronía o **isocronismo** (neol. del gr. *isókhronos* 'de igual período') Propiedad prosódica de las lenguas naturales, por la que el enunciado tiende a dividirse desde el punto de vista rítmico en secciones de igual duración temporal. Pike (1945) ha diferenciado la lengua en dos posibles tipos extremos, según tiendan a la i. silábica o a la i. acentual. En las lenguas con i.

acentual, como el inglés, la sección que se repite es el pie*, es decir, la secuencia que empieza con una sílaba acentuada y termina antes de la sucesiva sílaba acentuada; en aquéllas con i. silábica la sección es la sílaba misma.

isoglosa (*iso** y *glosa*, por analogía con los términos geográficos *isobara, isoipsa,* etc.) Es la línea ideal (que puede ser representada en un atlas lingüístico*) que delimita el ámbito espacial de un fenómeno lingüístico común; se puede definir, asimismo, como la línea que une todos los puntos que comparten un determinado fenómeno lingüístico. En el uso común equivale, sin embargo, a concordancia, punto de contacto: *el plural en -s en una i. hispano-sardo-ladina.*

isolecto Una isoglosa léxica, una forma léxica reconocida o aceptada (en formas sustancialmente semejantes) por lenguas habladas en zonas geográficas contiguas: *el nombre del elefante,* *slonŭ, *es un i. panslava.*

isomorfismo Principio de la glosemática, aceptado también por otras corrientes (Kurylowicz 1949), que implica el paralelismo completo entre el plano de la expresión y el del contenido por lo que debe ser posible segmen-tar el significado del mismo modo en que se segmenta el significante.

isotopía Término tomado por Greimas de la física y de la química para referirse a la interacción* de los clasemas que confiere al discurso su homogeneidad.

itacismo (neol. siguiendo el modelo de *betacismo,* etc., del nombre de la letra *êta*, pronunciado [ita]) Forma de "shibboleth"* histórica que indica la reducción de los timbres vocálicos que se ha producido en griego tardío y en bizantino, que ha cerrado en [i], entre otros, los sonidos que se transcribían gráficamente con la letra *êta*. Italcística o reuchliniana se llama también a la lectura del griego clásico según la fonética medieval y moderna, en contraposición a la lectura erasmiana (defendida por Erasmo de Rotterdam) que tiende a conservar los valores clásicos.

iteración → *repetición.*

iterativo *a*) Forma verbal que expresa una acción repetida, marcada morfológicamente por prefijos y sufijos, duplicaciones, etc.; < esp. *besuquear, resonar* >, it. *mordicchiare* 'mordisquear', *canticchiare* 'canturrear', etc.; en latín *visito* era un i. de *viso, video.*
   b) *Caso i. -temporal:* húng. *naponta* 'cada día, día por día'.

J

jerarquía (gr. *hierarkhía* 'el alto mando en los ritos sagrados', con extensión del significado) *a*) En general, tenemos una j. cuando entre unidades de la lengua (rasgos semánticos, formas léxicas individuales, construcciones sintácticas), o niveles (sintáctico, morfológico, fonológico) se establece una relación ordenada de tal modo que los elementos inferiores en la j., menos inclusivos, están subordinados a los elementos más altos, más inclusivos. Por ejemplo, una frase puede ser vista como una construcción jerárquica que se extiende progresivamente a partir de la fórmula sintáctica que la simboliza a las palabras individuales que la componen y a los sonidos que componen las palabras.

b) En glosemática, la j. es una clase de clases; existen de dos tipos, los procesos* y los sistemas*.

jerga (fr. *jargon*, originariamente, 'gorjeo de los pájaros' y, después, 'habla incomprensible') Variedad lingüística compartida por un grupo restringido (por edad o por ocupación) que es hablada para excluir a las personas ajenas de la comunicación y para reforzar el sentimiento de identidad de los que pertenecen al grupo. Una j. es el resultado de una estratificación de arcaísmos, neologismos, procedimientos metafóricos y otros recursos dirigidos a hacer irreconocibles las palabras de la lengua común o a crear nuevas formas; por extensión se puede llamar j. (habitualmente con una connotación burlesca o negativa) a una lengua especializada, a un tecnolecto*.

juego lingüístico La expresión es de L. Wittgenstein, que denomina j.l. al conjunto único constituido por el lenguaje y por las actividades que lo forman (*Philophische Untersuchugen* I, 7), una acción regulada socialmente cuya variedad se encuentra en relación con sus finalidades; la noción es retomada por S. J. Schmidt (*Texttheorie*, Finck, Munich, 1973) que observa el habla en su conexión de hablantes, situaciones, actos verbales y no verbales, como un juego de acción comunicativa.

juego verbal Un procedimiento de arte verbal* que consiste en el aprovechar las propiedades combinatorias de los significantes para obtener un intercambio de significados (*calambur*) o de secuencias fonéticas insólitas y difíciles (< esp. *trabalenguas* >, it. *scioglilingua*, ingl. *tonguetwister*). El juego es sobre todo oral, pero en muchas de sus formas puede ser aplicado también a una lengua escrita y en este caso supone la específica forma que los significantes adquieren por escrito, como el anagrama* que modifica el orden de las letras y no de los sonidos, o el palíndromo* que presupone una frase que puede ser leída al revés o el lipograma* que consiste en la supresión de una determinada letra. Los jj.vv. poseen unas reglas que cambian de grupo a grupo y pueden ir desde el simple ejercicio de imaginación (como en los jeroglíficos de los pasatiempos) a la comprobación de capacidades sociales. No falta una utilización literaria; eran, por ejemplo, parte integrante del programa de investigación estilística del Oulipo (Ouvroir de littérature potentielle), movimiento literario fundado en 1960 por François Le Lionnais y Raymond Queneau, que se proponía explorar las posibilidades de descomposición, alteración y generación matemática ofrecidas por los signos lingüísticos (cfr. los textos recogidos en *La bibliothèque oulipienne*, Ramsy, París, 1987, 2 vols.).

juntura (ingl. *juncture*, fr. *jointure*) Pausa virtual entre dos morfemas, a menudo con una función de distinción.

K

"**kenning**", plur. "**kenninger**" Figura estilística muy usada en los antiguos poemas escandinavos (el mismo nombre procede del antiguo nórdico) que consiste en la sustitución del nombre corriente de la cosa designada por una perífrasis descriptiva metafórica, casi siempre rebuscada o incluso críptica: los dientes son los 'escollos de la palabra', la batalla es 'la canción de las lanzas' o 'la voz de la espada', etc.

kinésica (del gr. *kínesis* 'movimiento') Estudio de los gestos y de los movimientos corporales dotados de un valor significativo convencional.

koiné (gr. *koinè diálektos* 'la lengua común' o **coiné** (del plural a la griega *koinài*) Nombre que recibe la variedad del griego basada en el ático que servía como vehículo de comunicación corriente a la muerte de Alejandro (se aplica también a la variedad del griego de uso corriente y coloquial, no literaria); aún hoy es usado en este sentido por los filólogos griegos. Por extensión, ha pasado a indicar también una variedad cualquiera de amplia difusión, no particularmente prestigiosa, nacida de la adaptación más o menos difícil entre variedades diversas que han eliminado las características particulares más destacadamente locales: *k. regional, k. dialectal veneciano.*

K

L

labial Articulación en la que los labios son uno de los órganos articulatorios (si son los únicos se habla de bilabial) o que posee un coeficiente labial (→ redondeamiento*): p. ej., [p,b].

labialización En fonética, coarticulación que conlleva un abocinamiento labial: es un ejemplo la articulación de los vocoides acentuados en ruso.

labiodental Articulación en la que el labio inferior entra en contacto con los dientes superiores, como en los fonos [f,v] o en el africado sordo [pf] de *Pfarr* en alemán. En italiano se llama generalmente "erre moscia" < algo así como 'erre floja o suave' > a un aproximante l., muy común entre los hablantes del italiano, en que los órganos articulatorios se acercan solamente, con una ligera fricción, y se eleva el dorso de la lengua (para el oyente es percibida casi como una /v/).

labiopalatal Articulación palatal con abocinamiento labial: [y] en fr. *bu* [by] 'bebido', [ɥ] en *nuit* [nɥi] 'noche', etc.

labiovelar Articulación velar acompañada de un redondeamiento: [u,o]; son l. las oclusivas coarticuladas como nasales y orales comunes en muchas lenguas del África Occidental [kp, gb, ŋm] donde tenemos la realización de dos coeficientes de lugar juntos; el término es usado también en lingüística indoeuropea pero para referirse a una serie de velares que están acompañados de un elemento labial: [kw].

lambdacismo Del nombre de la letra griega *lámbda*, siguiendo el modelo de *betacismo*. a) Repetición del sonido [l]: p. ej., el lat. *sol et luna lucent alba lenis lactea.*

b) En foniatría, la disartría* relativa a la articulación de la [l].

"langue" (fr. [lãg]) Habitualmente se tiende a no traducir la dicotomía de términos establecida por Saussure "l." y "parole"; su definición la encontramos en las fuentes manuscritas del *Curso*: "la 'l.' es un conjunto de convenciones necesarias adoptadas por la sociedad (*corps social*) para permitir el uso de la facultad del lenguaje por parte de los individuos. Con 'parole' se indica el acto del individuo que lleva a cabo su facultad a través de esa convención social que es la 'l.' ''. Se trata de la conocida oposición entre habla individual y lengua social, *Sprache* y *Rede* que se encontraba ya en G. von Gabelentz, A. Marty, F. N. Finck y H. Paul.

lapsus (lat., 'caída, error') Error, distracción, en el uso de un código lingüístico, oral (*l. linguae*) o escrito (*l. calami*).

larga → *cantidad*.

laringal Articulación cuyo diafragma se encuentra en la glotis; oclusiva laringal, lo mismo que 'golpe de glotis', etc. En la lingüística histórica las ll. son un símbolo, al que sólo algunos le atribuyen realidad fonética, postulado por Saussure (1879) para referirse a ciertas discordancias aparentes en la correspondencia entre los sonidos vocálicos en las más antiguas lenguas indoeuropeas.

laringalización Cualidad de voz obtenida con las cuerdas vocales relajadas y con un estrechamiento de las aritenoides, las cuales intervienen también en la vibración.

latente (ingl. *covert*) Una propiedad o característica que no se encuentra formalmente marcada en la estructura superficial pero que puede emerger en ciertos contextos o que es revelada por el comportamiento de otras formas que concuerdan con ella. → *criptotipo, virtuema*.

lateral Articulación en la que la lengua obstruye en parte la emisión del aire, apoyándose en el paladar; el aire sale por los lados y no por el centro de la lengua.

lateralización En neurolingüística, el proceso de localización definitiva —en áreas determinadas de la capa cortical del cerebro de uno de los dos hemisferios— de las diferentes funciones relativas al uso de los órganos; la l. del lenguaje en el hemisferio izquierdo se lleva a cabo generalmente después del segundo año de vida.

lativo Caso* con el valor de 'lugar al que se dirige la acción del verbo'.

laxitud (fr. *laxité*, ingl. *laxity*) → *relajado*.

lectal (ingl. *lectal*) Referido a la composición en lectos*, sobre todo en los derivados *polil.*, panl.**.

lecto (ingl. *lect*, de *dialect*) En la sociolingüística variacionista aplicada a los criollos se descompone el continuo lingüístico criollo en ll., como si fueran subestratos de rasgos lingüísticos, dispuestos en orden de creciente alejamiento de la lengua criolla: basilecto, mesolecto, matrilecto y acrolecto; el basilecto es el estrato con mayor caracterización criolla y es el más alejado del acrolecto que coincide con la lengua europea superpuesta; pero ya en el matrilecto el influjo de ésta ha provocado la pérdida de la mayor parte de los rasgos criollos (cfr. Ch.-J. N. Bailey, *Some suggestions for greate consensus in Creole terminology*, en

D. De Camp, I. F. Hancock, ed., *Pidgin and creoles. Current trends and prospects*, Washington, 1974, pp. 88-91).

lectura (lat. *lectura*, derivado de *lego*, originariamente 'recojo'; la misma metáfora la encontramos, por calco, en el alem. *lesen, Lesung*) *a*) La operación de descodificación de los signos de un sistema gráfico. Recordemos que la l. en Occidente se ha llevado a cabo durante mucho tiempo en voz alta, nuestra l. mental es silenciosa y relativamente reciente y se encuentra ligada al uso de escribir las palabras separadas entre ellas.

b) En el sentido del ingl. *reading* 'interpretación': *esta frase admite dos ll.*

lema (lat. *lemma* 'argumento, tema', del gr. *lêmma*, que significa también 'título de un epigrama') Unidad léxica en la forma en que viene registrada en el diccionario: *vengo, vendría*, se registrarían bajo el l. *venir*.

lematización (para Devoto y otros sería preferible *lemación*) La operación con la que se reducen las diferentes formas de un *corpus* o de un texto al respectivo lema*. Nótese que tal procedimiento es puramente convencional; en las lenguas europeas modernas un verbo se lematiza con el infinitivo, en griego antiguo con la 1.ª persona del sing. presente y en árabe con la 3.ª persona del sing. del tiempo perfecto.

lene o **"lenis"** Articulación no bien caracterizada: relajada, sorda sonorizada. ≠ *fuerte*.

lengua (lat. *lingua*, corradical* del alem. *Zunge* y del ingl. *tongue*) El concepto de l. podría definirse casi como axiomático, ya que para cada ser humano es intuitivo que exista (al menos) un sistema de elementos significativos que son usados para la comunicación mediante la voz u otros medios; es una concepción común el hecho de que el sistema históricamente determinado está estrechamente unido con la facultad humana que lo presupone y lo permite y con el pensamiento que lo estructura, cuando, en cambio, son tres dimensiones bien distintas. Dentro del ámbito del análisis lingüístico, es muy difícil dar una definición de los límites de este sistema. Desde fuera, la l. se nos presenta como el instrumento de comunicación del que hacen uso común los miembros de una cierta comunidad. La misma comunidad se comporta como si estas funciones estuvieran muy claras, desautorizando de una manera u otra a quien habla solo o a quien elude el carácter social del lenguaje, y considerando marginales o incluso no lenguas, las lenguas de los demás. La distinción entre l. y lenguaje ha sido subrayada especialmente por Saussure: "¿qué es la lengua? Para nosotros, no se puede confundir con el lenguaje; no es nada más que una determinada parte de éste aunque, ciertamente, sea esencial. La lengua es al mismo tiempo un producto social de la facultad del lenguaje y un conjunto de convenciones necesarias, adoptadas por el cuerpo social para consentir el ejercicio de esta facultad en los individuos. Considerado en su totalidad, el lenguaje es multiforme y heteróclito, a caballo entre bastantes campos, al mismo tiempo físico, fisiológico, psíquico; no se deja clasificar en ninguna teoría de los hechos humanos, porque no se sabe cómo entresacar su unidad. La l., por el contrario, es en sí misma una totalidad y un principio de clasificación. Desde el momento en que le asignamos el primer lugar entre los hechos del lenguaje, introducimos un orden natural en un conjunto que no se presta a otras clasificaciones'' (Sausurre 1968: 25). Si entendemos como l. el sistema abstracto y convencional de signos que se encuentra en la conciencia del hablante hay que distinguir entre este sistema y el acto concreto del hablar, momentáneo e individual, sujeto a leyes pero, asimismo, abierto a innovaciones y modificaciones; tal diferencia es expresada léxicamente en algunas lenguas: en alem. *die Sprache* y *die Rede*, en ruso *jazyk* y *rec*, en inglés *language* y *speech*, en el francés de Saussure *langue* y *parole*; en italiano se podría usar *il parlare, il discorso* <mientras que en esp. se usa *lengua* y *habla*>.

lengua común o **coloquial** Noción genérica usada en ocasiones, por ejemplo en glotología, para indicar la modalidad de lengua no marcada (no técnica, etc.) o la modalidad coloquial.

lengua escrita/lengua hablada (ingl. *written/spoken language*, fr. *langue écrite/parlée*, alem. *geschriebene/gesprochene Sprache*, r. *pis'mennyj/ustnyj jazyk*) En el pasado ha sido a menudo desviada la distinción fundamental que se establece entre las dos

formas, sea ignorando completamente la l.h., sea subordinándola de forma neta a la l.e. Si este fenómeno puede ser explicado en vista del prestigio que goza la l.e., durante el análisis lingüístico es necesario reconocer las peculiaridades de cada forma, a pesar de que, al menos en la tradición occidental, la l.e. nazca de la l.h. Si, con alguna variación, se puede considerar igual el léxico o la morfología, no es completamente igual la sintaxis (ciertas construcciones son admisibles sólo en la una o en la otra) y, de todas maneras, es claramente diferente la construcción del texto y la presentación de la información; cada forma tiene, además, sus propios sistemas para segmentar el texto y asegurar la comprensión o para poner de relieve un elemento con respecto a los otros.

lengua especial (alem. *Sondersprache*) Variedad lingüística de distribución reducida, reconocida como tal, propia de una casta, una clase de edad, un grupo (profesional y, en este caso, en alemán se hablaría más bien de *Fachsprache*) dentro de una comunidad (→ *jerga, tecnolecto*).

lengua estándar → *estándar* a).

lengua fuente (ingl. *source language*, alem. *Ausganssprache*) En lingüística aplicada, la lengua en la que está escrito el original que se traduce, o la primera lengua de quien debe aprender otra. ≠ *lengua objeto*.

lengua funcional Para Coseriu, una técnica del discurso que no presenta variaciones geográficas, de estrato o de registro (es decir, sintópica, sinstrática y sinfásica).

lengua individual Noción de Baudouin de Courtenay (r. *individual'nyj jazyk*, 1901), retomada por Devoto (1951: 7) "un sistema lingüístico dentro de los límites consentidos por el sistema colectivo".

lengua materna (alem. *Muttersprache*, ingl. *mother tongue*, etc.) A menudo se denomina de este modo a la primera lengua aprendida por un hablante, en la convicción de que ésta es también la lengua de la madre.

lengua mixta (alem. *Mischsprache*) Para Schuchardt, una lengua con características híbridas, generada por el contacto entre varias lenguas (aunque Schuchardt observaba que, en cierta medida, todas las lenguas son ll.mm.); A. Rosetti distingue ulteriormente entre l.m. (*langue mixte*) en la que se compenetran las morfologías de varias lenguas, y l. mezclada (*langue mélangée*) que contiene sólo préstamos aislados (*Langue mixte et mélange des langues*, "Acta Linguistica" 5 [1945-49], pp. 72-79).

lengua natural → *naturale*.

lengua objeto (ingl. *target language*, alem. *Zielsprache*, fr. *langue-cible*) En lingüística aplicada, la lengua que es objeto de estudio o aquélla en la que se expresa el texto que se traduce. ≠ *lengua fuente*.

lengua por elaboración Traducción propuesta por Ž. Muljačić para el tér-

mino alem. *Ausbausprache**; en la terminología de H. Kloss se distingue entre lenguas que son diversas de aquellas contiguas debido a características propias (por ejemplo, el vasco en la península ibérica), *Abastandssprachen*, y lengua cuya autonomía es construida según un proceso consciente, acentuando las diferencias respecto a las otras (ll. por e. *Ausbausprachen*). Un típico caso de l. por e. es la lengua literaria. La formación por elaboración tiene una notable relevancia desde el punto de vista sociolingüístico por lo que respecta a los sentimientos de identificación* y de fidelidad lingüística*.

lengua receptora (ingl. *recipient language*) ⇒ *lengua objeto*.

lenguaje En el lenguaje corriente l. y lengua son más o menos sinónimos; se utilizará l. para la facultad de lenguaje (alem. *Sprachvermögen*, fr. *faculté de langage*) aunque incluso este uso específico muestra oscilaciones. Según el Círculo de Praga se tiene que distinguir entre un l. teórico o de formulación (el que, usando palabras-términos y frases-juicio, tiende a la comunicación precisa y unívoca de significados y conceptos) y un l. situacional o práctico, constituido por los actos comunicativos fundados en elementos extralingüísticos complementarios (Rosiello 1965: 67). Para la concepción saussuriana → *lengua*.

lenguaje abreviado (ingl. *speech surrogate*) Sistema de signos con valor comunicativo usado como sustitución lingüística de las lenguas naturales:

por ejemplo, los lenguajes construidos a base de silbidos o los lenguajes donde se comunica mediante el tambor, etc.

lenguaje infantil (ingl. *child language*, alem. *Kindersprache*) La producción lingüística del niño, desde su nacimiento hasta los tres años de vida. ≠ *baby talk*.

lenguaje ordinario (ingl. *ordinary language*) En la filosofía analítica inglesa se denomina así a la lengua natural corriente, coloquial, para distinguirla del lenguaje formal de la lógica; la reflexión de los analistas ingleses se basa, de hecho, en las peculiaridades que diferencian el l. o. de la expresión lógica, origen de incomprensiones o, incluso, de diatribas filosóficas.

lenguaje sectorial ⇒ *tecnolecto*.

lenguaje subvocal (ingl. *subvocal speech*) Se llama así a la actividad —no audible— de los órganos de fonación que acompaña en ocasiones —en momentos de menor o reducido control— las actividades como el leer, el pensar o el contar, como si se articulasen realmente las palabras leídas o pensadas. No coincide con el discurso endofásico, que es exclusivamente mental, aunque éste pueda fácilmente difuminarse en el l.s.

lenguas de documentación fragmentaria En algunas áreas lingüísticas puede establecerse una división entre lenguas ampliamente documentadas (en documentos literarios, epígrafes, archivos, etc.) y lenguas documentadas sólo de modo reducido y fragmentario (en alguna inscripción funeraria o por algún nombre propio encontrado en algunos objetos o en glosas en obras lexicográficas y gramaticales); para éstas se puede usar la denominación de l. de d.f., siguiendo el modelo del alem. *Trümmersprachen*. La designación de "Restprachen", a veces usada como equivalente de "Trümmersprachen" se usa referida a las llamadas "lenguas residuales", es decir, las lenguas que parecen atestiguar una distribución y una situación lingüísticas más antiguas respecto a la difusión de una corriente innovadora: las lenguas habladas en las lagunas de la Costa de Marfil respecto a la difusión homogénea de las lenguas kwa, algunas lenguas del Pamir respecto a la difusión indoiraní, etc.

lenición Proceso de cambio por el que una consonante pasa del modo oclusivo o africado al modo fricativo o aproximante; en general se da en posiciones de menor energía y claridad articulatoria (p. ej., en posición intervocálica): *l. céltica*. Constituye un ejemplo la llamada *gòrgia*, un fenómeno específico de la variedad del italiano toscano; en posición intervocálica (pero no en posición inicial o después de otra consonante o en una duplicación sintáctica) las oclusivas y las fricativas sordas pasan a pronunciarse como la aspirante o aspirada correspondiente, con variantes: [la hasa, staθo, kaβo/ < 'la casa, estado, jefe' >, pero [kasa, akkasa].

lento → *tempo*.

lexema (del gr. *léksis*) Un morfema pertinente al léxico.

lexemática Para Coseriu, el estudio del contenido léxico de las lenguas, es decir, de su significado léxico.

lexía (fr. *léxie*) *a*) Para Hjelmslev, una unidad que puede ser analizada por selección; más o menos el equivalente de la frase.

b) Para Barthes, una unidad de lectura del texto, de dimensiones variables, delimitada de manera provisional a la espera de análisis ulteriores.

c) Para Pottier, una unidad simple o compleja del plano léxico que sustituye la noción de palabra: <*sacacorchos*>, *manomorta, port-manteau*, etc. (para Greimas es el paralexema).

lexical Relativo al léxico. Reglas l. → *regla lexical.*

lexicalización Proceso mediante el cual una construcción se convierte en un solo elemento léxico o se comporta como un elemento único: <*en menos que canta un gallo*>; especificaciones de la lengua como *sin embargo, a pesar de todo*, etc.

léxico (gr. *leksikón*, implícito *biblíon*, derivado de *léksis* 'dicción, palabra', que sería el 'libro que recoge las palabras') *a*) El conjunto de los morfemas base y de las posibles formas de derivación de una lengua, considerados sobre todo desde el punto de vista de su significado y no desde aquel de sus funciones morfosintácticas. Dentro del l. de una lengua se podrá distinguir entre varios subconjuntos,

según el punto de vista considerado: según el origen (el l. de origen árabe, germánico, etc.), la especialización por argumentos y dominio de uso, la frecuencia, etc.

b) El instrumento material que recoge el l. de una lengua o de un autor; *un l. etimológico del griego.*

l. fundamental o de base (r. *osnovnòj solvàrnyj fond*). El rumano B. Hasdeu, seguido luego por W. D. Whitney, A. Meillet y —después de las intervenciones lingüísticas de Stalin— por muchos lingüistas soviéticos y de la Europa Oriental han expresado la convicción de que en cada lengua existe un l.f. que se modifica y es sustituido con un ritmo más lento que aquél al que es sometido el resto del vocabulario; dado que es intuitivo, este l. es el que recoge los signos de mayor relevancia cognoscitiva y cultural de una sociedad. Noción análoga a ésta, aunque haya sido formulada de manera independiente, es la de l. o vocabulario de base usada por M. Swadesh en su glotocrología* (según las versiones, comprende de cien a doscientos signos). Con muchas menos implicaciones culturales, en lingüística aplicada se llama l. de b. a un subconjunto mínimo de léxico de una lengua que está formado por las voces de máxima frecuencia y que es considerado suficiente para las funciones comunicativas mínimas.

l. latente activo y pasivo. El l. no documentado como tal pero que se presupone a partir de otras formaciones, por ejemplo en italiano *bambino* <'niño'>, *bambola* <'muñeca'>, presuponen un *bambo* que ha caído en desuso.

lexicoestadística (ingl. *lexicostatistics*) Un método de determinación de las agrupaciones genéticas entre lenguas que se basa en la valoración estadística de las afinidades descubiertas en extensos muestrarios* de formas; la amplitud del muestrario intenta eliminar el riesgo de semejanzas fortuitas. La l. es utilizada para la clasificación de familias lingüísticas muy numerosas, cuya historia desconocemos y, de hecho, nos permite reconstruir con cierta verosimilitud la historia interna, labor compleja y dificultosa para los métodos ordinarios de la lingüística histórica. → *glotocronología*.

lexicoestilística Estudio de las palabras consideradas según sus valores expresivos y sociocontextuales (Guiraud).

lexicógeno (fr. *lexicogène*, neol. 'que genera la forma léxica') *Sema l.* → *sema lexicógeno*.

lexicografía La técnica y la práctica de la codificación y de la transmisión del patrimonio léxico de una lengua o de un subconjunto de la lengua (un tecnolecto*, la lengua de un autor, etc.). → *diccionario, léxico, vocabulario*.

lexicología El estudio de los morfemas de la lengua, es decir, de las palabras y de las unidades significativas que las componen (así como la fonología estudia el nivel de los fonemas y la sintaxis el nivel de la frase). ≠ *lexicografía*.

ley fonética En la terminología de la lingüística histórica, a partir de los Neogramáticos, se llama l., siguiendo el modelo de las ciencias naturales, a la formulación de una transformación histórica, equivalente diacrónico de lo que sincrónicamente es una regla; "cada transformación fonética, desde el momento en que procede mecánicamente, se cumple según leyes que no admiten excepciones (alem. *ausnahmolose*), es decir, la dirección de la mutación fonética, exceptuando el caso de una fragmentación dialectal, es siempre la misma para todos los que pertenecen a una comunidad lingüística, y todas las palabras en las que aparece, en las mismas condiciones, el sonido que sufre la transformación se ven sometidas sin excepción a la mutación" (H. Osthoff, K. Brugmann, *Morphologische Untertsuchungen*, 1878, p. xiii). Una ley toma casi siempre el nombre de quien la ha formulado por primera vez; entre las más conocidas se encuentran las leyes de Grimm, las de Verner, las de Collitz, las de Bartholomae y las de Lachmann.

"liaison" (fr. [ljɛsɔ̃] 'unión') Término tradicional de la gramática francesa para indicar el uso de morfemas que evitan el hiato entre las vocales finales de una palabra y las iniciales de la siguiente: fr. [de] 'de los, de las ', pero [dez] seguida de vocal, análogamente, r. *o kamen* 'en la piedra', *o literature* 'en la literatura' pero *ob ruku* 'en la mano'; lat. *a te, ab amico*.

libre *a) forma l.* → *forma* a).
 b) variante, variación l. no causada por el contexto.

ligado → *forma* a).

ligamiento *a*) o **transición** (los dos términos tienen que ser entendidos en su acepción musical, al igual que es un término musical el equivalente *glide* 'sonidos de transición'). Una clase de sonidos que presentan una relevancia fonológica más que fonética; se trata de aproximantes como [j,w] que se caracterizan fonológicamente por el hecho de ser [consonántico, -silábico].

b) En la gramática GT, trad. del ingl. *binding*. L. *y rección (l. e reggenza)* (ingl. *government and binding*) es una teoría sintáctica que prevé una serie de ll.; un constituyente está ligado si es un argumento correferencial de otro argumento o de un operador.

limitativa Una proposición subordinada que establece una condición a la que se debe someter lo que ha sido expresado en la principal: *... por lo que ha sabido... por lo que sé... siempre que tú lo desees...*

límite (ingl. *boundary*) Unión entre morfemas que puede presentarse con fuerza diversa en cuanto a la permeabilidad respecto a las reglas; se indica con símbolos diferentes.

línea de contenido En el análisis de la glosemática, distribución que considera la forma de contenido en la lengua.

línea de expresión En el análisis de la glosemática, distribución que considera la forma de expresión en la lengua.

linealidad (fr. *linearité*) La propiedad que poseen los enunciados lingüísticos que forman la cadena hablada* de sucederse secuencialmente y no simultáneamente en el tiempo. Tanto en el *Curso* como en las anotaciones manuscritas Saussure afirma el carácter lineal del significante: "el significante, al ser de naturaleza auditiva, se desarrolla solamente en el tiempo y posee las características que extrae del tiempo: *a*) representa una extensión y *b*) tal extensión se mide en una sola dimensión: es una lengua... En oposición a los significantes visivos (señales marítimas, etc.) que pueden ofrecer complicaciones simultáneas en más de una dimensión, los significantes acústicos poseen sólo la línea del tiempo: sus elementos se presentan uno detrás del otro: forman una cadena" (Saussure 1968: 103); "... y la cadena fónica tiene como primera característica la de ser lineal. Considerada en sí misma, no es más que una línea, un trazo continuo en el que el oído no percibe ninguna división suficiente y precisa; por ello, es necesario recurrir a las significaciones" (Saussure 1968: 145). Tal aserción ha sido entendida referida a la sucesión de los fonemas en la cadena (en contradicción con el hecho de que ya el fonema es un conjunto de rasgos concomitantes); pero Saussure parece no referirse a los fonemas sino a los morfemas. Las que Saussure llama "unidades indivisibles", es decir, los fonemas, "no poseen significado, no son signos, sino elementos constitutivos de un signo" (Saussure 1968: 419).

linealización Proceso de alineamiento y ordenación secuencial de la jerarquía de los componentes profundos del enunciado en la sucesión unidimensional realizada realmente. El hecho de que los componentes sean producidos a lo largo de una dimensión lineal permite hablar de una izquierda (el principio) y de una derecha (el final) del enunciado, y, por lo tanto, de construcción a la derecha o a la izquierda.

"lingua franca" (ár. *lisān al-faranj* 'la lengua de los Francos, es decir, de los Occidentales') En su origen, una modalidad híbrida*, con base italiana que se hablaba en el Mediterráneo en la Edad Media; hoy (el término italiano es usado por las otras lenguas) se aplica a una lengua usada habitualmente como medio de comunicación entre hablantes que poseen lenguas maternas diversas; por ejemplo, la lengua materna de un grupo lingüístico que por motivos históricos y sociales (conversión, colonización) se difunde más o menos profundamente entre otros grupos (el árabe, el inglés, el francés, el portugués en África), eventualmente con modificaciones y simplificaciones características de las lenguas de contacto (con el swahili en el África Oriental); o un pidgin* nacido por el contacto entre dos o más grupos lingüísticos, en un principio limitado a una sola función (por ejemplo, como jerga comercial) y, más tarde, ampliado a otros dominios y en contacto con otros grupos lingüísticos (como la l.f. del Mediterráneo, el pidgin English en África Occidental, etc.). → *sabir*.

lingüística El estudio científico del lenguaje humano. En italiano el término l., siguiendo el modelo alemán y francés, empieza a ser usado desde 1854 con las primeras obras de Ascoli; pero bien pronto, desde 1867, el mismo Ascoli adopta el término *glotología** y sus derivados. A partir de los años sesenta, sin embargo, también el influjo de otras lenguas europeas (fr. *linguistique*, ingl. *linguistics*, r. *jazykoznanija*, esp. *lingüística*, etc.) y por una exigencia de motivación, l. ha vuelto a ser usado, acompañado muy a menudo, en un uso más especializado, por un adjetivo que precisa los métodos y el ámbito de acción.

lingüística antropológica (ingl. *anthropological linguistics)* → *etnolingüística*.

lingüística aplicada (ingl. *applied linguistics*, alem. *angewandte Linguistik*) Rama que utiliza el estudio científico de la lengua con fines educativos, prácticos o clínicos. El término había sido introducido por Migliorini, pero en la acepción restrictiva de glototécnica*.

lingüística areal El estudio de una lengua individual pero perteneciente a un área lingüística*; el estudio fue introducido por F. Boas, quizá el primero que aplicó el concepto de área, que, de todas maneras, presenta numerosos puntos de contacto con el de alianza de lenguas*.

lingüística comparativa (alem. *vergleichende Sprachwissenschaft*, fr. *linguistique comparée*, ingl. *comparative linguistics*, r. *sravitel'naja jazykoznanja*) Un método lingüístico basado en el presupuesto de una diversificación constante y regular entre las lenguas de una misma familia*; la l.c. estudia las relaciones y las equivalencias entre las formas de estas lenguas que son afines en cuanto al significado y pueden ser remitidas a significados comunes. Si bien los argumentos de la l.c. coinciden sustancialmente con los de la lingüística histórica, en la práctica de la investigación las actitudes pueden ser notablemente diversas; por ejemplo, la l.c. se caracteriza por el interés en la reconstrucción, las protoformas*, la clasificación*, etc.

lingüística computacional Un método de análisis que estudia, cada vez recurriendo más a menudo a la ayuda de tecnologías sofisticadas, los conjuntos de datos lingüísticos según sus propiedades estadísticas; la l.c. presenta numerosas implicaciones prácticas y aplicativas, desde la preparación de diccionarios al reconocimiento automático de formas escritas y habladas. → *lingüística matemática, lexicoestadística, cuantitativo, estadística lingüística.*

lingüística contrastiva → *contrastivo* b).

lingüística del texto o **textual** (alem. *Textlinguistik*, introducido por H. Weinrich) Especialización lingüística que estudia la organización de las unidades lingüísticas en un nivel superior al de la frase, y, por lo tanto, las condiciones y las reglas para la construcción y la estructuración interna de un texto* lingüístico, sus funciones y sus condiciones de inteligibilidad.

lingüística descriptiva → *descrittivo.*

lingüística espacial Corriente promovida por Bertoni y Bartoli (que tiene como manifiesto los *Principi di neolinguistica* de 1925), que da cuenta de la distribución areal de las diferentes lenguas (→ *areal, norma*); el principal interés de este tipo de investigación es la conservación o no conservación de un determinado fenómeno de la lengua común de origen y, en este sentido, coincide sólo nominalmente con la lingüística areal americana, mucho más rica en lo que respecta a los intereses tipológicos y sociolingüísticos.

lingüística estructural Método, orientación de análisis lingüístico basado en la determinación del carácter estructural de la lengua, "por l.e. se entiende un conjunto de *investigaciones* basadas en una *hipótesis* según la cual es científicamente legítimo describir el lenguaje *esencialmente*, como una *entidad autónoma de dependencias internas* o, en una palabra, una *estructura*... El análisis de esta entidad permite separar constantemente una serie de partes que se condicionan recíprocamente, cada una de las cuales depende de otras y no sería concebible ni definible sin éstas. [La hipótesis] reduce su objeto a una serie de dependencias, y ve los actos lingüísticos uno en razón del otro" (Hjelmslev 1971: 29, 31).

lingüística general En la lingüística de este siglo ha empezado a ser utilizado el término *gramática general*; pero *linguistique générale* es un término usado corrientemente en A. Meillet que titula así una conferencia inaugural en 1906; el *Curso de l.g.* de Saussure se publica en 1916 con las mismas finalidades: "el lenguaje es una institución dotada de una autonomía propia; es necesario determinar las condiciones generales de desarrollo desde un punto de vista estrechamente lingüístico, y éste es el objeto de la lingüística".

lingüística histórica Un método que tiene como objeto de estudio la transformación, la modificación en el tiempo de un sistema lingüístico. → *clasificación* a), *diacrónico, mutación, parentesco lingüístico, reconstrucción.*

lingüística matemática Denominación que comprende la lingüística cuantitativa *(lexicoestadística)* o estadística lingüística y la lingüística algebraica. En el primer caso los métodos estadísticos y cuantitativos se encuentran al servicio de investigaciones de tipo tradicional (lexicológicas, fonológicas, etc.), en el segundo, los datos lingüísticos son formalizados y se convierten en elementos de operaciones logicomatemáticas.

lingüística pragmática o pragmalingüística Orientación reciente (cuyos máximos teóricos han sido los alemanes D. Wunderlich y U. Maas en los años setenta) que se concentra en el habla como acción y estudia (sirviéndose de conceptos de la teoría de los actos lingüísticos, de las estrategias discursivas, de las finalidades y de la lingüística cognoscitiva) cómo se establece, se mantiene y se modifica la relación entre interlocutores, y cómo se puede influir sobre los otros a través

del lenguaje o cuáles son las condiciones para la consecución del acto lingüístico.

lingüística textual → *lingüística del texto.*

lingüística tipológica Se atribuye a Friedrich Schlegel (*Über die Sprache und Weisheit der Indier*, Heidelberg, 1808) el primer intento de subdividir las lenguas del mundo según su tipología. Su clasificación, que distinguía entre lenguas sin estructura gramatical, lenguas con afijos y lenguas con flexión, fue perfeccionada por August Wilhelm Schlegel, que subdivide las lenguas con flexión en analíticas y sintéticas. Esta distribución es aceptada, con mínimos retoques, en todas las clasificaciones del siglo XIX y, sobre todo, en la de A. F. Pott (1802-87) que, en 1849, basándose en algunos conceptos de W. von Humboldt, propuso una disposición de las lenguas según cuatro tipos* posibles: aislantes (*isolierend*), como el chino, aglutinantes (*agglutinierend*), como el turco, flexivas (*flexivisch*), como las lenguas indoeuropeas e incorporantes (*einverleibend*), como las lenguas americanas. El desarrollo de la lingüística histórica, concentrada sobre las grandes familias de lenguas (la indoeuropea, sobre todo, pero también la semítica y la bantú), conducía necesariamente a la reducción del interés por la lingüística tipológica que debe ampliar su examen a muchas, si no a todas las familias lingüísticas del mundo. El interés renace sobre todo con los lingüistas americanos, Boas, Sapir y, después, Greenberg; una fuerte atención en sentido universalista es la de Jakobson, en el ámbito de una teoría general del lenguaje.

lipograma (neol. del gr. *leípein* 'dejar' y *grama*) → *juego verbal.*

líquida Término de la gramática tradicional (gr. *hugrós*) para indicar los sonidos continuos del tipo de [l,r,m,n].

lista abierta y cerrada → *inventario ilimitado y limitado.*

lítote (gr. *litótēs* 'simplicidad') Figura que afirma un contenido negando lo contrario: *No es una gran belleza; Fulano no había nacido con un corazón de león; pero la operación no habría sido llevada a cabo sin riesgo y sin pérdidas de vidas humanas;* la l. puede incluso reducirse a un solo adjetivo, doblemente negado: *no infrecuente, no irrelevante*, ingl. *non uncommon.*

local, transformación En la gramática GT, una transformación* que afecta a una secuencia dominada por un único símbolo categorial; por ejemplo, en inglés, la regla para la colocación del acento depende no sólo de la composición de la forma que debe ser acentuada sino también, y sobre todo, de su categorización en términos de nombre, adjetivo y verbo.

locativo *a*) Caso* espacial que indica lugar: húng. *kaposvár-t* 'a K'.

b) En la gramática de los casos* el caso que indica la posición y la orientación en el espacio del estado o de la acción indicados por el verbo.

locución *a*) Término genérico utilizado para indicar un sintagma, una expresión, una frase idiomática, etc.

b) El acto llevado a cabo por el locutor (fr. *locution*, ingl. *locution*), lo mismo que elocución; en este caso, se podría distinguir en las elocuciones una ilocución y una perlocución, según consideremos la fuerza ilocutiva* o perlocutiva*.

locución afectiva (ingl. *term of endearment, endearer*) Forma particular o modificación de una forma corriente neutra, utilizada en el discurso para obtener una interacción de determinadas connotaciones íntimas: *hijo mío, cariño*, en hindi *bēṭē*, plural de *bēṭā* 'hijo'. En sentido opuesto, un insulto cualquiera puede ser usado en el discurso con función de modificador despreciativo o peyorativo de la interacción (ingl. *derogator*): hindi *gadhā* 'asno', *pājī* 'desgraciado', *ullū* 'mastuerzo, majadero'.

"locus" (lat., 'lugar', plur. **"loci"**) La teoría de los ll., descubierta por Delattre en 1962 y demostrada por M. Durand mediante la construcción de espectros acústicos artificiales, permite señalar los rasgos acústicos discretos e invariables que corresponden a la distinción de los puntos de articulación* labial, dental y velar en un contoide. Tales puntos se manifiestan por una transición que depende del contexto vocálico. El l. es el punto teórico imaginario colocado en la escala de las frecuencias en el que convergen las diferentes transiciones* de cada contoide; en general, es bajo para los contoides labiales, medio para los dentales y doble (alto y bajo) para los velares.

locutivo o locutorio, acto En la teoría de los actos lingüísticos, el acto mismo de producir un enunciado dotado de significado; este enunciado puede tener diversa fuerza ilocutiva* y, eventualmente, perlocutiva*.

locutor (fr. *locuteur*) Lo mismo que hablante.

logatomo Secuencia sonora sin significado reconocible producida en experimentos psicolingüísticos.

logográfica, escritura Término de Bloomfield (1933: 285 y ss.) que sustituye la expresión, no satisfactoria, de *escritura ideográfica* (→ *ideograma*) para designar una escritura en la que cada elemento representa simbólica y globalmente la secuencia completa de una palabra de la lengua.

logograma (neol. del gr. *lógos* 'palabra' y *-grama**) Un elemento gráfico que representa un entero morfema de la lengua hablada o una secuencia de *n* segmentos fónicos: por ejemplo

<6> que representa el significado [seis]. En la lectura rápida, incluso de sistemas alfabéticos, las palabras son reconocidas como ll., como lo demuestra el hecho de que no siempre se distinguen los errores de imprenta.

logopedia (neol. del gr. *lógos* y *paidía* 'educación') La técnica de reeducación (llevada a cabo por el logopedista) de las facultades articulatorias perturbadas.

logotécnica Procedimiento de "construcción" planificada de un lenguaje por parte de un grupo en el ámbito de los modelos semiológicos diversos de la lengua.

longitud ⇒ *duración*.

lugar de articulación o punto de articulación En fonética, el punto donde se forma el diafragma* de una articulación y que da nombre a esa misma articulación: por ejemplo, si el diafragma está formado por el dorso de la lengua y por el velo del paladar, como en la [k], la articulación se llamará velar. → *modo* b).

LL

llano ⇒ *paroxítono*.

M

macro- Prefijoide (gr. *makrós* 'grande') que dota a la unidad prefijada del significado de 'que posee el orden de grandeza máximo en una polaridad': *macrodiglosia/microdiglosia, macrosistema/microsistema.* ≠ *micro.*

macrofunción Para Halliday, cada una de las funciones lingüísticas fundamentales, que abarca un abanico de usos determinados del lenguaje; la función interpersonal*, la función textual* y la función ideativa*.

macrolingüística Para G. L. Trager (*The field of linguistics*, Norman, Oklahoma, 1949) m. es la consideración más totalizadora del lenguaje, que incluye la metalingüística y la microlingüística, además de la prelingüística, es decir, las condiciones biológicas del habla. Más recientemente, como fruto de una sensibilidad sociolingüística más compleja, el problema de la distinción entre una lingüística formal y un estudio totalizador del habla está aún vigente y el concepto de m. ha sido modificado; se intentará estudiar al que habla y a quién, en qué variedad de lengua, cuándo, dónde, de qué argumentos, con qué intención y con qué consecuencias sociales.

macrosemiótica Para Greimas "los dos vastos conjuntos significantes, el mundo natural y las lenguas naturales, que constituyen el dominio de las semióticas naturales".

macrosociolingüística → *sociolingüística.*

magnitud Un funtivo que no es simultáneamente función*.

mando (ingl. *command*) En gramática GT se llama m. a un determinado tipo de influencia ejercida por un constituyente sobre otro; no se trata simplemente del dominio de un nudo más alto sobre otro más bajo en el indicador sintagmático; si tomamos una frase como *él corrió hacia la salida*:

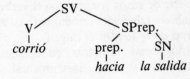

hacia manda sobre *la salida* porque la definición de m. es que *x* manda sobre *y* si y sólo si el primer nudo que domina *x* domina también *y* y *x* no domina *y* ni viceversa.

marca de correlación (alem. *Merkmar*, fr. *marque*, r. *priznak*) En la terminología del Círculo de Praga es el rasgo fonológico que distingue, con su presencia o ausencia, dos series fonemáticas* o dos elementos en correlación*. Por ejemplo, en la correlación /p/ ~ /b/, la m. de c. es la sonoridad; en una acepción más amplia, m. se puede usar referido a cualquier oposición, incluso no fonológica.

marcado/no marcado (alem. *merkmalhaft, merkmalhaltig, merkmaltragend/merkmallos*, fr. *marqué/non marqué*, ingl. *marked/unmarked*) Se denomina m. al término que presenta la marca de correlación* y no marcado al otro. En un sentido más amplio, *no m.* ha pasado a significar 'previsible, menos informativo'; por ejemplo, en italiano o en español el masculino es menos m. que el femenino: diciendo "Tengo tres hijos" no especifico el sexo de éstos, lo hago, en cambio, si digo "Tengo tres hijas". Para Hjelmslev la oposición se da entre intensivo y extensivo.

marco casual (ingl. *case frame*) En la gramática de los casos, el contenido estructural de un verbo, dado por la serie de casos con los que el verbo establece relaciones semánticas: así el verbo *abrir* tendrá el m.c. [_____O (I)(A)], donde las letras, que indican los casos Objetivo, Instrumental y

Agentivo, sirven para señalar esquemáticamente que un Agente *abre* un Objeto con un Instrumento.

margen (ingl. *margin*) En algunas teorías fonéticas, se denominan mm. a las partes externas al núcleo en una sílaba, por ejemplo [n -n] en la sílaba [non].

margen de seguridad → *campo de dispersión.*

marginación → *dislocación.*

masculino → *género* a).

mate →*estridente/mate.*

materia *a*) Los nombres de m. poseen en ocasiones un comportamiento específico como, por ejemplo, el de la imposibilidad de ser numerados; en latín existe un ablativo de m.: *auro confecta.*

b) En los sistemas semiológicos, junto al de lengua y al de uso se debe introducir también el concepto de m. (incorporado por Hjelmslev, que usaba *matière* en francés y *purport* en inglés) como soporte de cualquier posible significación de la expresión (no sólo aquella ligada a los actos lingüísticos en sentido estricto) y así llamaremos m. a la tela en una código de banderas o en el lenguaje de la moda, al gesto en un código gestual, etc.

matrilecto → *lecto.*

matriz *a*) En fonología, la especificación organizada visivamente en filas y columnas como en una m. matemática, de rasgos* de una secuencia fonológica. → *representación* b).

b) *Frase m.* (fr. *phrase matricielle*, alem. *Matrixsatze*). Una frase que domina a otra, llamada frase constituyente.

c) En sociolingüística, en sentido genérico, se puede hablar de m. sociocultural de determinados fenómenos.

mecanismo de proyección → *proyección*.

medio a) En fonética, dícese del sonido vocálico articulado con la masa de la lengua situada en la zona central de la cabidad bucal (ingl. *mid*).

b) Diátesis* m. es la de algunos verbos formalmente pasivos (*detenerse*), la de los deponentes* latinos, etc.

c) (ingl. *medium*). Modalidad expresiva (lengua hablada, escrita, gesto, etc.); se distinguirá entre medio y canal, que alude a las condiciones físicas que permiten la comunicación; la variación respecto al m. se denomina diamésica*.

melodía de frase (alem. *Satzmelodie*) El perfil melódico del enunciado completo.

mensaje Aunque el término de por sí no es extraño en la historia de la comunicación verbal, su mayor grado de especialización y su uso aumentado se deben a la difusión de la teoría de la información hacia finales de los años cincuenta y, sobre todo, a la adopción de ésta como base para las formulaciones divulgativas de Jakobson. En esta perspectiva, la comunicación lingüística no es más que una de las infinitas posibilidades de comunicación a través de mensajes. Para transmitir un m. es necesario, en primer lugar, la existencia de un emisor y de un destinatario y, después, de un canal* o contacto que permita materialmente esta transmisión; además, para que el destinatario pueda descodificar el m. hace falta que el código* en que es codificado el m. sea común a quien lo transmite y a quien lo recibe. ''Transmitir un m. quiere decir establecer uno de los contactos sociales que se llaman 'información', 'interrogación' u 'orden': quien emite un signo, es decir aquel que lo produce originando lo que se llama 'acto sémico', lo hace para informar de algo a quien lo recibe, o para interrogarlo sobre algo, y esta información o interrogación u orden, constituye el m. que el emisor intenta transmitir sirviéndose del signo'' (Prieto 1966: 91).

merisma (fr. *mérisme* del gr. *mérisma* o *merismós* 'fracción, parte') Término de Saussure, no recogido, sin embargo, en el *Curso*, y de Benveniste (1966) para indicar el rasgo distintivo.

mesolecto (ingl. *mesolect* del gr. *mésos*, 'medio' y *lect* 'lecto*') En un continuo* de variedades lingüísticas se denominan así a las variedades intermedias.

meta- (del gr. *metà* 'más allá') Prefijoide* que forma términos que indican 'más allá de *x*'.

metacomunicación Término de Watzlawick para referirse a las indicaciones que los mismos hablantes dan sobre el tipo de comunicación: "Lo que quiero decirte es que no me parece justo", "Lo digo sólo por tu bien".

metacronía Noción que Hjelmslev contrapone a la diacronía y que "estudia las condiciones internas del cambio, contenidas en la estructura funcional de la lengua misma, mientras que la diacronía estudia la intervención de los hechos externos" (1971: 145).

metafonía, metafonesis (calco con elementos griegos siguiendo el alem. *Umlaut*) Palatalización de una vocal posterior en virtud de una vocal palatal de la sílaba siguiente; si esta segunda vocal es un morfema que desaparece a lo largo del tiempo, la vocal metafónica, que en un principio era sólo una variante combinatoria, puede impregnarse de valor morfológico: alem. *Gast* (<antiguo alto alem. *gast*) 'huésped'/Gäst (<a.a. alem. *gasti*) 'huéspedes', *Fuss* 'pie' /Füsse 'pies', *hoch* 'alto'/*höchst* 'altísimo'.

metáfora (gr. *metaphorá* 'traslado') Figura* mediante la que un signo es sustituido por otro que comparte con el primero al menos un rasgo semántico común: *las ondas de las espigas, las ondas de los cabellos* (el rasgo es el movimiento ondulante mientras que se anulan los rasgos relativos a la materia de la que está compuesta una onda). M. fósil o léxica (*m. cristallizzata*) es la que el hablante encuentra ya hecha y fosilizada en el léxico y de la que apenas se advierte el valor de los rasgos originarios: *corazón de piedra, pluma estilográfica, dinero a montañas*. → *metonimia, sinécdoque*.

metalengua *a*) Subconjunto de una lengua natural cuya finalidad es describir una lengua o una parte de una lengua o un lenguaje artificial; en términos de glosemática se puede decir incluso que una m. es una lengua cuyo plano del contenido es ya en sí mismo una lengua.

b) En la traducción automática se denomina m. o interlengua* a la formulación lógico-simbólica en la que un mensaje se convierte en lengua natural y a partir de la cual, eventualmente, se puede volver a la lengua natural. → *metalenguaje*.

metalenguaje El término y la noción referidos a lo que sería un lenguaje de servicio, usado para hablar del lenguaje, aparecen en G. Frege (*Logisque Allgemeinheit*, 1923) y R. Carnap (1929); pero es A. Tarski (1931, 1936) quien usa sistemáticamente la noción de m. Si se quiere aplicar la misma distinción que existe entre lenguaje y lengua, se puede diferenciar el m. de la metalengua*, pero, de hecho, los dos términos acaban por ser usados indistintamente.

metalingüístico (neol. de *meta-** y *lingüístico*) *a*) En general, se refiere a todo aquello que tiene por objeto el lenguaje: por ejemplo, un texto de gramática es el fruto de una operación m. donde la lengua pasa a ser el objeto que se tiene que describir y las frases citadas funcionan como ejemplo de frases de la lengua, por su estructura sintáctica o por las reglas que ejemplifican, no como vehículos de posibles sentidos. Función m. para Jakobson es la que tiene por objeto el código usado en el mensaje, como ocurre, por ejemplo, cuando pedimos explicaciones sobre una palabra que no ha sido bien entendida o que se desconoce.

b) Metalingüística es, para G. L. Trager (*The field of linguistics*, Norman, Oklahoma, 1949) el estudio de las relaciones recíprocas entre el comportamiento lingüístico y los otros tipos de comportamiento humano, que se extiende hasta incluir las relaciones entre todo el universo del discurso y el resto de una cultura; en este sentido, la m. supera la microlingüística*. Para evitar confundir la m. entendida en este sentido con la metalengua como teoría de la lengua sobre la lengua, Carroll y Haugen han propuesto para la primera el término *exolingüística* (ingl. *exolinguistics*).

metanálisis Análisis de un término en segmentos que no corresponden a los segmentos etimológicos: *monokini* de *bikini* o *triológico* de *biológico* presuponen un m. del *bi-* inicial percibido como prefijo multiplicativo; el it. *usignolo* < 'ruiseñor' > nos lleva a un m. del lat. *lusciniola* donde la /l/ es advertida como artículo; el ingl. *cheeseburger* supone un m. de *hamburger* (literalmente 'hamburguesa') en *ham* 'jamón' y *burger. → *etimología, paretimología*.

metaplasmo Cambio de significante como, por ejemplo, con el desplazamiento de una clase formal a otra: lat. *ova* (neutro plural) > it. *uova* (femenino plural).

metarregla Una regla tan general que es válida para todas las lenguas naturales.

metástasis Término de Grammont (fr. *métastase*, del gr. *metástasis* 'alejamiento, separación') referida a la solución* de una articulación (que en francés, más corrientemente, se denomina *détente*).

metátesis (gr. *metáthesis* 'trasposición') Inversión de dos segmentos fonológicos (fonemas o sílabas) contiguos, en it. *spago* 'bramante' de lat. *scapus* (> ¿lat. vulg. *spacus?) < o en esp. *milagro* > esp. ant. *miraglo* > lat. *miraculum* >.

metonimia (gr. *metōnumía* 'cambio de nombre') Figura* mediante la cual un término es sustituido por otro ligado al primero por una relación de contigüidad; la parte por la parte, el nombre de la causa por el del efecto, la materia por el objeto, el continente por el contenido, el autor por su obra: *una copa < de jerez >, leer a Proust*, etc. → *metáfora, sinécdoque*.

métrica (gr. *metrikḗ*, implícito *tékhne*) El estudio de los procedimientos y de las técnicas de versificación.

mezcla (ingl. *scrambling*) En la gramática GT es el nombre dado por Ross (1967) a la regla que rige la mayor parte de los fenómenos de orden libre en el enunciado.

micro- Prefijoide (gr. *mikrós* 'pequeño') que atribuye a la unidad que prefija el significado de 'que posee el orden de tamaño mínimo en una polaridad'. ≠ *macro-*.

microglosario El léxico que recoge los términos de más alta frecuencia en un autor o el léxico especializado de una determinada disciplina. La noción de m. se ha revelado productiva cuando es aplicada al problema de la traducción automática*; la delimitación del m. permite almacenarlo en una memoria suplementaria.

microlecto → *tecnoleto*.

microlengua → *tecnolecto*.

microlingüística Para G. L. Trager, la lingüística propiamente dicha (descriptiva, semántica, etc.) en contraposición a la macrolingüística y a la metalingüística*.

microsociolingüística → *sociolingüística*.

miembro En glosemática, cada elemento en el sistema (correspondiente a la parte en el proceso).

mínimo En lingüística, m. es usado a menudo para indicar la última unidad que puede ser obtenida por descomposición en el nivel de análisis considerado: forma m., etc.; *par mínimo* → *par mínimo*.

mínimo esfuerzo, principio del → *economía*.

mira Posible traducción del fr. *visée*, del que se conservarían las dos acepciones (el objetivo que se pretende y el apuntar al blanco); para G. Guillaume (1929), y más tarde para A. Culioli, es la consideración que el hablante tiene de una condición futura, que puede o no realizarse.

mixta *a*) En fonética, término genérico; se puede aplicar, por ejemplo al vocoide /e/ con respecto a /i/ y /a/.

b) Lengua m. → *lengua mixta*.

modal *a*) Caso que especifica el modo* de una acción, como en húng. *eset-leg* 'eventualmente'.

b) *Verbos modales* (ingl. *modal verbs*). Una clase de verbos gramaticalizados para conferir la expresión de la modalidad: ingl. *will, can*, cfr. en it. *dovere, volere potere* <o en esp. *haber de, tener que, poder*>.

modalidad *a*) Para Bally, el conjunto de tensiones que atribuyen al proceso verbal puro su definitiva orientación: equivale a la que en otras terminologías es la fuerza ilocutiva*: m. interrogativa, desiderativa, exclamativa, afirmativa. ⇒ *modus*.

b) El canal de comunicación adoptado: m. oral, escrita.

c) Caso m. o formal, en húngaro se indica el modo o la manera: *fizetéskeppen* 'en pago', *más-kepen* 'de otro modo'.

d) Para Greimas la m. es la relación de presuposición que enlaza un enunciado elemental formal descriptivo (lo que presupone) a un enunciado (presupuesto). El enunciado modal es caracterizado por un predicado modal del orden del deber ser, del deber hacer, del querer ser y querer hacer, del poder ser, poder hacer, saber ser, saber hacer y creer ser.

modalización → *modalidad* d).

modelo *a*) La noción de m. (que puede traducir de manera útil el inglés *pattern*) es compleja y desborda la lingüística. Se puede decir que m. es un corolario de la noción de estructura*; se podría definir como una representación de la estructura con fines puramente prácticos sin que en ningún caso la pueda sustituir. Así, se puede construir un m. del sistema fonológico de una lengua, o de las posibles distribuciones de sus unidades significativas. Pero un m. es. asimismo, un esquema para la descripción de la gramática*.

b) En el sentido de forma tomada como m. de una lengua, o de lengua m.; el m. del esp. *perro caliente* es el ingl. *hot dog*.

modificación Término genérico; en fonética la m. de un fono designa una variación en la articulación que no cambia la clase a la que pertenece.

modificador (ingl. *modifier*) Un constituyente (palabra, sintagma, frase) que especifica a otro constituyente de la frase, por ejemplo, un artículo o un adjetivo.

modismo En la acepción corriente, en correspondencia con el fr. *façon de dire*, alem. *Ausdruckswise*, etc., sería lo mismo que *locución, idiotismo, frase idiomática**, es decir, un sintagma fosilizado, convencional (*huir por pies, abrir dos ojos como platos*). En la etnografía de la comunicación* el concepto puede extenderse, como lo ha hecho D. Hymes para el ingl. *ways of speaking*, hasta llegar a incluir una consistente sección de los comportamientos característicos y, a menudo, distintivos de una comunidad, relativos al modo de usar la lengua (los juegos, las burlas, los saludos, etc.).

modo *a*) En un uso genérico, se indica con m. la categoría o morfema verbal con que se expresa cómo se lleva a cabo la acción o cómo se determina: adverbios de m.

b) En fonética m. de articulación indica la posición que adoptan los órganos articulatorios para producir la articulación: oclusiva, vibrante, lateral, etc. (→ *lugar de articulación*).

c) Una categoría lingüística que en su origen expresa la actitud del hablante respecto al contenido del verbo y que a menudo indica la modalidad de éste; para los gramáticos griegos (Dionisio Tracio) era la *énklisis*, que Quintiliano traduce como *modus*. En las lenguas indoeuropeas más antiguas se distinguían los siguientes modos: indicativo, subjuntivo, imperativo, optativo, yusivo e imprecativo: el indicativo para la constatación, el imperativo para la orden, el optativo para el deseo. En las lenguas indoeuropeas recientes este sistema ha sido alterado y, así, tenemos un subjuntivo que puede expresar la irrealidad, el deseo, el orden, como en italiano <o español>, o que, como en muchas lenguas, ya no posee una efectiva autonomía semántica y se ha gramaticalizado convirtiéndose en obligatoria después de ciertas partículas.

d) Para Halliday ⇒ *modalidad* b).

"modus" Modalidad de una proposición. ≠ *"dictum"*.

momentáneo *a*) En fonética, una articulación oclusiva. ≠ *continua*.

b) Un aspecto* verbal (Wackernagel 1920-24).

monema (neol. de *mono-** y *-ema**) Término de H. Frei para indicar la unidad mínima analizable en una sucesión de otras unidades del mismo tipo, un signo cuyo significado "no sea divisible en significantes más pequeños" (1950: 162, cfr. también 1941: 51, 1948: 69). El término ha sido retomado por Martinet, que lo define como cada una de las modificaciones del enunciado que corresponda a una modificación del sentido, para indicar las unidades que resultan de la primera articulación*.

mono- (gr. *mónos* 'uno') Prefijoide* que forma términos con el significado 'que posee un solo *x*'.

monogénesis (de *mono-** y el gr. *génesis* 'origen, creación') En la historia de la lingüística emerge a intervalos la hipótesis sugestiva pero indemostrable de que existe un origen único para todas las lenguas humanas, una especie de vuelta al mito bíblico, que incluso hoy ejerce una notable fascinación en muchos estudiosos comparatistas; nuestros conocimientos sobre las diferentes agrupaciones han ido progresando claramente desde los tiempos de las comparaciones recogidas por Alfredo Trombetti (a partir de *L'unità d'origine del linguaggio*, 1905) y, sin embargo, la tendencia es la de reducir en lugar de aumentar el número de las grandes agrupaciones. Un caso particular de m. es la supuesta por muchos para el origen de las lenguas criollas, que podrían derivar todas de un único pidgin* que se desarrolló a partir de finales del siglo XV a lo largo de las costas del Golfo de Guinea con los contactos entre europeos y africanos. ≠ *poligénesis.* → *origen del lenguaje.*

monolingüe Dícese del hablante, diccionario, epígrafe, etc., que utiliza una sola lengua.

monolingüismo La condición de un hablante que posee una única lengua; la existencia de un m. es posible sólo si se concibe la lengua como un conjunto homogéneo o si se contrapone una lengua literaria, por ejemplo, a otra también literaria (ej.: *al plurilingüismo dantesco se opone el m. del* Canzionere *de Petrarca*). De otro modo, cada hablante conoce por lo menos más de una variedad de su propia lengua.

monólogo (neol. de *mono-* y *logo* siguiendo el modelo de *dialogo*) o **soliloquio** Acto de elocución que no prevé un interlocutor o un destinatario (a no ser que sea el mismo productor).
m. interior → *endofásico, lenguaje.*

monoptongo Segmento vocálico que no cambia el grado de apertura durante su duración; sin embargo, el término no se usa sólo para referirse al resultado de un proceso, la monoptongación: lat. *aurum* > *oror.* → *diptongo, triptongo.*

monorema (fr. *monorème* de *mono-** y el gr. *hrêma*) *a*) Término de Sechehaye (1926) retomado por Bally para indicar una frase compuesta por una sola palabra o por un solo morfema: por ejemplo, ¡*Fuego!*, ¡*Largo!*, ¿*Vamos?*, etc. Análogamente se denomina direma* una frase con dos miembros.

b) El concepto de m. puede ser transferido a lenguas como las sintéticas*, que presentan una tendencia a incorporar un alto número de morfemas en una única construcción mayor, monorremática; por ejemplo, en takelma es posible encontrar un sintagma único *alsgalâ* ^a*liwi'* ^em, que tiene el valor de 'yo tengo mi cabeza vuelta para mirarte', de *alsgalaw* 'volver la cabeza para mirar'.

c) En la descripción del lenguaje infantil se indican como m. y direma respectivamente las producciones compuestas por uno y dos elementos verbales, que corresponden a dos estadios sucesivos de la adquisición. → *holofrástico*.

monosémico   Poco frecuente, aplícase al signo que posee un solo significado. ≠ *polisémico*.

monosilábico   En un gran número de lenguas (africanas, asiáticas, americanas) el morfema coincide con la sílaba: en términos corrientes se podría decir que todas sus palabras son mm.: en una estructura de este tipo es difícil (aunque no imposible) que exista una morfología flexiva y, por lo tanto, asumen un peso específico el orden de las palabras y los procedimientos tonales.

monosílabo   En el uso corriente, palabra compuesta por una sola sílaba

(en italiano <o en español> prevalentemente interjecciones): *responder con mm.*

monovibrante (ingl. *flap*)   Articulación obtenida con una sola vibración de la punta de la lengua contra los alveolos: esp. *pero*.

mora (lat. *mora*, del gr. *móra* 'división')   Unidad métrica o acentual correspondiente al tiempo de una sílaba breve. Desde el punto de vista de la construcción del verso o de la asignación del acento* algunas lenguas son sensibles a la sílaba como el italiano, otras, en cambio, a la m., como el griego o el japonés (jap. *onsetsu*, chin. *yinjie*, es decir, 'mora'): contar las mm. significa que métrica o acentualmente una sola sílaba larga puede contar por dos al contener dos mm.

morfema (neol. a partir de *morfo(logía)* y *-ema**)   J. Baudouin de Courtenay en 1881 introduce el término (fr. y pol. *morfema*) para designar la mínima unidad dotada de significado, para luego distinguir, según el valor léxico o gramatical, mm. semasiológicos y mm. morfológicos; el término es más tarde adoptado en francés por Vendryes y Meillet (*morphème*) para indicar sólo los morfemas morfológicos (→ *formante*), mientras que los mm. semasiológicos son llamados más bien semantemas*. Para el Círculo de Praga el m. es una unidad morfológica no susceptible de una ulterior descomposición en unidades menores; para Bloomfield y la escuela americana (ingl. *morpheme*) un morfema es cada una de las unidades significativas, para Martinet (1966: 20), en cambio, el m. es un monema pertinente a la gramática. → *alomorfo, morfo.*

morfémico *a*) Relativo al nivel de los morfemas.

b) En la glosemática, parte de la pleremática* que describe los morfemas.

morfo (ingl. *morph*) En el distribucionalismo americano, una unidad del plano morfológico reconocible como tal, pero que no ha sido aún atribuida a un morfema dado*.

morfo(fo)nología Para Trubetzkoy, el estudio de los morfo(fo)nemas.

morfofonema Para el Círculo de Praga, una alternancia entre fonemas condicionada por una alternancia morfológica; un caso particular es aquél en el que un m. se comporta simultáneamente como morfema gramatical y como parte del m. léxico: /t/ /tʃ/ correspondiente a la alternancia singular/plural en el lombardo *tant tantʃ*, /l/ ~ /i/ en los nombres ladinos en -*l* no precedido por consonante: *gial* 'gallo' ~ *giai* 'gallos'.

morfolexicología Para Guiraud, el estudio de las palabras consideradas en su forma, independientemente de su función.

morfología (neol. que traduce con elementos griegos el alem. *Formenlehre* 'estudio de las formas', originariamente aplicado al mundo biológico) *a*) El conjunto de las formas gramaticales de una lengua.

b) El estudio de las formas gramaticales de una lengua. *M. natural* (W. U. Dressler). Una orientación, originada a partir de la fonología natural, basada en el presupuesto de que incluso en la formación de las palabras existen componentes de mayor o menor naturaleza (→ *natural*), como la tendencia a la forma óptima del signo, a su reconocimiento o a una relación biunívoca entre significante y significado.

morfosintaxis *a*) En algunas teorías gramaticales, como la de la GT, no se reconoce una separación entre el nivel sintáctico y el morfológico; y la misma fonología es sensible a las informaciones morfosintácticas (un mismo segmento puede comportarse de modo diferente si no está cargado de función morfológica).

b) Para Hjelmslev, el estudio de los sintagmas fosilizados.

morfotonema Por analogía con *morfofonema* y *morfofonología* se puede hablar de *m.* y *morfotonología*, refiriéndose a lenguas con tonos, por una oposición tonal usada con valor morfológico (por ejemplo, para distinguir aspectos y tiempos diversos del verbo).

motivación La relación normalmente arbitraria que une el significado al significante de un signo puede, en un momento dado, mostrarse al hablante en el momento de su constitución inicial. Si la m. de un signo puede ser advertida por el hablante, el signo se podrá denominar motivado o transparente, en caso contrario se habla de signo desmotivado u opaco. Existen varios tipos de m.: etimológica (*barista* respecto a *bar*), fonética o fonosimbólica (en las palabras basadas en una analogía, no importa cuánto sea subjetiva y arbitraria, entre significante y cosa designada), metasémica (si tenemos una transformación del sentido primario del signo, como en el it. *bonaccia* <,esp. *bonanza*,> del gr. *malkia* 'id.'), morfológica (interna al sistema de la lengua con uso de los procedimientos de derivación y composición propios de la lengua misma: *beso, besar, besuquear*), paronímica (por fusión de formas homónimas y parónimas, como en el it. *disguido* <'extravío'> percibido como *dis-* y *guido*, cuando, en cambio, procede del esp. *descuido*). ≠ *desmotivación*.

movimiento En la gramática GT, el desplazamiento de un componente (ingl. *movement*); en la literatura especializada muy a menudo no se traducen las denominaciones inglesas de muchos mm. (ingl. *tough-movement, flip-movement, psych-movement*); m. de SN o elevación del sujeto: *me parece que Pablo es infeliz* > *Pablo me parece infeliz*.

mudo *a*) En la terminología del siglo XIX lo mismo que *sordo*, aplicado a una articulación.

b) En terminologías escolásticas y no rigurosas se usa a menudo m. para designar diferentes fenómenos; en francés *e* m. (e *muette*) es, simplemente, una vocal central que puede ser pronunciada con mayor o menor claridad articulatoria según el tiempo de realización: cae en el habla cotidiana, rápida, no cae en el habla solemne o en el canto cuando es necesario alargar una sílaba; *h* m. es un sonido laríngeo, sin ninguna realización fónica, que ha permanecido como signo gráfico, delante del cual no era necesaria la "liaison"* eufónica: *les habits* [leza′bi] 'los vestidos' /*les haches* [le aʃ] 'las hachas'.

muerte de las lenguas (fr. *mort des langues*, ingl. *language death*) De esta manera, y a partir de una conferencia de J. Vendryes de 1933, nos referimos al proceso de extinción de una lengua. Antes de que una lengua deje de ser utilizada simplemente porque no sobrevive ya ninguno de sus hablantes, independientemente de su decadencia en términos de prestigio*, se van señalando procesos de verdadera atrofia de las reglas (dejan de aplicarse las reglas más marcadas o que suponen una mayor dificultad), de reducción del léxico, etc.

muerto/vivo *a*) Aplicado a las lenguas, se refiere al uso hablado: una lengua hablada se denomina viva, en oposición a una lengua que no es utilizada en la comunicación cotidiana o usada sólo en la variedad escrita.

b) *Palabras m. y v.* En la gramática tradicional china se distingue entre *sǐcí*, 'palabras muertas', los nombres, y *huócí* 'palabras vivas', los verbos.

muestra Término del lenguaje artístico asimilado por G. Herdan al acto de 'parole': "Tal m. (es decir, la 'parole') para ser analizada se tiene que relacionar con una serie de varios fenómenos que constituyen la población, es decir, el aspecto sistemático de la 'langue' que representa la organización sustancial."

multilateral En la fonología de Trubetzkoy, una oposición cuyos términos comparten su base de comparación con otros fonemas: la oposición en <esp.> entre /p/ ~ /d/ es m. porque el rasgo 'oclusivo sordo' que comparten es común también a otras oposiciones.

multilingüismo ⇒ *plurilingüismo.*

multiplicativo Forma que posee el significado general de '*n* veces', por ejemplo la formación latina con -*plex*

(*simplex, duplex...*) o las armenias en -*kin* (*tasnkin* 'décuplo') y -*patik* (*tasnpatik* 'décuplo').

murmullo (ingl. *breathy voice*) Cualidad de voz en la que las cuerdas vocales se acercan de igual manera que para las sonoras y los cartílagos aritenoides se separan como para el susurro; los sonidos murmurados aparecen con valor distintivo en varias lenguas, por ejemplo, en lenguas arias de la India y, ocasionalmente, en pronunciaciones relajadas de algunas variedades del italiano (como la romana, por ejemplo).

musical, acento → *acento.*

N

N Abreviatura corriente de Nombre o, en contextos fonológicos, de Consonante Nasal.

narración (fr. *récit*)   En sentido técnico, un plano del enunciado que se opone al del discurso en cuanto, a diferencia de éste, no exige su inserción (fr. *embrayage,* → *conmutador*) en la situación de la enunciación; la diferencia está marcada por la existencia de dos sistemas de tiempos diversos y complementarios (tenemos el ejemplo de las lenguas románicas). La distinción es recogida por primera vez en un artículo de E. Benveniste de 1959 (*Les relations du temps dans le verbe français*, más tarde en Benveniste 1966, cap. XIX) y es retomado por G. Genette (*Figures* II, Seuil, París, 1969). → *primer plano/perspectiva, tiempo.*

narrador   En el análisis del relato, el que cuenta la narración.

narratario (fr. *narrataire*, introducido por G. Genette a partir de *narrer* siguiendo el modelo de *déstinatai-re*)   En el análisis del relato, aquél a quien va dirigida la narración.

narrativo   En el análisis del relato se determina un esquema n. que prevé una cierta sucesión y concatenación de los elementos; por analogía con la tipología de las funciones del cuento señaladas por V. J. Propp, hablaremos de funciones nn. (para Greimas, enunciados nn.), que dan cuenta de la organización de un relato, de una narración (por ejemplo: 'carencia inicial', 'acción', 'eliminación de la carencia').

narrema (fr. *narrème*, de *narrer* y *-ema*)   En el análisis del relato, unidad mínima de acción narrada.

nasal   Articulación producida con una oclusión completa de la cavidad oral y un descenso del velo del paladar con salida del aire a través de la nariz.

nasalizado   Vocoide a cuya articulación oral se le añade una resonancia de la cavidad nasal, a través del descenso del velo del paladar.

nativo (ingl. *nativ*) Por influencia del uso inglés, llamamos hablante n. de una determinada lengua a quien la ha aprendido como primera lengua o lengua materna (en italiano, por ejemplo, es la lengua la que se considera n. o *natia*).

natural Dado que la real configuración de las diferentes lenguas es el resultado de un proceso dialéctico entre la arbitrariedad*, propia del lenguaje humano, y las características neurobiológicas propias de la especie humana, se puede suponer que cada fenómeno lingüístico es más o menos n., o, lo que es lo mismo, en éstos se encuentran presentes un grado mayor o menor de motivación biológica. Una teoría lingüística debe, por lo tanto, satisfacer esta condición natural y no debe suponer características que contrasten con lo que nosotros sabemos sobre los procesos naturales.

clase n. → *clase.*
fonología n. ⇒ *fonología natural.*
lengua n. Una lengua no artificial, no construida por un acto de voluntad por parte de un hablante individual sino formada y modificada a través de un devenir histórico; propias de una l. n. son ciertas propiedades negativas —irregularidades, lagunas, contradicciones— que impiden considerarla como un sistema calculable, a diferencia de la lengua artificial que, por definición, es calculable.
morfología n. → *morfología natural.*

necesitativo En algunas lenguas, como el turco, un modo* verbal; en latín corresponde al modo expresado con el gerundivo: *delenda Carthago* 'C. tiene que ser destruida'.

negación Procedimiento con el que se niega una proposición; pueden existir procedimientos para negar toda la frase (*-p*) o para negar sólo un elemento o para negar todos los elementos de la misma (r. *niktò nigdè nikogdà ètogo ne skazàl*, lit. 'nadie nunca en ningún lado no ha dicho esto', es decir, 'nunca nadie ha dicho esto'); compárese, sin embargo, el comportamiento del italiano <o del español> (a través de las traducciones de los ejemplos que siguen) con el del francés, en que la negación se realiza siempre sobre el verbo incluso cuando se refiere a otras partes del enunciado: *tous les seins n'ont pas le même poids* (frase publicitaria) 'non tutti i seni hanno lo stesso peso' < 'no todos los senos tienen el mismo peso'>; *toutes ces marchandises ne valent pas 50 francs* 'tutte queste merci (insieme) non valgono 50 franchi' < 'todas estas mercancías juntas no vales 50 francos>, o 'non tutte queste merci valgono 50 franchi' < 'no todas estas mercancías valen 50 francos'> o 'nessuna di queste merci vale 50 franchi' < 'ninguna de estas mercancías valen 50 francos'>. Análogamente, en inglés se niega más bien el predicado que el verbo: *this is ininfluent*. En lenguas como el italiano <o el español> esto es posible sólo si la forma negativa es lexicalizada como tal (*questo è irrilevante, questo non è importante*' < 'esto es irrelevante, esto no es importante>); pero, por influencia del inglés, hoy en italiano se tiende a decir: *questo è* *non rilevante, non importante* < 'esto es no relevante, no importante' >.

negativo → *complejo.*

neo- Prefijoide* (del gr. *néos* 'nuevo') que proporciona el valor de 'elemento nuevo'. Algunos estudiosos del lenguaje psicopatológico, como Borbon, indican con términos formados con *neo-* todas las neoformaciones expresivas, y con términos derivados de *para-* las deformaciones y el uso impropio de elementos expresivos: *neológico* y *paralógico* (Piro 1967: 492).

neogramático Dícese del método o actitud analítica propia de los Neogramáticos (alem. *Junggrammatiker*), un grupo de lingüistas alemanes que se dieron a conocer en Leipzig en torno a los años ochenta del siglo pasado; parten del presupuesto de que el lenguaje está sometido a cambios regulares que son susceptibles de ser fomulados según "leyes" inexorables, estudian exclusivamente los fenómenos diacrónicos de la lengua con exclusión de los sincrónicos y los aspectos internos de la lengua, excluyendo aquellos externos o sociales.

neología (fr. *néologie*, cfr. alem. *Spracherneuerung*, para el étimo cfr. *neo-*) El conjunto de los procedimientos con los que se forman nuevos elementos de la lengua. → *purismo.*

neológico, lenguaje o **neolalía** Una forma de idiolecto*, a menudo de origen psicopatológico, que consiste en la constante deformación de la lengua y en la producción de neologismos.

neologismo Término de reciente creación, acuñado o modelado, casi siempre, a partir de un término extranjero. Podemos distinguir entre varios tipos: por ejemplo, en italiano tenemos términos como *allunare* < 'aterrizar en la luna' >, formado con materiales de la lengua sin ningún estímulo por parte de otra lengua <, o en esp. *reunión en la cumbre* > formado a través de la modificación semántica de vocablos ya existentes en la lengua; o términos como *finesettimana* 'fin de semana' en it. < o *supermercado* en esp. >, formados con materiales de la lengua pero a través de un calco* de la voz extranjera (ingl. *supermarket, weeck-end*); y, finalmente, expresiones como *quark* o *software* que son simplemente formas de otra lengua tomadas sin adaptación alguna. Otra división posible es aquélla en nn. léxicos (it. *pornodiva* < 'estrella del cine porno' >), sintácticos y semánticos.

neopurismo ⇒ *glototécnica.*

neurolingüística El estudio de los aspectos biológicos y neurológicos de la producción lingüística (articulación, memoria, lapsus*, etc.).

néustico En la terminología del lógico Hare, las componentes semánticas de una proposición son la frástica (acerca del contenido proposicional), la trópica (acerca de la modalidad) y la n., es decir, la indicación que el hablante da de la propia intención, la parte en la que él afirma el grado del propio empeño de voluntad: *¡Que lo dejes en paz, te he dicho!*

neutralizable En la fonología de Trubetzkoy, una oposición que puede ser suprimida en determinados contextos.

neutralización (alem. *Aufhebung*) Anulación o supresión, en determinadas condiciones sintagmáticas, de una oposición* que en otras condiciones es posible en el paradigma (que se llamará neutralizable*); en la terminología glosemática, aplícase a la conmutación entre dos variantes. Por ejemplo, en italiano la oposición /e/ /ɛ/ y /o/ ~ /ɔ/ se neutraliza en sílaba no acentuada, dando lugar al archifonema. < Lo mismo ocurre en esp. con /r/ y /r̄/ que se neutralizan en posición implosiva y final. > La n. puede ser debida a la posición, como en los ejemplos dados, o a la cualidad del contexto: una oposición de sonoridad puede neutralizarse si sigue a un fonema sordo o sonoro, o delante de pausa. Más generalmente, podemos tener la n. de un rasgo semántico, por ejemplo en la metáfora* (*una lluvia de dinero, un mar de deudas*).

neutro (lat. *neuter* 'ni uno ni otro', es decir, ni masculino ni femenino) *a*) En la gramática tradicional, el género* de una clase de nombres que no es ni masculino ni femenino (y que coincide sustancialmente con la clase de los inanimados).
b) Ocasionalmente, término genérico que equivale a 'no marcado, carente de características distintivas', etc.
c) → *complejo*.

nexo (lat. *nexus* 'nudo, conexión') *a*) Secuencia compuesta por más de un elemento fonético (cfr. ingl. *clus-*

ter), por ejemplo, el n. consonántico /spl/ en el it. *splendere* < 'brillar' > .
b) Para Jespersen es la relación que existe entre el sujeto y el predicado (ingl. *nexus*).

nivel *a*) *n. del análisis*. Cada uno de los planos en que se divide arbitrariamente el lenguaje: fonológico, gramatical, semántico. Cada uno de estos n. tendría que comprender diferentes órdenes de hechos susceptibles de ser analizados y, por lo tanto, diversos métodos de estudio si bien —y, de ahí, la arbitrariedad de la definición— no siempre es posible de manera clara, ni siquiera empíricamente, delimitar los límites entre un n. y otro.

b) *nivel de cortesía*. En sociedades donde el sistema de cortesía lingüística es rígido y articulado —como en el Extremo Oriente asiático, en Japón, Tailandia o Camboya— las formas que se deben usar, en función del interlocutor, son elegidas no dentro de una misma lengua, sino dentro de un continuo de variantes lingüísticas, más o menos distantes entre ellas, dispuestas jerárquicamente en un sistema de nn. donde cada una es la apropiada para un específico tipo de interacción social.

c) Para Halliday en el lenguaje existen tres nn., el de los componentes fónico y gráfico, el de la forma, gramatical y léxica, y el del contexto verbal y situacional.

nivelación analógica (ingl. *levelling*) Supresión de alternancias morfológicas a favor de una mayor regularidad en el paradigma.

noema (gr. *nóēma* 'pensamiento, concepto') Término relativamente corriente en el léxico filosófico moderno (lo usa, por ejemplo, Husserl), con un significado no rígidamente definido, pero, en sustancia, cercano al etimológico de 'contenido mental, concepto', etc. *a*) Para Bloomfield (1926, *Def.* 50), el significado de un gloema*.

b) Para Prieto, un conjunto máximo de rasgos que componen el significado de un enunciado (pero que se relacionen de tal manera que exista para cada uno de los rasgos enunciados menos restringidos que supongan aquel rasgo y no otro y viceversa) (Prieto 1968: 91) o, más rigurosamente, "un conjunto de rasgos del sentido sobre los que se puede establecer su pertinencia usando un determinado enunciado, y de los cuales no sería posible hacer pertinentes sólo una parte usando otro enunciado de la misma lengua" (Prieto 1968: 91, 98).

c) Para Pottier y otros, n. es una unidad del metalenguaje semántico, un clasema* universal.

nombre (lat. *nomen*, cfr. gr. *ónoma*, sáns. *nama*) El término parte de la concepción de que las cosas poseen un n., que tal sensación o cosa se nombre o se denomine; y, de hecho, en el lenguaje ordinario usamos corrientemente expresiones como "¿Cómo se llama esto?", "¡Esto es lo que se llama tener hambre!", del mismo modo en que decimos "Mi hijo se llama Pedro", etc. En todas las lenguas conocidas esta categoría se opone al verbo*, pero si éste puede ser definido como la lexicalización* de una acción (*correr*, por ejemplo), no existe ninguna definición complementaria a ésta que pueda darse del n. (*silla* es una cosa, pero *carrera* es una acción), en otras palabras, es imposible definir de manera unívoca un significado que sea realmente del n. en oposición al verbo. Sin embargo, el n. forma parte de una red de relaciones gramaticales y sintácticas de la que el verbo es excluido, a pesar de que las relaciones entre las dos clases sean estrechas (muchos nn. son en realidad la nominalización* de un verbo, como *carrera* de *correr*). En este caso, por lo tanto, el distributivo es el único criterio definitorio posible: si en inglés *round* puede ser n. y verbo, se puede establecer que *a round/two rounds* constituye el paradigma del n. y *he rounds, he rounded*, etc., el del verbo. Más difícil aún es distinguir entre n. común y n. propio (gr. *ónoma kúrion*); la distinción definitoria es de orden lógico antes que lingüístico: el n. propio sirve para designar referencialmente no una clase de objetos, sino uno solo, miembro específico de una clase. Desde el punto de vista de la formación lingüística, en cambio, no se puede establecer una división neta: los nombres propios son homogéneos por formación a los nombres comunes, pero tienen una menor exigencia con respecto a éstos de inclinarse hacia la motivación y la transparencia; tienden a fosilizarse, a conservar formas arcaicas, o, al contrario, a englobar material de las más diversas proveniencias y, así, constituyen un fondo particularmente heterogéneo e inmotivado. Pero la mayor parte de las diferencias entre los dos tipos de nn. se coloca en el versante de la enunciación* y del uso social. El sistema de los nn. propios se encuentra siempre articulado de modo totalizador y refleja correspondientes articulaciones de las unidades sociales (pensemos, dentro del nombre de persona, al diferente peso de *nomen, cognomen, supernomen* en latín, o de *nome di battesimo* < 'nombre de pila' > , *soprannome* < 'sobrenombre' > , *cognome* < 'apellido' > en italiano). → *antropónimo, hipocorístico, -ónimo, teóforo.*

"nomen actionis" (lat. 'nombre de acción') El resultado de la nominalización de un verbo activo o medio: alem. *das Essen* 'el comer', it. *il soffrire* < 'el sufrir' > .

"nomen agentis" (lat. 'nombre de agente') Formación deverbal* que designa a quien cumple la acción expresada por el verbo; normalmente es marcada formalmente (sufijos específicos como en ingl. *-er*, o el it. *-atore*, < esp. *-ador* >; formas de participio de las formas verbales como en árabe, etc.).

"nomen rei actae" (lat. 'nombre de la cosa hecha') Formación deverbal que indica el resultado de la acción expresada por el verbo (fr. *souper* 'cena'); a menudo, es idéntica formalmente al *nomen actionis*: *la comida se enfría.*

nomenclatura, (lat. *nomenclatura*, cfr. *nomenclator* 'que llama por el nombre') Un subconjunto del léxico que cubre el campo semántico de un arte, una técnica o un oficio. Los términos* de una n. —"acto de la inteligencia práctica y no de la racional" (Pagliaro)— son en general puramente designados y neutros, y no se distinguen entre ellos por un diverso peso connotativo.

nominal Relativo al nombre. Se pueden distinguir varios usos:

a) adjetivo n. → *adjetivo.*

b) forma n. del verbo. En el paradigma, aquellas formas que se comportan morfológicamente como un nombre, por ejemplo, el participio.

c) frase n. Una proposición en la que no se expresa la forma verbal (que puede ser reintegrada generalmente como una forma del verbo 'ser'): "¿Cuáles las consecuencias de su gesto?"

d) flexión, desinencia n. Por ejemplo, lat. *-us*, desinencia del nominativo masculino singular de la segunda declinación.

e) compuesto n. El resultado de la transformación de una frase subyacente con SN y SV (→ *compuesto, endocéntrico, exocéntrico*).

f) sintagma n. (ingl. *noun-phrase*). Un sintagma que contiene un nombre.

nominalización La derivación de un nombre a partir de un verbo, o la asunción de un verbo en la categoría gramatical del nombre; en la n. de un infinitivo verbal, éste puede aún regir un complemento: *el comer verduras sienta bien.*

nominativo (lat. *nominativus* o *nominandi casus*, gr. *onomastiké* 'que nombra') El caso* del sujeto superficial de verbo.

noología (neol. del gr. *noeîn* 'pensar' y *-logía*) Para Prieto, una teoría que parte "de ese hecho concreto que es el sentido y lo estudia desde el punto de vista de la contribución de la fonía* a su fijación" (Prieto 1968: 40).

norma Concepto que probablemente aparece por primera vez en los trabajos de geografía lingüística de Brødal, en los que se distingue entre n., dialecto e idioma (dan. *norm, dialekt, idiom*; fr. *norme, dialecte, idiome*), retomado luego teóricamente por L. Hjelmslev y J. Lotz y, finalmente, por Coseriu (*Sistema, norma y habla*, 1952). La exigencia de establecer un nivel de n. nace, según Coseriu, de la constatación de la "langue", el sistema lingüístico abstracto, y la "parole", su realización concreta e individual, no pueden ser entidades autónomas completamente discernibles. La rigidez de tal dicotomía saussuriana, aceptada por toda la lingüística estructuralista europea, no permite, de hecho, entender cómo se pasa del sistema abstracto a las realizaciones concretas que, dada su variabilidad, describen un haz de dispersión del que el sistema difícilmente puede dar cuenta; entre los dos términos de la oposición Coseriu coloca la n., que es la media de las realizaciones aceptadas en una determinada comunidad, prescindiendo naturalmente de toda valoración intrínseca. Por ejemplo, en lenguas como el italiano o el español no se establece ninguna oposición distintiva de grado en la elevación de la voz (a diferencia de las lenguas tonales, sinotibetanas, africanas o americanas); sin embargo, la n. española prevé una excursión de elevación menor de la prevista por la n. italiana (lo que hace que a los hablantes españoles el italiano les parezca una lengua musical); por el contrario, la n. española prevé un tiempo de elocución más rápido de aquella italiana. Las realizaciones de /o/ y /e/ más abiertas o más cerradas son un hecho de n. y no de sistema en español y, en las sílabas no acentuadas, en italiano; el español posee un sistema de cinco fonemas vocálicos /i, e, u, o, a/, el italiano estándar presenta siete, los mismos que el español más /ɛ, ɔ/, y éstos sólo en sílaba acentuada; lo que no quiere decir que no existe una latitud de realizaciones comparable: en español se dirá [keso] 'queso', [kaβeθa], 'cabeza', pero [papɛl] 'papel' y [rrɔsa] 'rosa'.

Éstas son distinciones de n. y no de sistema; y un mismo principio regula las vocales no acentuadas en italiano, en que una /e/ u /o/ finales demasiado cerradas o demasiado abiertas (como en [bwuonɔ] 'bueno'), violan la n. aunque no perjudiquen la comprensión. Otro campo en el que podemos ver la oposición entre lo que está previsto por la n. y lo que está previsto por el sistema es el de las hipercorrecciones* y el de las regularizaciones morfológicas: el niño que está aprendiendo su primera lengua formula sus hipótesis sobre el sistema y generaliza las reglas que ha encontrado, diciendo 'deciba, cabí', etc.; desviaciones análogas las realiza quien no domina perfectamente una lengua; en algunos sistemas, aquella que en un origen era una desviación analógica se ha convertido luego en un hecho de n.:

en variedades del Lacio septentrionales en Italia el pretérito indefinido de *morire 'morir' es morse* en lugar de *morì*, forma originada evidentemente por analogía con las continuaciones del perfecto en *-s* latino (*mersi, dixit, rexit*, etc.). También a la norma se debe el hecho de que no todas las oposiciones previstas por el sistema sean luego aplicadas (quizá porque serían simplemente demasiado numerosas), aunque puedan serlo cuando sea necesario (por ejemplo, para crear un neologismo) o el hecho de que la lengua muestre a menudo correspondencias aparentemente ilógicas: el agua *dulce* no es *dulce*, es, simplemente, diferente del agua salada; en it. *implacabile* es lo contrario de *placabile* e *imperturbabile* de *perturbabile* pero *indisposto* < 'indispuesto' > no lo es de *disposto* < 'dispuesto' > ni *impassibile* < 'impasible' > de *passibile* < 'digno de ser padecido' >.

normalización Operación mediante la cual se persigue el adaptar formas oscilantes de la morfología o de la grafía a una norma de referencia, como se hace, por ejemplo, en la edición de un texto.

normativo o **prescriptivo** Que indica o prescribe la norma considerada como "correcta", que es la que debe ser asumida como modelo de referencia: gramática n. → *corrección, ortoepía, ortografía.*

notación → *transcripción.*

nuclear (ingl. *kernel sentence*) Frase base generada a partir de las reglas con estructura sintagmática, sin la aplicación de transformaciones; es una frase declarativa activa.

núcleo *a*) (ingl. *nucleus*). En una sílaba, la parte central.

b) En la terminología de Pike y de otros, el elemento que puede funcionar solo en una construcción sin necesidad de los otros elementos: *el rey* en *el rey de Inglaterra es una mujer.*

c) Siguiendo el mismo criterio de *b*), en algunos modelos sintácticos, la parte de una frase que comprende el verbo; por ejemplo, para Frei el n. (fr. *noyau*) se opone a satélite*.

nudo o **nodo** Término introducido por L. Tesnière, retomado luego por la GT para referirse a la representación en diagramas arbóreos, que indica cada uno de los puntos en que se originan las ramificaciones: un n. corresponde a un símbolo o a una categoría que depende del n. más alto y del cual dependen los nudos más bajos.

nuevo → *rema.*

numeral Una forma específica autónoma o con afijos (*clasificador, multiplicativo*) que indica el número aritmético de los referentes en una situación: n. cardinal*, distributivo*, ordinal*.

número (lat. *numerus*, gr. *arithmós*) Categoría gramatical que en muchas lenguas sirve para marcar varias clases de formas, dependiendo de que su referente sea cuantificable como uno o mayor de uno. No es una categoría universal y en muchas lenguas, de hecho, no existe o existe sólo para los animados* (→ *colectivo*). Una oposición frecuente es la que se da entre singular* y plural* ('uno'/ 'muchos'), más rara es la que existe entre singular/dual* o ambal*/plural, mientras que se encuentran sujetas a particulares restricciones las de singular/paucal*/plural, singular/dual/ trial*/plural y singular/dual/trial/ cuadral/plural.

O

O Abreviatura corriente de Objeto.

objetivo *a)* En la gramática tradicional, genitivo o. es aquel que deriva de una frase en la que ejerce la función de objeto directo. ≠ *subjetivo*.
b) Lo mismo que acusativo*.
c) En la teoría de los casos profundos es un caso* semánticamente neutro, definido más bien por exclusión: todo lo que puede ser representado por un nombre cuya función en la acción o estado indicados por el verbo es indicado por la interpretación semántica del mismo verbo.
d) Conjugación o., por ejemplo en húngaro, turco, persa o neoarameo, la que se refiere a los verbos que presentan el objeto claramente expresado.

objeto En una construcción, el elemento, o el actante*, sobre el que recae directamente la acción expresada por el verbo. Se distinguirá entre o. efectivo (alem. *effizertes Objekt*), que existe sólo como resultado de la acción del verbo (*Modigliani pintaba rostros femeninos*) y o. afectivo (alem. *Affiziertes Objekt*), que ya existe y es modificado sólo por la acción del verbo (*Colecciono rostros de Modigliani*).

oblicuo (lat. *obliquus*, gr. *plágios*) En la gramática tradicional dícese o. el caso diverso del objeto, considerado caso recto*, sobre el que directamente recae la acción.

obligatorio En la gramática GT son oo. algunas transformaciones. ≠ *facultativo*.

obstruyente (ingl. *obstruent* del lat. *obstruens*) Aplicado a articulación, lo mismo que oclusivo*.

obviativo (lat. cient. *obviativus*) Término de la gramática de las lenguas algonquinas que designa la llamada cuarta persona gramatical: en las lenguas europeas en una frase del tipo "*x* golpeó a *y*", tanto *x* como *y* son ocurrencias de una tercera persona, no diferenciadas morfológicamente; las lenguas algonquinas, por el contrario, marcan *y* con un elemento diverso, por ejemplo -*n* y la forma para esta cuarta persona es el o.; en el caso de que existiera una segunda cuarta persona, "*x* golpeó a *y* y a *z*", ésta también estaría marcada con un sufijo (llamado subobviativo, o superobviativo).

oclusivo   Modo de articulación en el que los órganos articulatorios entran en contacto cerrando completamente la salida del aire.

ocurrencia   *a*) Anglicismo (del ingl. *ocurrence*) referido a la aparición de una determinada unidad en un texto o enunciado.

b) Con el sentido del ingl. *token*, cada ejemplo concreto (fónico, gráfico) de un tipo* determinado (en el sentido *b*): *en la* Divina Comedia *existen 59 oo. de la palabra* amor: un caso particular de o. es el *hápax**. La relación tipo/o. (ingl. *typetoken ratio*) es el cociente entre números de diferentes tipos presentes en un texto y el número total de las oo., que es un indicador de la amplitud y variedad del vocabulario usado.

c) (*replica*)   En un texto se denomina o. (ingl. *token*) cada nueva ocurrencia de un mismo tipo* lexical.

d) En la gramática GT la copia, la repetición* de un constituyente.

ondas, teoría de las (alem. *Wellentheorie*)   Según H. Schuchardt y J. Schmidt (1872), los cambios lingüísticos se propagan en el espacio por ondas concéntricas semejantes a las que produce una piedra arrojada a un estanque: una determinada innovación parte de un centro de irradiación y se extiende progresivamente hacia el exterior. La teoría ha sido retomada recientemente por la sociolingüística de Ch. N. J. Bailey.

-ónimo (del gr. *ónoma*, en compuestos -*onumos* 'nombre')   En términos doctos posee el significado de 'nombre de' (el adjetivo es -*onímico*). Nótese que en el uso (que se da en disciplinas diversas desde la semántica a la dialectología o la etnolingüística), el estatuto del término compuesto con -*ó*. no es siempre el mismo sino que encontramos tres categorías: *a*) nombres comunes de la lengua para los objetos de una determinada categoría: anemoo. (vientos), cromoo. (colores), cronoo. (unidades de tiempo), entomoo. (insectos), fitoo. (plantas), ictioo. (peces), micco. (hongos), ornitoo. (aves), psicoo. (entidades psíquicas, mentales), socioo. (grupos sociales), zooo. (animales); *b*) nombres propios que se dan a una categoría de objetos: hagiotopoo. (lugares, referidos a nombres de santos), antropoo.* (personas → *nombre propio*), astroo. (astros), boo. (bovinos), cinoo. (perros), hidroo. (cursos de agua), idioo. (de personas), horoo. (de relieves montañosos), teoo. (divinidad), teríoo. (animales), topoo.* (lugares); *c*) nombres personales referidos al nombre de un cierto pariente o afín: androo. o gamoo. (del marido), metroo. (de la madre), necroo. (de un pariente o afín muerto), patroo. (del padre), pentoo. (nombre de luto), tecnoo. (del hijo); *d*) una caracterización especial, a caballo entre el nombre común y el nombre propio, presentan los etnoo.* y los glotoo.*; cada nombre puede pasar de manera natural a otra categoría.

onomasiología (neol. del gr. *onomasía* 'denominación' y -*logía*)   El estudio de los nombres o denominaciones asignados a un mismo referente (generalmente, dentro de una determinada área geolingüística: *los nombres de los batracios anuros en Val Graveglia*). ≠ *semasiología*.

onomástico (gr. *onomastikós*, der. de *ónoma* 'nombre') Relativo a los nombres propios, genéricamente, como adjetivo. Como sustantivo, la onomástica tiene por objeto el estudio de los nombres propios (etimología, difusión, valores). → *ónimo*.

onomatopeya (gr. *onomatopoiía* 'creación de un nombre') Signo en el que la elección del significado ha sido de algún modo motivada por las propiedades sensoriales del significado; el caso más obvio son las imitaciones de sonidos con sonidos (ingl. *boom, crash, splash*, etc.) pero se distinguen también o. fonocinéticas en que los órganos de fonación reproducen el movimiento denominado (< esp. *chirriar, susurrar, murmullo* o, en > it., *sdrucciolare* < 'resbalar, deslizar' > *scivolare* < 'resbalar' >, *strisciare* < 'rastrear' >). ⇒ *fonosímbolo*.

onomaturgia Para B. Migliorini, la creación voluntaria de palabras nuevas, como a menudo sucede con el léxico científico y de las ciencias naturales (*begonia, camelia, poinsectia*) (cfr. B. Migliorini, *Parole d'autore* (*onomaturgia*), Florencia, 1975).

opaco *a*) Término de Saussure para designar el signo que no deja transparentar los elementos que lo constituyen. → *motivación*.

b) *Regla o.* Para Kiparsky (1971) es una regla fonológica que es aplicada incluso en contextos diversos de los previstos, o no siempre en los contextos previstos; es decir, si prevé que *x* se convierta en *y* en el contexto A____B pero luego tenemos representaciones superficiales como A*x*B o bien C*y*D; se encuentra en oposición a regla transparente. Un ejemplo es la regla de palatalización de velar en italiano que es o. porque no da lugar a *cuoci como plural de *cuoco* < 'cocinero' (que sería *cuochi*), > o *cuochere.

operador (ingl. *operator*) Término propio de la lógica formal que nos indica el elemento que permite cambiar el valor de una proposición; por ejemplo anteponiendo a un predicado $f(x)$ el o. existencial Ex obtenemos la expresión $Ex\,f(x)$ que se lee: 'existe (por lo menos) un *x* para el que es válido cuando es dicho por el predicado f'. Por extensión, se puede hablar de oo. para definir varias categorías funcionales de las lenguas naturales.

oposición Saussure, que fue de los primeros que advirtió el carácter opositivo y relacional de las unidades lingüísticas, usa varias veces en el *Curso* el término o.; por ejemplo: ''Cuando se comparan los signos entre sí —términos positivos— ya no se puede hablar de diferencia; la expresión sería impropia, puesto que no se aplica bien si no es referido a la comparación de dos imágenes acústicas, por ejemplo *père* y *mère*, o a la de dos ideas, por ejemplo la idea 'padre' y la idea 'madre'; dos signos que comportan cada uno un significado y un significante no son diferentes, sólo son distintos. Entre ellos no hay más que o. Todo el mecanismo del lenguaje, del que hablaremos luego, se basa en oo. de este género y en las diferencias fónicas y conceptuales que implican'' (1968: 167). El Círculo de Praga retoma el concepto de o. para el plano fonológico, para designar una diferencia cualquiera entre dos sonidos; en particular, se llama o. fonológica a ''toda diferencia fónica que puede servir, en una determinada lengua, para la diferenciación de las significaciones intelectuales'' (Trubetzkoy 1939: 30); en la compleja tipología establecida por Trubetzkoy se distinguen las siguientes oo.: bilateral, constante, disyuntiva, equipolente, gradual, aislada, lineal, de localización, multilineal, neutralizable, homogénea, privativa, proporcional, etc. (véanse cada una de estas voces), pero esta causística tan minuciosa ha sido abandonada y el concepto de o. ha sobrevivido sólo para designar la relación distintiva entre dos fonemas o, por generalización, entre dos unidades de cualquier nivel de un sistema.

optativo (lat. *optativus*, trad. del gr. *euktiké* en Quintiliano) Un modo* verbal; en las lenguas indoeuropeas más antiguas (y lo conservan el indoiranio, el tocario y el griego, mientras que ha confluido en el subjuntivo latino que, de hecho, presenta también valor potencial y valor o.) expresaba deseo, posibilidad auspiciada.

oral *a*) En el aparato fonatorio rasgo o. o cavidad o. es el espacio de resonancia que se extiende desde las cuerdas vocales a los labios.

b) Articulación, sonido o. es el que es producido en la cavidad o. ≠ *nasal*.

c) Contenido lingüístico expresado verbalmente. ≠ *escrito*.

oralidad Modalidad expresiva que prevé el uso exclusivo del habla; el término ha adquirido una importancia relevante para comprender todos los procesos típicos de la oralidad, etc.

orden *a*) (fr. *ordre*) Para la fonología de Praga y Martinet, el conjunto de los fonemas consonánticos de una determinada lengua que comparten el mismo lugar de articulación. ≠ *serie*.

b) Modo en el que se organizan y disponen los elementos de un enunciado: o. de las palabras (ingl. *word-order*), la manera, propia de cada lengua, en que se suceden los componentes Sujeto, Verbo, Objeto (o S,V,O según el uso introducido por Jespersen 1924) en un enunciado neutro, no marcado (→ *marcado*): por ejemplo, SVO en italiano o español. → *tipología, universales*.

c) En la gramática GT la sucesión en la que se aplican las reglas en un ciclo* transformacional.

ordenación ⇒ *orden* c).

ordinal Forma numeral* que expresa el orden en que se encuentra el referente en una secuencia numérica; por ejemplo, las formas en *-esimus* del latín (fr. *-ième*, it. *-esimo*<, esp. *-ésimo*>, etc.

ordinario, lenguaje → *lenguaje ordinario*.

orgánico Segmento fonológico cuya presencia en una determinada secuencia está motivada etimológicamente: /d/ en el it. /zdrutt olare, zzdrut ito/ *sdrucciolare* < 'resbalar' > *sdruscito* < 'descosido' > es o., mientras que en /azdru :bale, zdra/ *Asdrubale* < 'Asdrúbal' > *Esdra* < 'Esdras' > es anorgánico.

orgullo lingüístico (ingl. *linguistic pride*) Actitud hacia la propia lengua basada en inclinaciones personales y emotivas más que en un sentimiento organizado de fidelidad lingüística*, que se complace en poner de relieve aquellas características de la lengua que se presentan como más positivas.

origen del lenguaje La primera formación del lenguaje humano es un problema que ha conocido diferentes vicisitudes en las especulaciones de los lingüistas, que han ido desde la discusión más apasionada sobre el tema al rechazo de éste como cuestión no científica. A pesar de que hoy gran parte de la literatura escrita a este propósito está irremediablemente superada y es inutilizable, no es absurdo por lo menos intentar plantear el problema de la formación y evolución de los sistemas verbales, con tal que no se parta, como se ha hecho, de la proyección ingenua de las lenguas "primitivas" de hoy y, en cambio, se proceda a una razonada y consciente combinación de las aportaciones de la etología, de la paleontología, de la psicolingüística y de la teoría lingüística. → *monogénesis, poligénesis.*

ortoepía (gr. *orthoépeia*) La realización fonética de la lengua considera-

da correcta a partir de un estándar que sirve de referencia.

ortografía (gr. *orthographía*) La realización gráfica de una lengua considerada como correcta a partir de un estándar que sirve de referencia.

ortotónico (gr. *orthótonos* 'que no cambia de acento') Tradicionalmente, dícese de la palabra que posee un acento suyo. ≠ *clítico.*

oscuro Término del impresionismo (cfr. ingl. *dark,* fr. *sombre,* alem. *dunkel*) para indicar las vocales de lugar retrasado.

osmosis lingüística Término con el cual se indica el proceso de recíproca influencia y cesión de rasgos que se da entre lenguas que se encuentran en estrecho contacto; la noción ha sido propuesta por V. de Colombel, *Sociolinguistique et parenté linguistique: la notion d'osmose à partir du cas des langues tchadiques des Monts Manara, dans le nord du Cameroun,* "Cahiers du LACITO", 1 (1986), pp. 31-49.

ostensivo (lat. *ostensivus* de *ostendere* 'mostrar') Definición*, criterio, que consiste en el presentar directamente ejemplos concretos de lo que se quiere definir.

oxímoron (gr. *oksúmoron,* lit. '(dicho) agudo (a pesar de ser) absurdo') Figura* estilística que consiste en unir dos formas de significado contrario: lat. *concordia discors, docta ignorantia.*

oxítono (gr. *oksútonos* 'con acento agudo') Acentuado en la última sílaba, agudo. ≠ *barítono*.

oyente Uno de los componentes esenciales del acto comunicativo. → *alocutario, destinatario, narratario*. ≠ *hablante*.

P

paciente (ingl. *patient* o *recipient* o *goal*) En algunos tipos de análisis de la frase, el p. es el que recibe la acción expresada por el verbo.

palabra (del it. antiguo *paraula*) (lat. *parabola*) *a*) Término del lenguaje corriente y de la gramática tradicional usado para indicar la unidad mínima significativa de la lengua; para Boas, por ejemplo, "un grupo fonético que por su forma, claridad de significado y autonomía fonética puede ser inmediatamente separado de la totalidad de la frase" (Boas 1911: 49). Los estructuralistas han intentado suprimir la noción dada la dificultad para establecer una definición no ambigua y que sirva para todas las lenguas (la palabra en ocasiones coincide con un morfema, en otras es un sintagma de morfemas); sin embargo y a pesar de que la p. no puede ser considerada como un universal morfológico, es bastante común que las lenguas le den un reconocimiento formal (en el comportamiento del acento, en la fonología de la pausa, etc.) a una unidad intermedia entre el morfema y la frase y de la que los mismos hablantes tienen conciencia.

b) Genéricamente p. puede ser usada también como sinónimo de habla o la facultad de h.: *el don de la p., la p. divina. p. accesoria.* Para J. Morris, lo mismo que *p. sinsemántica* (→ *autosemánticas, palabras*). // *p. autónoma* ⇒ *autosemánticas, palabras.*

palabra clave (fr. *mot-clé*) *a*) Para Matoré, una unidad léxica particularmente representativa de un período histórico, una sociedad o un movimiento de ideas; este uso privilegiado debe poder ser medido en términos estadísticos, como una mayor frecuencia efectiva de la misma palabra con respecto a su frecuencia teórica.

b) Como traducción del ingl. *keyword*, hoy, en el uso electrónico de la información, p.c. es la palabra significativa usada para identificar y recuperar un fragmento de información como, por ejemplo, un banco de datos.

palabra gramatical → *autosemánticas, palabras.*

palabra lexical ⇒ *autosemánticas.*

palabra llena/palabra vacía → *autosemánticas, palabras.*

palabra tema Para Guiraud, una palabra con una cierta frecuencia en un texto, un signo en torno al cual un autor organiza su propio pensamiento (Rosiello 1965: 136).

palabra testimonio (fr. *mot-témoin*) Para Matoré, cada uno de los elementos particularmente importantes en función de los cuales la estructura lexicológica se organiza y dispone en una determinada jerarquía.

palatal Articulación en la que entran en contacto el dorso de la lengua y el paladar, como en los fonos iniciales de <*chulo, llave* en esp. o de> *cielo* <'cielo'> *gelo* <'hielo'>, *glielo* <'se lo'>, *gnaffe* <'a fe mía' en it.>; aplicado a vocoides, lo mismo que *anterior**.

palatalización *a)* En fonética, desplazamiento hacia adelante del punto de articulación, a menudo debido a una asimilación: por ejemplo, /x/ realizada como /c/ después de un vocoide anterior: *Bach* pero *ich*, o históricamente lat. /k/ > it. /tʃ/.
b) Aparición de una articulación secundaria, respecto a la articulación fundamentel de un sonido (fr. *mouillure*, en esp. se usa también *yotización*, de la letra griega *iôta*); la parte media de la lengua se eleva durante la articulación dando al sonido frecuencias más agudas, como en la serie rusa de las llamadas palatalizadas; cfr. r. *brat* 'hermano' ~ *brat* 'llevar'.

palatoalveolar En la clasificación del API*, lo mismo que alveopalatal*.

paleontología lingüística Reconstrucción de la situación cultural de un grupo a partir de datos lingüísticos; el término y el método se remontan a A. Pictet (*Les origines indoeuropéennes ou les Aryas primitifs. Essai de paléontologie linguistique*, I-II, París, 1859-1863); el término ha caído ya en desuso y, en todo caso, se prefiere *reconstrucción cultural,* paralelo a *reconstrucción lingüística.*

palíndromo (gr. *palíndromos* 'que se vuelve hacia atrás') Dícese de palabra, frase o nombre que puede ser leído indistintamente de izquierda a derecha o viceversa, como en el enigma latino *in girum imus nocte et consumimur igni* ('vamos dando vueltas por la noche y el fuego nos consume' —las antorchas).

pancronía o acronía* Término de Saussure (*panchronie*, Engler, 1968), para referirse a una consideración ahistórica de los hechos de la lengua, una dimensión que asume como inseparables y coexistentes la sincronía y la diacronía.

pancrónico Término de Saussure (cfr. Godel 1957: 271) usado en paralelismo con *sincrónico y diacrónico*; es p. lo que se presenta como permanente, haciendo abstracción del momento histórico concreto. Este carácter de omnicomprensión, sin embargo, es la negación misma de la lengua y, de hecho, el mismo Saussure señalaba: "El punto de vista p. nunca alcanza a los hechos particulares de la lengua" (Saussure 1968: 135). *Fonología p.* es para A.-G. Haudricourt (cfr. A.-G. Haudricourt, C. Hagège, *La phonologie panchronique*, PUF, París, 1978) una especie de fonología general que da cuenta del conjunto de los procesos atestiguados en las diferentes lenguas.

panlectal (ingl. *panlectal*) Gramática p. es aquélla en la que se toman en consideración todas las variaciones internas (o lectos*) de una lengua.

par mínimo (ingl. *minimal pair*) En lingüística distribucional, una pareja de formas que se diferencian entre ellas sólo por un fonema en la misma posición relativa, por ejemplo *pan* y *can*, *cena* y *pena*, *rama* y *cama*; par semimínimo es aquel en la que las diferencias son dos: *pena* y *pino*. A través de la comparación entre pp.mm. se puede determinar los fonemas relevantes mediante la prueba de la conmutación*.

paradigma (gr. *parádeigma* 'modelo') *a*) En la gramática tradicional, un esquema de conjugación o declinación: *el p. de* rosa, rosae *en latín*. En la derivación de las palabras, el p. recoge todos los derivados de una misma base*; se puede distinguir entre un p. en abanico, en que a partir de cada derivado se puede volver a la base y uno por acumulación, en que los elementos de derivación se suman en secuencia.

b) En la lingüística moderna, en sentido amplio, el p. es el conjunto de todas las unidades ligadas por una relación asociativa virtual o, lo que es lo mismo, paradigmática. Cada unidad del p. excluye todas las unidades que habrían podido aparecer en el mismo contexto: en la frase it. *io andrò a casa domani* < 'yo iré a casa mañana' >, *andrò* excluye la presencia de todas las otras formas del verbo *venire* < 'venir' >.

c) En glosemática, el correspondiente de *cadena*, es decir, la clase en el ámbito del sistema.

paradigmático *a*) Cada una de las unidades que entran en combinación en el discurso está ligada a una relación p. o "in absentia" con todas las otras unidades que no son realizadas pero que podrían serlo en ese mismo punto de la cadena*, o que, sea como sea, pertenecen a su mismo campo asociativo, morfológico, etc. *Voy*, en *yo voy a casa*, está ligado por relación p., por un lado, con todas las formas del verbo *ir* (*va*, *van*, *vaya*, *venid*, *vengan*, etc.), que pertenecen a su paradigma* en sentido tradicional y, por otro, con formas como *vuelvo*, *llego*, etc. Nótese que fuera de un contexto lingüístico técnico, *p.* posee el valor de 'ejemplar': *constituye un ejemplo p. de ello la edición de la* Chanson de Roland.

b) Para Hjelmslev, el p. es el estudio desde el punto de vista sincrónico de la organización de los fonemas en sistema. → *presión*.

parafónica Para Canepari, lo mismo que *paralingüística* (→ *paralingüístico*).

paráfrasis (gr. *paráphrasis*) *a*) Nueva formulación de un enunciado o de un texto con un contenido semántico equivalente, usada en la gramática tradicional con propósito didáctico y en la gramática más reciente de orientación generativa y semántica como procedimiento para dar lugar a correlaciones y diferencias no explícitas de forma inmediata.

b) Dentro de un texto, la p. es uno de los factores que aseguran la cohesión del mismo; cfr. las pp. introducidas con fórmulas como <*para decirlo de otro modo*>, it. *per dirla altrimenti*, ingl. *to put it in another way*, fr. *autrement dit*.

paragoge (gr. *paragoge*) Adición de un elemento fonético en posición final: roman. *sine*, *none* <*felice* por *feliz*, *male* por *mal* en esp. antiguo>.

paragógico Elemento adicional, carente de valor morfológico; *-n* en el griego *phēsín* 'dicen'.

paragrama En sus notas inéditas Saussure usa *p.* (fr. *paragramme*) en lugar del precedente *anagrama* para indicar una determinada técnica de versificación criptográfica que creía poder atribuir a los poetas clásicos: el significante de un signo particularmente denso de contenido semántico (el nombre de una divinidad, palabra guía) es desmembrado y diseminado en el texto (fr. J. Starobinski, *Les mots sous les mots. Les anagrammes de Ferdinand de Saussure*, Gallimard, París, 1971). → *hipograma*.

parahipotaxis Una secuencia sintáctica, bastante frecuente en la prosa italiana antigua, constituida por una proposición secundaria proléctica y por una principal propuesta que retoma la secundaria con un conectivo (por ejemplo *e* 'y'): *Po' che vi piace, ed i' sì'l vi diroe* (*Fiore*, lxxxviii, 1).

paralelismo En la lingüística del texto, uno de los procedimientos que garantizan la coherencia del mismo.

paralexema (fr. *paralexème*) Para Greimas, una unidad del plano del contenido más grande que un lexema, pero conmutable con éste: ejemplo, el fr. *moulin à café*; lo mismo que *lexía* c).

paralexía Perturbación de la lectura que lleva a leer una palabra en lugar de otra.

paralingüístico (ingl. *paralinguistic*) Según una visión reductiva que considera como lingüístico sólo el aspecto segmental del enunciado (fonemas y morfemas), es p. el conjunto de los demás procedimientos (tono y entonación, cualidad de voz, tiempo de elocución, etc.), y su estudio es llamado también *paralingüística* (ingl. *paralinguistic*) o *parafónica* (ingl. *paraphonics*).

paraplasmo (gr. *paraplasmós* 'cambio de forma gramatical') Competencia o rivalidad de dos formas. ≠ *metaplasmo*.

parasintético (cfr. gr. *parasúnthetos* 'formado por un compuesto') Tipo de compuesto* en el que al menos uno de los elementos es a su vez una voz compuesta, como en it. *scagionare* < 'disculpar, excusar' > (*s* + *cagione* + *are*) < o en esp. *endulzar* (*en* + *dulz* + *ar*) >.

parásito   En lingüística histórica, un sonido anorgánico* que se desarrolla, entre otros, por motivos de eufonía.

parastrato → *sustrato*.

parataxis (neol. del gr. *parà* 'al lado' y *táksis* 'ordenación', algo así como 'ordenación al lado') → *coordinación*.

paremiología (neol. del gr. *paroimía* 'proverbio')   El estudio y la recopilación del material relacionado con los refranes y proverbios de una lengua.

parentesco lingüístico (alem. *Sprachverwandtschaft*, fr. *parenté linguistique*)   La relación que existe entre lenguas genéticamente emparentadas, es decir, que se han ido formando a partir de una misma lengua de origen, es designada en lingüística histórica con una metáfora inspirada en el parentesco humano y así se habla de una lengua madre de la que derivan las diferentes lenguas emparentadas entre sí (ingl. *cognates*) y que forman familias de lenguas; se dice que las lenguas emparentadas tienen una misma raíz, una misma estirpe, como las etnias. En ocasiones se realiza una distinción entre p. y afinidad, referida esta última al acercamiento entre lenguas conseguido por contacto y no por herencia.

paréntesis (gr. *parénthesis* 'intercalación, inserción', atestiguado con el significado moderno en Quintiliano, IX, 3, 23)   Un signo de notación usado en muchos tipos de análisis lingüísticos; los diferentes tipos de p. se utilizan para señalar niveles diversos; los corchetes engloban unidades fonéticas y los signos que indican el valor de los rasgos: [+ grave], [— compacto], las barras // unidades fonológicas, las llaves { } morfemas, los signos < > unidades gráficas; en la representación de la estructura de una frase los p. se usan (eventualmente señalados con índices y etiquetas), por analogía con la formalización algebraica, para indicar la jerarquía de los diferentes elementos: parentización etiquetada* es la indicación de los componentes de una estructura sintagmática.

parentética (cfr. gr. *parénthetos* 'interpolado, intercalado' y similares)   Frase que se usa como inciso dentro de un enunciado: "Si me quisieras dar ese dinero, que, entre otras cosas, no es tuyo, te lo agradecería." En ocasiones, la naturaleza p. es remarcada verbalmente, con una referencia a las convenciones de la lengua escrita: "el cual, dicho entre paréntesis, era un perfecto memo".

parentización (cfr. ingl. *bracketing*)   Representación de una estructura sintagmática por medio de una serie de pares de paréntesis (eventualmente etiquetados con su correspondiente denominación, ingl. *labelled brackets*) que se leen desde fuera hacia dentro como en las formalizaciones lógico-matemáticas; los constituyentes de orden más elevado corresponden a los paréntesis más externos: ((Juan) (come fruta))).

paretimología o **etimología popular** (alem. *Volksetymologie*) Proceso por el cual un hablante crea un nuevo sentido para un signo que de otra manera le resultaría opaco: it. *contraproducente* (<lat. *contra producentem* '[argumento] desfavorable a quien lo aduce'), *guiderdone* < 'premio, galardón' > (<a.a. alem. *widarlon*, alem. *Widerlohn* 'recompensa', formado a partir de *dono* 'don'), *stoccafisso* < 'pejepalo, bacalao curado' > (neerl. *stokvis*, ingl. *stockfish*) <, esp. *cerrojo*, transformación de *berrojo* <lat. *verruculum* >. Podemos tener también una p. gráfica, como en ingl. *sound, espound* (donde la adición de la <-d> no es explicable históricamente).

"parole" [pa'Rɔl] Para Saussure, la realización concreta e individual de la "langue"*, el habla.

paromofonía Transcripción paradigmática entre significantes. → *paronomasia*.

paromosemía Transposición paradigmática entre significados.

paronímica, atracción → *atracción* c).

parónimo (gr. *parónumos* 'de nombre parecido') Palabras muy semejantes en cuanto a la forma (pueden tener incluso la misma raíz) pero de distinto significado como en it. *eccedenza* < 'lo sobrante' > y *eccesso* < 'exceso' > < o en esp. *hombre/hambre* >.

paronomasia (lat. *paronomasia*, del gr. *paronomasía*) Utilización estilística de palabras parónimas*: alem. *Bibel und Babel* (título de una obra de F. Delitzsch, 1905), it. *traduttore traditore* < 'traductor traidor' >.

paroxítono (fr. *paroxyton*, del gr. *paroksútonos*) En el sistema griego dícese de la palabra que lleva el acento agudo en la penúltima sílaba; después se ha generalizado para indicar una unidad acentual con acento* en la penúltima (en la terminología italiana *piana* <, en la española *llana* >).

"parsing" (ingl. 'fragmentación') Análisis de los elementos que componen un enunciado.

parte En glosemática, cada uno de los elementos homogéneos en el ámbito del proceso lingüístico.

partes del discurso (gr. *ta mérē toû lógou*, lat. *partes orationis*) Término de la gramática antigua (Aristóteles, los Estoicos, Apolonio de Rodas, Elio Donato) introducido de manera estable en la tradición para indicar las clases en que se dividen las formas gramaticales de una lengua: nombre verbo, adverbio, etc.

partición En glosemática, el análisis de una cadena*.

participante Sujeto que participa en la interacción; la noción de p. (ingl. *participant*) ha sido señalada por Firth (1950).

participio (lat. *participium*, trad. del gr. *metokhikós*, de *metokhḗ* 'participación') En la gramática tradicional formena que participa al mismo tiempo de las características del nombre y del verbo; de hecho, el p. en latín o en griego presentaba la característica de ser declinable según el género y el caso como el nombre y el adjetivo, pero se podía también conjugar en presente, pasado y futuro con diátesis activa, media y pasiva y con aspecto transitivo o intransitivo como el verbo.

partícula Término genérico para indicar elementos carentes de un significado autónomo y de un acento propio y que contribuyen a la organización sintáctica del enunciado: gr. *men..ge*, jap. *wa...ga*, etc.

partitivo Categoría gramatical referida a la oposición parte/totalidad: es expresada con el genitivo p. en latín, con *de, du, des* en francés (*du pain, des olives*), con *di* en italiano (*gli ci volle del bello e del buono* < 'necesitó insistir mucho, le costó mucha fatiga >'), que sufre a menudo la influencia del francés (*prenda ancora del vino* < 'beba más vino' >).

pasado Término genérico referido a formas del verbo.

pasivo (lat. *passivum* de *patior, passus sum* 'soporto') Dícese de la forma que proviene de la transformación de un verbo activo: 'El pueblo es oprimido por el dictador.' La forma p., que es marcada formalmente en las lenguas más antiguas mientras que se expresa en forma perifrástica en las lenguas románicas, tiene origen en la diatesis* media del verbo, del que a

menudo reproduce las desinencias: gr. *lúomai* 'me lavo'.

"patois" [pa'twa] Término francés para indicar una variedad geográfica de uso muy circunscrito, propia de una región o de un pueblo.

patología del lenguaje Una especialización interdisciplinar (pero orientada más fuertemente en sentido médico) que estudia las diferentes manifestaciones anormales o patológicas del lenguaje, de origen cerebral (afasia*) o articulatorio (dislalia, → *rinolalia, rotacismo*, etc.).

paucal (lat. cient. *paucalis* de *pauci* 'pocos') Número gramatical que se refiere a un pequeño número de referentes: ar. egip. *šagarāt* 'pocos árboles', opuesto al plural *ašgār* 'varios árboles'.

pausa Interrupción, suspensión de la cadena hablada: la p. tiene a menudo función demarcativa, señalando el inicio de un nuevo elemento: *ha battuto* < 'ha batido' > y *abbattuto* < 'abatido' > se realizarían del mismo modo, [ab:at:u:to]; si se las quiere diferenciar se introduce una p. entre *ha* y *battuto* de manera que no se obtenga la reduplicación automática de la /b/ inicial (→ *fonología de juntura*). Análogamente, existe una p. virtual que no corresponde a la ausencia de sonido sino que se advierte si se verifican o no ciertos fenómenos (exactamente como si la p. se realizase).

perceptibilidad El grado de claridad con el que un sonido puede ser percibido y reconocido independientemente de la intensidad de emisión; la p. puede resultar importante para explicar un cambio fonético.

perfecto En muchas tradiciones gramaticales aplícase a un tiempo que define una acción llevada a cabo en el pasado pero cuyos resultados son aún perceptibles en el momento de la enunciación; son un ejemplo las formas llamadas p. -presentes, como en lat. *novi* 'ha sabido' y, por lo tanto, 'conozco', gr. *oîda* 'he visto' y, por lo tanto, 'sé', etc. → *imperfecto*.

perfectivo/imperfectivo Una oposición de aspecto entre la acción vista como un punto en el que coinciden el inicio y el final del proceso (*se desmayó*, p.) y la acción vista como un proceso que aún se está desarrollando, sin un término final (*dormía*, i.).

perfil o **contorno** *a*) En fonética, indica el desarrollo de un enunciado con respecto a la melodía (ingl. *contour*): p. intonacional, melódico, etc.

b) En sociolingüística → *fórmula de perfil*.

performativo (ingl. *performative* de *to perform* 'ejecutar, llevar a cabo') Término introducido por J. L. Austin para indicar un verbo que, si es enunciado en la primera persona singular del presente, tiene la facultad de ejecutar la acción que describe: al decir "yo te prometo que *x*" me comprometo efectivamente a cumplir la promesa, es decir, el verbo ha sido el origen de la acción (es también el caso de *bautizo, maldigo, abjuro, ordeno*,

etc.). Un p. es, como dice Benveniste, suirreferencial*, crea por sí mismo su contexto de referencia. El valor p. desaparece si digo "Te he prometido *x*", que se limita a describir algo que yo hice anteriormente, mientras que pueden tener valor p. algunas expresiones determinadas del lenguaje legal y administrativo como *se le comunica que su nombramiento entrará en vigor* o *al recibo de la presente se puede considerar eximido del encargo*. Ya que en italiano no existe un verbo *performare la traducción apropiada del término (que es transparente en inglés) sería *esecutivo* < 'ejecutivo' >, por paralelismo con *esecuzione* que traduce *performance*, como de hecho había sido traducido en Benveniste (1971: 330, n.º 6, en el original, sin embargo, encontramos *perfomativ*).

periférico → *central/periférico*.

perifrástico Construcción que utiliza más de un elemento: futuro p. en las lenguas románicas es aquel basado en el tipo *amare habeo* 'tengo que amar, puedo amar' (cfr. siciliano *aju a fari*) que ha sustituido la forma latina clásica *amabo*; en las lenguas románicas existen otras construcciones pp. para el futuro: rum. *voi pleca*, fr. *je vais faire*, etc.

período (gr. *períodos* 'construcción circular', traducido en latín como *ambitus, circuitus, periodus*) Unidad sintáctica. A pesar de que, en una sobreposición de la terminología escolástica tradicional y de la terminología lingüística moderna, el uso italiano < y esp. > oscila entre p., frase y proposición* para indicar un mismo tipo de unidades, sería preferible reservar p. para la unidad sintáctica mayor (de acuerdo con su significado originario) y usar cláusula* para una subdivisión menor, proposición para el contenido del período, enunciado* como término neutro para una emisión que no ha sido del todo analizada y frase* para los diferentes tipos de p. o en el discurso.

perlocutivo o **perlocutorio** (ingl. *perlocutionary*)   En la teoría de Austin p. es la finalidad que nos proponemos en el acto lingüístico*, y fuerza p. es la que debe ser atribuida de forma efectiva al enunciado, independientemente de su fuerza ilocutiva*. *voluntad p.* → *voluntad.*

permansivo   Aspecto* verbal que expresa la persistencia de la acción: lat. *memini* 'recuerdo', *odi* 'odio', que son traducidos con presentes y pueden ser interpretados como antiguos pp.

permutación   Para Hjelmslev, una sustitución entre las partes de una cadena. Sirve para determinar las invariantes sintagmáticas (combinatorias) de una lengua.

perno (ingl. *pivot*)   Clase p. es una de las dos clases de palabras en las que pueden ser divididas las formas lingüísticas del niño en la edad de la adquisición lingüística; son palabras funcionales. → *clase abierta/clase perno.*

persona (lat. *persona*, gr. *prósōpon*)   En la terminología tradicional son llamadas pp. (como en sánscrito *puruṣa* 'hombre') los participantes en el acto

de comunicación, el "yo" que habla y el "tú" que escucha; la 3.ª persona es introducida por simetría ya que se trata en todo caso de la 1.ª persona que le habla de ella a la 2.ª Este esquema mínimo se amplía y se complica en el plural y, eventualmente, en el dual y trial.

personales, pronombres   Los pronombres que aluden a la distinción entre personas* y permiten fijar la enunciación en la situación concreta. Integran, precisan o confutan las indicaciones aportadas por el verbo; por ejemplo, marcan la oposición exclusivo/inclusivo, el número de participantes, etc.

personificación   Figura* que consiste en el tratar un nombre inanimado como animado, con la posibilidad de que pueda regir verbos que exigen un sujeto animado; a menudo, la p. es marcada sólo gráficamente: *la Muerte, el Oro.*

perspectiva funcional de la frase (alem. *funktionale Satzperspektive*, ingl. *functional sentence perspective*)   Teoría elaborada por los continuadores del Círculo de Praga, que analiza los enunciados según su contribución semántica o dinamismo comunicativo. → *dato, nuevo, punto de vista, rema, tema.*

pertinente   Un rasgo es p. (o distintivo o relevante) si su presencia no está condicionada automáticamente por el contexto: la sonoridad es pertinente en [b] de *bollo*, en cuanto nos permite diferenciarlo de *pollo*, pero no lo es en

[z] en la voz it. ['zdruttʃolo] < 'esdrú-julo' >, ya que no podemos tener [s] delante de una sonora.

pertinentización En general, proceso por el cual un rasgo es convertido en pertinente dada una situación específica. → *fonologización*.

peyorativo *a*) Verbo o sustantivo que expresa una gradación negativa de la acción o referente indicados: la connotación puede ser subrayada por un determinado afijo: ejemplos, en italiano, los verbos derivados del esquema *s—azzare (spiegazzare)* < 'manosear, ajar' > y los nombres en *-astro, -ame, -accio*, etc. <o en español *-ucho, -astro*, etc.>.
b) Alocutivo p. → *diminutivo afectivo*.

"phylum" Término de las ciencias naturales, usado en la lingüística clasificatoria para indicar la máxima unidad de clasificación, subdividida en stock* y familia. Si la clasificación lo pide, se puede disponer de una unidad superior, el "macrophylum".

pictograma Un elemento gráfico, en general no segmentable, que no se refiere a una forma específica de una determinada lengua sino a un conjunto de nociones o a una idea compleja; las articulaciones de este significado no son transmitidas por el p. sino que son suplidas por el lector. Para tomar un ejemplo moderno, un p. /figura en movimiento + llamas/ es interpretado como 'salida de emergencia en caso de incendio'. ≠ *logograma*.

pidgin (ingl. [pidʒin], de origen incierto, quizá deformación de *pidgeon English* o *business English*) Lengua nacida por el contacto, asimétrico y no profundo, entre poblaciones de lenguas diferentes y limitada a dominios de uso circunscrito. → *criollo, lingua franca, pidginización*.

pidginización (ingl. *pidginization*) Proceso mediante el cual una lengua es adquirida por aloglotas (en situaciones de contacto) no en su real variedad de uso sino en una variedad nueva, transformada y simplificada en la sintaxis, en el léxico y en la fonética. Dado que las tendencias generales del proceso pueden ser consideradas universales, los resultados concretos de la p., los pidgin*, presentan todos, sean cuales sean los diferentes orígenes historiográficos, afinidades sustanciales.

pie o **grupo rítmico** Con un término propio de la métrica clásica (gr. *poûs*, lat. *pes*), se indica hoy una unidad fonológica rítmica; en las lenguas con isocronismo* acentual un p. está constituido por un número entero de sílabas, una de las cuales es más relevante al recaer sobre ella el acento o por ser pronunciado con un tiempo más fuerte; un p. binario se descompone en ataque (ingl. *onset*) y rima (ingl. *rhyme*).

planificación lingüística (ingl. *language planning*) Conjunto de acciones con las que se interviene sobre la lengua de una nación y que emanan de un organismo central (un ministerio, una academia, etc.) que intentan resolver determinados problemas lingüísticos: elección de una lengua estándar, fijación de una variedad lingüística, creación de los neologismos necesarios, etc.

planificación verbal (ingl. *verbal plannig*) El proceso de previsión temática y expositiva, de programación interior, del fragmento de discurso que está a punto de ser enunciado; podría coincidir, al menos en algún caso, con el discurso endofásico*.

plano *a*) En glosemática se usa el concepto de p., que evoca las conceptualizaciones de la geometría, para sugerir que expresión y contenido no son conjuntos delimitados y circunscritos, sino potencialidades dentro de las cuales es necesario trazar las específicas delimitaciones, así como las figuras son delimitaciones de un plano geométrico; se distingue de esta manera entre un p. del contenido donde se encuentran los significados y un p. de la expresión, donde se encuentran los significantes. La lengua natural, al hacer uso de uno y otro, es una semiótica de dos pp., pero son también posibles semióticas monoplanas.
b) Por analogía con este uso de p., Greimas habla de p. del discurso y p. de la narración. Recordemos que el término *p. de la narración* es de tradición más antigua en la lingüística italiana: cfr. G. Devoto, *I "piani del racconto" in due capitolo dei Malavoglia*, "Bolettino del Centro di Studi Filologici e Linguistici Siciliani" 2 (1954), pp. 5-13, en *Nuovi studi di stilistica*, Sansoni, Florencia, 1962, pp. 202-212.

pleno/vacío Forma, palabra → *autosemánticas, palabras*.

pleonasmo Presencia de un elemento no estrictamente necesario finalizado a la determinación morfológica.

pleonástico Elemento redundante; por ejemplo en poesía, el epíteto p.: *la blanca leche*.

plerema (del gr. *plérés* 'lleno' y -*ema*) En glosemática, la unidad mínima en el plano del contenido*. ≠ *cenema*.

plerematema En glosemática, la unión de los pleremas centrales (raíces) y marginales (derivativos).

pleremático En glosemática, plano p. es el plano del contenido que forma el sentido del contenido; pleremática es el estudio de las funciones y magnitudes del plano del contenido.

plerémica En glosemática, la división de la pleremática que estudia los pleremas (raíces y derivados).

plosiva Articulación obtenida por el bloqueo en un punto de la cavidad oral del flujo del aire espiratorio; según el flujo sea ingresivo o egresivo, se puede hablar de implosiva o explosiva.

plural → *número*.

"pluralia tantum" Formas que poseen sólo el plural (como indica el significado de la expresión latina) y carecen de forma para el singular: it. *esequie*, fr. *les obsèques* <, esp. *exequias*>.

"pluralis maiestatis" (lat. 'plural de majestad') El uso (difundido sólo a partir de la tarda época imperial) de la primera persona del plural por parte de los soberanos (y más tarde de los pontífices); dado que conllevaba evidentemente el dirigirse al soberano con la segunda persona del plural dio lugar al < *Vos*, it.> *Voi* de cortesía*. El mismo uso por parte de un autor que escribe se llama *plural "auctoris"* o *de modestia (creemos ser de utilidad al lector).* → *cortesía.*

pluridiscursividad Concepto introducido en los años veinte por Baxtin, en ruso *raznoréčie*, traducido por Todorov por *pluridiscorsivité* o *hétérologie*; su opuesto es la *raznogolósie*, traducido como *hétérophonie* o *diversité des voix.* → *polifonía.*

plurigrafismo Presencia simultánea en una misma persona que escribe o en una misma comunidad de más de un código o de variedades de escritura.

plurilingüismo o **multilingüismo** El uso de más de una variedad lingüística dentro de una misma comunidad; plurilingüe o multilingüe es el hablante o la comunidad. ≠ *monolingüismo.*

pluscuamperfecto (trad. del lat. *plusquamperfectum*) Tiempo verbal que funciona como pasado del perfecto* y que a menudo deriva de las formas de éste.

población Término del lenguaje estadístico, que en lingüística cuantitativa define la lengua en su totalidad, respecto al muestrario* sobre el que se lleva a cabo la investigación real.

poda (ingl. *tree pruning*) En la gramática GT, una operación postulada por J. R. Ross, que elimina, en el curso de la derivación, ciertos nudos del diagrama arbóreo del indicador sintagmático, con mayores o menores consecuencias sobre la forma superficial.

poética, función Para Jakobson, la función en que la comunicación está orientada de manera prevalente hacia el mensaje y en la que se utilizan al máximo las posibilidades de elección y combinación ofrecidas por el sistema comunicativo elegido.

polar (en este caso 'que se mueve hacia un polo u otro, que tiene dos polos') En el léxico son términos pp. los antónimos* del tipo *caliente-frío, joven-viejo; pregunta p.* es el equivalente propuesto por M. Crisiari para una pregunta* del tipo sí o no.

polarización Dos términos que coexisten en una misma área semántica se especializan, distribuyéndose el área: quien no acepta que *lingüística* y *glotología* sean sinónimos los debe polarizar creando una diferenciación funcional.

polifonía (fr. *polyphonie*) Término introducido por T. Todorov, *Mikhaïl Bakhtine, le principe dialogique*, Seuil, París, 1981, y desarrollado por O. Ducrot y A. Culioli, para referirse a la posibilidad de la coexistencia de más de una "voz" en un mismo acto de lenguaje: la del sujeto hablante, la del elocutor, la del autor, si se trata de un texto, etc. → *pluridiscursividad.*

poligénesis   La derivación con más de un origen distinto; si para explicar el origen de las lenguas la p. es la hipótesis no marcada (mientras que es marcada la de la monogénesis*), ésta se convierte en marcada para las lenguas criollas; la semejanza entre las diferentes lenguas criollas es tal que resulta más fácil demostrar una monogénesis, si bien difícil, que una p.

políglota (gr. *polúglosso* o *polúglottos* 'que posee más de una lengua, que habla más de una lengua', → *glotto-**; más raramente se usa el sustantivo, *poliglotismo* o *poliglosia*, cfr. alem. *Polyglottie*)   Hablante que posee más de una lengua; obra, diccionario en varias lenguas (del uso de imprimir ediciones monumentales de la Biblia en las que se presentaban juntas sus diferentes versiones; la primera y más famosa es la *P. complutense*, imprimida en Alcalá en 1514). Con respecto al sinónimo *plurilingüe*, p. parece implicar que el dominio de más de una lengua ha sido buscado intencionadamente (con el estudio, por ejemplo) y que, por lo tanto, no es natural o intrínseco.

polilectal (ingl. *polylectal*)   Gramática que se ocupa de las diferentes variedades de una lengua. → *lecto, panlectal*.

polimorfia (alem. *Polymorphie*, introducido por A. Tobler en 1870 tomándolo de la cristalografía)   Presencia simultánea de más de un alomorfo de un mismo morfema (/amik-, amitʃ-/ en it. *amico-amici* < 'amigoamigos' >), o, incluso, de más de un morfema para un mismo paradigma (*veng-, vien-, ven-, vay-*; lat. *vi-s;*

robor-is 'fuerza', *ieccus/iecinor-is* 'hígado', etc.).

polimorfismo ⇒ *polimorfía*.

políptoton (gr. *políptoton* 'que tiene muchos casos', → *díptoton, tríptoton*)   Figura que consiste en la repetición de un mismo elemento con forma o valor sintáctico diferente: *Dinanzi a me no fuor cose create / se no etterne, e io etterna duro* (Dante, *Inferno*, iii, 7-8).

polisemia (fr. *polysémie*)   Término de Bréal para indicar la coexistencia de varios significados (totalmente distintos o coordinados) en un mismo signo; por lo general, es facultativa como sucede con la p. del it. *fare* en *fare il morto* < 'hacerse el muerto' >, *fare un dolce* < 'hacer un pastel' >, *fare compassione* < 'provocar compasión, dar pena' >, *fare attenzione* < 'prestar atención' >: el significado que se va actualizando progresivamente excluye los otros, con los cuales se encuentra sólo en relación paradigmática*; pero puede darse una p. real, por ejemplo en *Che fa?* < '¿Qué hace? o ¿Qué importa, qué más da?' >. En la especialización propia de las terminologías técnicas y de las nomenclaturas la p. se elude desde el momento en que el contexto de uso bloquea automáticamente cualquier otra interpretación: para un mecánico que está en el taller el término *llave* es unívoco.

polisémico   Signo dotado de más de un significado; mucho más raramente se usa su antónimo *monosémico* 'que alude a un solo significado'.

polisíndeton (gr. *polusúndetos* 'con muchas ataduras') Coordinación de varios elementos que pertenecen a un mismo orden por medio de conjugaciones: *y...y...y* ≠ *asíndeton*.

polisintético Término acuñado por el americanista P. S. Duponceau (1819) para indicar un tipo de lengua —como el esquimal y otras lenguas americanas— que mediante una sola palabra aglutina un alto número de significados y de relativos morfemas; por ejemplo en esquimal *takusariartorumagaluaruepâ?* '¿Crees que él piensa ir a buscarlo de verdad?, de *takkusar(pâ)* 'él lo busca', *-iartor(poq)* 'él va a', *-uma(voq)* 'él tiene la intención', *(g)aluar(poq)* 'él actúa de este modo pero', *-uer(poq)* 'crees que él', *-â* 'interrogativo de 3.ª persona' (Boas 1911: 110-11).

polisistémico Mientras que la lingüística distribucional lleva a cabo sus análisis partiendo del presupuesto de que existía un único sistema, a partir de 1948 J. R. Firth empezó a explorar la posibilidad de que en aquella que para nosotros es *una* lengua coexistieran *más de un* sistema que se intersecaban e interserían entre sí: por ejemplo, en una lengua en la que se da una fuerte presencia de elementos léxicos que provienen de otra lengua (como es el caso del somalí o del suahili respecto al árabe) podrían existir dos sistemas fonológicos coexistentes, el de la lengua de base (suahili o somalí) y el de la lengua de la que provienen los préstamos (en este caso, el árabe); llamamos p. al análisis que presupone esta coexistencia).

polivibrante Articulación vibrante (cfr. el ingl. *trill*) en la que la articulación supone dos o tres vibraciones: [r] en < español > o en italiano.

popular En lingüística se usa a menudo como sinónimo de espontáneo, "naïf", no culto o, técnicamente, de tradición oral directa, no literaria: *el it. pieve es el resultado p. del lat.* *plebs; para etimología p. (trad. del alem. *Volkssetymologie*) → *paretimología*. Italiano p. (según el modelo del fr. *français populaire*) es el nombre que reciben en ocasiones aquellas variedades de lengua del continuo* italiano ocasionalmente registradas en inscripciones y que no sólo no poseen ya características claramente dialectales sino que además se alejan del italiano estándar, sobre todo en lo que respecta a la sintaxis y al léxico.

posesión alienable e inalienable En algunas lenguas se da reconocimiento formal al tipo de relación existente entre quien posee y la cosa poseída y se distingue entre p. alienable (temporánea, no esencial) e inalienable; en las lenguas que expresan formalmente este rasgo las clases de palabras marcadas son generalmente las partes del cuerpo, los términos de parentesco, los objetos personales; compárese el diferente comportamiento del español, el italiano, el francés y el inglés en frases como *se quitó el sombrero/ si tolse il cappello/il ôta son chapeau/ he lifted his hat; levantó la mano/alzó la mano/il leva sa main/he raised his hand.*

posesivo La relación '*x* pertenece a *y*, es poseído por *y*, se refiere a *y*', en la que *y* es una de las personas* gramaticales de la lengua, se expresa a menudo añadiendo a la forma para *x* un conjunto específico, sea como sufijo (turco *ev-im* 'mi casa', literalmente 'la casa-mía', persa *ketab-am* 'mi libro') sea como forma autónoma, en relación de anexión* (persa *manzel-e man* 'mi casa', literal. 'casa-aquella-de mi'). → *posesión alienable e inalienable.*

posición *a*) En fonética dícese de la colocación en el contexto; en métrica clásica es larga por p. una vocal que se encuentra en sílaba cerrada.

b) En la terminología de Bloomfield "cada una de las unidades ordenadas dentro de una construcción" (Bolelli 1965: 495). Por ejemplo, en una construcción del tipo *El mar baña la costa* tenemos tres pp., la del actor (*el mar*), la de la acción (*baña*) y la del objeto (*la costa*). Dado que el análisis de Bloomfield se encuentra ligado a las formas según una real distribución y no a la semántica de la frase, en una construcción cada p. puede ser ocupada solamente por ciertas formas y no por otras; las pp. en las que aparece una forma son consideradas funciones de ésta, mientras que todas las formas que pueden ocupar una determinada p. constituyen una clase* de formas.

positivo *a*) Un grado de la comparación.

b) → *complejo.*

posposición ≠ *anteposición, preposición.*

postalveolar Articulación en la que la punta de la lengua, al entrar en contacto con un punto situado en la zona posterior de los alveolos, se ve obligada a curvarse hacia dentro; de ahí los nombres como *retroflejo, cacuminal o invertido.*

postalveolarizado Vocoide como el del inglés americano *girl* /gə:l/.

postcíclico → *ciclo.*

posterior *a*) En fonética, sonido articulado en la parte posterior del aparato, lo mismo que *retrasado** (*arretrato*).

b) En la teoría de Chomsky y Halle, un rasgo fonológico (ingl. *back*) ⇒ *anterior/posterior.*

postesivo (neol. de *post-* y *esivo**) Caso con el valor de 'sucesivo a, después de *x*': tabasarano *sabvadza-län* 'al cabo de un mes'.

postónico Elemento colocado después del acento principal. ≠ *pretónico.*

postulado Se indica con el nombre de p. de Grice un conjunto d convenciones expuestas por H. P. Grice (por ejemplo en *Logic and conversation,* en P. Cole y J. Morgan, ed., *Speech acts,* "Syntax and semantics" 3, Academic Press, New York 1975, pp. 41-58) que deben ser consideradas válidas por todos los que participan en una interacción lingüística; aceptando el principio de que en una interacción la finalidad que cada uno de los participantes se propone es para todos la misma, es decir, la de obtener el máximo y mejor intercambio informativo, y que todos se proponen alcanzar este fin de la mejor manera posible, el intercambio de la información es regulado por algunos principios básicos: no se dirá más de lo que es necesario y esto será siempre verdad, se intentará ser pertinentes al argumento elegido y expresarse del modo más claro posible.

potencia *a*) La p. de una teoría va referida a su grado de explicatividad; naturalmente, cuanto más fuerte o potente sea una teoría más alto será su costo en términos de asuntos o de presupuestos.

b) En sociolingüística, p. de una lengua, según Mackey, es un valor compuesto comparable al de prestigio* y que puede ser calculado combinando datos relativos al que habla la lengua misma (producción cultural y económica, número, modalidades, etc.) y a quien habla las otras lenguas respecto al cual la lengua ejercita su p.

potencial *a*) Forma verbal para indicar la probabilidad: en finés *-ne-*.

b) P. semántico es la realización lingüística del p. de comportamiento como puede ser realizado en enunciados y discursos, gracias a un sistema de posibilidades semánticas subordinadas a los contextos situacionales (Giglioli).

pragmalingüística ⇒ *lingüística pragmática, sociopragmática*.

pragmático (gr. *pragmatikós* 'relativo a los hechos') En la comunicación lingüística, los aspectos pp. son aquellos directamente ligados a la actuación obtenida o inducida a través del lenguaje, la interacción, etc.

a) Morris llamaba pragmática a una de las tres divisiones de la semiótica, la que trataba de los orígenes, los usos y los efectos de los signos en el ámbito de los contextos en los que éstos aparecen (Morris 1949: 211). Ámbito de estudio sólo potencial en el momento de la enunciación de Morris, la p. se ha convertido luego en una real y propia rama de investigación.

b) Eficiencia p. (ingl. *pragmatic efficiency*) es el valor p. de uso que una expresión posee en su contexto situacional (Malinowski, *Coral gardens and their magic*, 1935).

c) Para Chomsky (1980) se puede hablar de una competencia p. junto a aquella gramatical.

precíclico → *ciclo*.

predicación La operación mediante la cual se le confiere a un sujeto la atribución de cualidad o, lo que es lo mismo, la de afirmar la existencia o actividad de un ente, cosa o idea.

predicado (lat. *praedicatum*, que es la traducción dada por Boecio al gr. *kategoroûmenon*, 'quod dicitur de subiecto') *a*) En la gramática tradicional, el elemento que es predicado por el sujeto: p. nominal es el introducido por una forma del verbo 'ser' (llamada cópula), p. verbal es el introducido por cualquier otro verbo.

b) En la teoría de los casos profundos* y en otros modelos de análisis con base semántica, dícese del elemento fundamental, del verbo que ''predica'' una determinada propiedad o actividad del sujeto. P. atómico es el que no puede ser descompuesto ulteriormente en otros pp.

predicativo Construcción que, a través de la declinación o el orden, convierte un elemento en el predicado de un sujeto. → *atributivo*.

prefijación Proceso de derivación verbal por medio de prefijos que, en general, no altera la clase a la que pertenece la base.

prefijado Formación derivada por medio de un prefijo; se distingue entre pp. vivos o fósiles, según la movilidad de los prefijos con respecto a la base, verbales (*rehacer, decongestionar*) y nominales (*transalpino*).

prefijo Afijo que aparece al inicio de la unidad lexical.

prefijoide Término propuesto por B. Migliorini (en un artículo de 1935, reeditado en *Saggi sulla lingua del Novecento*, Sansoni, Florencia, 1963[3], pp. 9-60) para indicar un elemento que no pertenece al paradigma de los prefijos de la lengua pero que puede ser usado como un prefijo en la formación de un compuesto: *auto-, mono-, super-*; el procedimiento, que responde sobre todo a un criterio de economía y que, por lo tanto, es usado fundamentalmente en las lenguas especiales, se ha generalizado a partir de la terminología científica con base grecolatina (*neuro-, bio-*) donde es muy productivo. En francés el *-o* de muchos pp. se ha convertido en un sufijo productivo de la lengua coloquial: *intello, facho, mécano*. ≠ *sufijoide*.

pregunta Formalmente, se pueden distinguir tres tipos de p. Encontramos las pp. polares (o absolutas) (ingl. *sentence questions*, alem. *Entscheidungsfragen*), en las que se interroga sobre el entero contenido proposicional* de la pregunta y cuya respuesta no puede ser más que sí o no: *¿Ha conseguido coger el avión Juan?*; y preguntas que piden una información precisa entre las tantas posibles (ingl. *word-questions*, alem. *Ergänzungsfragen, Tatsachenfragen, Bestätigunsfragen, Bestimmungsfragen*): *¿A qué hora sale el avión de Juan?*; pp. con prolongación (ingl. *tag questions*, it. *domande a coda*), presentes en varias lenguas, subespecie del primer tipo: después de una exposición del contenido proposicional se retoma éste con la verdadera pregunta, negativa si la primera parte es positiva y viceversa: < *Hace calor hoy ¿verdad?*; > *Fa caldo oggi, non è vero?*; *It is hot today, isn'it?* Nótese que en ingl. *tag* significa tanto 'cola, extremidad' como 'algo que se añade, que se aplica', como una etiqueta, ésta es, precisamente, la imagen: la última parte es aplicada (*tagged*) al resto de la frase. Desde un punto de vista pragmático las pp. pueden ver verdaderas o falsas (retóricas: *Todos tenemos que comer, ¿no?*) o verdaderas pero con una fuerza perlocutiva distinta de la ilocutiva: *¿Va usted hacia la plaza del sol?* (donde, en realidad, se está pidiendo ser acompañados hasta la plaza del Sol), *¿Has venido con coche?*, etc. La fuerza perlocutiva de una pregunta se puede obtener también con otros medios.

prenasalizada Sonido oclusivo precedido por nasal, frecuente en ciertas familias lingüísticas, en las lenguas bantús por ejemplo, o en las austronesianas: /^{m}p, ^{n}d/, etc.

prepalatal Articulación en la que la punta y la corona de la lengua entran en contacto con el prepaladar: en italiano [l,n] delante a alveopalatales como en *dolce* < 'dulce' >, *angelo* < 'ángel' > (para el API se trata de alveopalatales).

preposición (lat. *praepositio*, trad. del gr. *próthesis*) En la terminología tradicional, elemento invariable que une un elemento a otros: lat. *de, super, contra*, en it. *da, il* < en esp. *de, para* >; p. articulada o contracción es la amalgama* de una p. con un artículo: it. *della* < 'de la' >, *colla* < 'con la' >, *sulla* < 'sobre la' >, etc.

prescriptivo → *normativo*.

presentativo Procedimiento específico para dar una particular evidencia a un elemento del enunciado: *Sono io che lo dico* < *'Soy yo quien lo digo' >, influido por la construcción francesa *C'est moi qui le dis*) (nótese la concordancia con la primera persona).

presente Un tiempo verbal, usado en general para expresar la simultaneidad, real o momentáneamente considerada como tal o, al menos, posible, del evento narrado con el momento de la enunciación. *p. histórico*. Un p. gramatical usado para acciones que han tenido lugar en el pasado: *Miguel Ángel nace en 1475 y muere en 1564.*

presión Si para Saussure cada elemento de la lengua adquiere su valor preciso sólo a través de las relaciones que mantiene con los otros elementos, la extensión dinámica de este concepto en la lingüística estructuralista funcionalista lleva a hablar de una real p. llevada a cabo en cada momento sobre cada unidad del enunciado, en su realización fónica o en su contenido semántico, por parte de las demás unidades del sistema. P. sintagmática es aquella ejercida sobre una unidad por parte de las unidades cercanas en la cadena hablada: en la articulación de *pose* [p] tiende a adaptarse a [o] y, por lo tanto, los labios se contraen, lo que no sucedería si el sonido siguiente fuese [i]. Pero existe también sobre la misma unidad una p. paradigmática por parte de las unidades que habrían podido figurar en el mismo lugar y que han sido descartadas a favor de las unidades realmente realizadas (Martinet 1949: 189); y, de ahí, [p] tendrá que ser sordo para ser diferenciado de las realizaciones de /b/ y oclusivo para que se pueda distinguir de las de /f/; si la de /f/ fuese una casilla vacía*, no existiría ninguna dificultad en la realización de [p] con [f], y [f] podría dejar de ser alófono y pasar a ser fonema y así sucesivamente.

préstamo *a*) Término metafórico (cfr. alem. *Entlehnung*, ingl. *borrowing*, r. *zaímstvovanija*) para indicar la cesión de un elemento de una lengua a otra.

b) El término cedido (cfr. fr. *emprunt*, ingl. *loanword*, alem. *Lehnwort*): *en italiano* sport *es un p. del inglés*. Se distingue entre pp. de necesidad (alem. *Bedürfnislehnwörter*), en los casos en que en la lengua se introducen simultáneamente un significado y un significante antes desconocidos (*sputnik, canguro, surf*) y pp. de lujo (alem. *Luxuslehnwörter*) en los casos en los que para referentes ya conocidos se adopta un término extraño (casi siempre de una lengua de mayor prestigio*), precisamente por sus connotaciones como extranjerismo: <*fútbol, maquillaje* o en it.> *fard, know-how*, etc. // *falso p. o falso exotismo* → *exotismo*.

→ *calco, interferencia*.

prestigio La noción de p. de una variedad (o forma singular) lingüística emerge probablemente con la aparición de la geografía lingüística: J. Gilliéron observaba que la sustitución de ciertos elementos de los "patois"* con otros del francés era debida no a determinadas necesidades sino a una cuestión de valor: el francés poseía un mayor valor o, como diríamos hoy, un mayor p. El término ha sido luego usado por Antoine Meillet, que más de una vez anota que una lengua se difunde sólo si es el instrumento "d'une civilisation dotée de prestige"; y el prestigio de una cultura superior es el que induce a una población a abandonar la propia lengua y a adoptar la lengua en la que esta cultura se expresa. En Italia la noción y el término mismo son adoptados por M. Bartoli (que observa en varias ocasiones cómo las innovaciones son debidas a la atracción de otras variedades lingüísticas dotadas de mayor p., *vid.*, por ejemplo, 1925: 38) y han pasado a ser corrientes en la literatura dialectológica desde B. Terracini a C.

Grassi y M. Cortelazzo. En la literatura americana *prestige* es frecuente desde Bloomfield, que lo usa en un contexto sociolingüístico en *Language* (1933: 476). Weinreich define el p. como "el valor atribuido a una lengua mirando al desarrollo social de quien habla" (Weinreich 1953: 79).

presuntivo Aspecto verbal, del tipo *Se habrá convertido ya en un gigante.* → *inferencial*.

presuposición Noción que es dada como ya conocida a los interlocutores en el momento del acto lingüístico y que contribuye a dar a éste su sentido.

preterición (lat. *praeteritio* 'omisión') Figura* que consiste en declarar que se quiere omitir una cosa que, de hecho, es mencionada: *Cesare taccio, che per ogni piaggia/ fece l'erbe sanguigne* (Petrarca, *Canzone all'Italia*).

pretérito (lat. *praeteritum*, part. pas. de *praetereo* 'sobrepasar') En la terminología tradicional dícese de una forma verbal que se refiere a una acción situada en el pasado.

pretérito anterior En la gramática tradicional, el tiempo verbal que expresa el pasado del pasado: *yo hube amado.*

pretexto (de *pre-* y *texto*) Un estado del texto anterior al que conocemos realmente. → *avantexto, texto*.

pretónico Elemento colocado antes del acento principal o, dicho de otro modo, en pretonía.

prevelar En fonética, lo mismo que central* si se aplica a vocoide; oclusivos pp. son en italiano los sonidos iniciales de *ghiro* < 'lirón') *chino* < 'inclinado') /giro/ /kino/ (es decir, seguidos por vocoide anterior); un aproximante sonoro cruzado es la realización del veneciano /l/ entre vocoides no anteriores, como en *pegola* < 'pez, alquitrán' > [pegoja]; son prevelarizadas todas las /l/ en triestino.

preverbo, preverbio (dependiendo de si el modelo es *verbo* o *adverbio*) Prefijo de una forma verbal que conlleva una variación léxica (*hupo-* en griego, *ri-* en italiano, *des-* en español, etc.) o incluso aspectual y modal (*do-, vy-, s-, pro-* en ruso).

primer plano/perspectiva (alem. *Vordergrund/Hintergrund*, fr. *premier plan/arrière-plan*, ingl. *foreground/background*) Términos propios del lenguaje pictórico y cinematográfico, introducidos por H. Weinreich (*Tempus*, Stuttgart, 1965) para indicar la diferencia entre los distintos planos de la narración obtenidos a través de medios lingüísticos, en particular con el uso de tiempos diferentes (imperfecto/perfecto, etc.).

primitivo En la gramática tradicional, una base* o una forma respecto a las cuales se obtienen formas compuestas o derivadas.

principal En un enunciado complejo, compuesto por más de una proposición, la p. es la que podría funcionar por sí sola y a la cual se coordinan o subordinan las otras, llamadas dependientes: en una secuencia como *César, que sabía bien cómo la traición de los aliados habría llevado la desesperación y el desconsuelo entre los soldados, decidió partir antes del alba*, la p. es la última proposición a partir de *decidió*.

privativo *a*) En la fonología de Trubetzkoy, una oposición en la cual uno de los miembros se caracteriza por una marca ausente en el otro: por ejemplo /p/ ~ /b/, /t/ ~ /d/, etc.
b) Caso* p. ⇒ *abesivo*.

privilegio de aparición (ingl. *privilege of occurrence*) La propiedad que posee un cierto elemento de aparecer en determinados contextos.

PRO En la gramática GT abreviación de *proconstituyente* o *proforma*. → *pronombre*.

probabilidad Genéricamente, p. de un suceso es la relación entre el número de casos posibles y el de los casos favorables a que el suceso se realice; por ejemplo, en una secuencia aleatoria de fonemas, cada fonema poseería las mismas posibilidades de aparición; en la lengua natural esto no sucede ya que después de una secuencia italiana /amitʃ/ el único fonema que puede darse es /i/ que aquí, por lo tanto, posee el 100% de p. de uso, mientras que el resto de los fonemas tienen una probabilidad cero. La noción de p. remite, así, a la de información*: cuanto mayor sea la p. de una señal menor es su contenido de información. En el lenguaje ordinario, probablemente por razones de economía* e inercia, la elección de construcciones y elementos tiende a pp. muy altas: un *problema* será *arduo* o *espinoso*, etc.; una característica del lenguaje poético es, por el contrario, la de propender a combinaciones inesperadas, que posean poquísimas pp.

procedimiento de descubrimiento → *descubrimiento, procedimiento de.*

proceso (cfr. r. *procès*, alem. *Vorgang*) *a)* En general, se puede usar p. con su sentido ordinario para indicar un fenómeno lingüístico no estático, que conlleva un devenir, por ejemplo, para definir la acción verbal.
   b) En glosemática, lo mismo que *texto* b).

proclisis (gr. *próklisis* 'inclinarse hacia adelante', no documentado, pero posiblemente derivado de *proklíno*, siguiendo el modelo de *énklisis*) → *clítico.*

proclítico → *clítico.*

pródosis ⇒ *prótasis.*

productivo o **vital**   Proceso, mecanismo de derivación, etc., que sigue funcionando incluso en la sincronía de la lengua.

profactual   Una estructura hipotética en la cual la prótesis es la que resulta como verdadera dada la certeza de la apódosis*: por ejemplo, "si el difunto hubiese tomado estricnina habría presentado exactamente los síntomas que presentó ayer"; dado que el hecho enunciado en la apódosis es

verdadero, el de la prótasis también lo es.

profundo   Término originario del lenguaje psicoanalítico adoptado por la lingüística generativa para indicar la estructura, las formas, etc., no visibles inmediatamente en la producción concreta y que tenemos que asumir por inducción como aquéllas de las cuales realmente parte el hablante; estructura p., casos pp.

progresión temática   Para F. Danes, la secuencia de núcleos temáticos o conceptuales concadenados que constituye el esqueleto de un texto; pueden servir como ejemplo los apuntes, las notas que se toman para un discurso o el esquema para un trabajo.

progresivo   *a)* Dícese de la asimilación* hacia la derecha. ≠ *regresivo.*
   b) Modo que se refiere a una acción considerándola en su duración: *estoy escribiendo*, ingl. *I am writing.*

prolativo   Caso* especial que indica 'el paso para, hacia': finés *-tse.*

prolepsis (gr. *prólepsis* 'anticipación')   Anticipación de un elemento respecto a la colocación que lógicamente se habría esperado: <*muramos y démoslo todo en esta batalla*>.

prolongación   En una articulación, el tiempo en el que los órganos mantienen la posición asumida con la catástasis*.

prolongación labial   Cuando los labios sobresalen hacia adelante pero sin que se produzca un redondeamiento como en it. /ʃ/.

promiscuo ⇒ *epiceno.*

pronombre (lat. *pronomen*, trad. del gr. *antōnumía*) Parte variable del discurso que puede sustituir al nombre": se distingue tradicionalmente entre pp. demostrativos, indefinidos, interrogativos, personales (*persona*), posesivos, relativos. En la gramática GT se evita el término ya que no es sólo el N el que puede ser sustituido, y se distingue entre pro-SN, pro-constituyentes, pro-sintagmas preposicionales, pro-SP, pro-formas.

pronominal Genéricamente, relativo al nombre: repetición p.; verbo p. es el que exige obligatoriamente un pronombre personal como complemento, como en it. <y esp.> los verbos reflexivos, recíprocos, etc.

pronominalización La sustitución de nombres o sintagmas nominales con pronombres: *se lo pediré a Luis* (nombre); *si él* (pronombre) *no lo tuviera, te lo pediré a ti.* La p. es el procedimiento no marcado, quizá por exigencia de economía o de mayor cohesión textual (porque de esta manera el oyente está obligado siempre a intentar restablecer la identidad referencial entre nombre y pronombre); nótese cómo resultaría mucho más enfática, en cuanto marcada, la repetición de *Luis* en la segunda frase.

pronunciación Término no técnico que se usa para indicar la realización fonética real por parte de un hablante o de una comunidad: *no pronuncia bien la s; la correcta p. italiana* (título de una obra de C. Tagliavini de 1965).

proparoxítono (gr. *proparoksútonos* 'con acento agudo en la antepenúltima sílaba) o **esdrújulo** Vocablo cuyo acento recae en la antepenúltima sílaba.

proporcional En la fonología de Trubetzkoy, una oposición en la que la marca opositiva es compartida también por otras oposiciones.

proposición (lat. *propositio*) *a*) En la gramática tradicional, uno de los sinónimos de frase o período: la p. dependiente; tradicionalmente se distingue entre varios tipos de p.: causales, comparativas, concesivas, condicionales, subjuntivas, consecutivas, finales, infinitivas, interrogativas, de participio, relativas, temporales; → *período.*

b) En la teoría de los actos lingüísticos, la estructura que realmente es comunicada; el "dictum", en el sentido filosófico de 'aserción, enunciación de un juicio'.

proposicional, contenido o **"dictum"** El contenido que realmente es comunicado en la proposición, independientemente de sus modalidades, etc. Así, en *¡La puerta abierta! ¿La puerta está abierta?* cambia la fuerza ilocutiva* (y, por lo tanto, la entonación), pero el c.p. es el mismo.

prosémica (ingl. *proxemics*, neol. de *prox-*, del lat. *proximus*, ingl. *proxi-*

mate, etc. y *-emics* como en *phonemics*, etc.) Disciplina semiológica definida por E. T. Hall a principios de los años sesenta (cfr. *A system for the notation of proxemic behavior*, "*American Anthropologist*" 65, 1963, pp. 1003- 1026), que estudia la utilización comunicativa del espacio y de las distancias interpersonales.

prosodema   *a*) En fonética, la unidad distintiva mínima del nivel prosódico.
   b) En glosemática, exponente del plano cenemático; la división de la cenemática que estudia los p. es la prosodémica.

prosodia (gr. *prosōidía)   a*) En gramática tradicional, el estudio de las reglas de la acentuación de la cantidad silábica de las palabras; el término es fielmente reflejado en la traducción dada por los gramáticos latinos, *accentus* (de *ad* y *cantus*, que corresponden a *prós* y *ódé*).
   b) En el Círculo de Praga, el conjunto de las características fónicas (dinámicas, melódicas, cuantitativas, silábicas) que caracterizan a un enunciado; se distinguirá entre cronemas, dinemas y tonemas.
   c) (ingl. *prosody*) Una especie de clave prosódica (palatalización, velarización, nasalidad, etc.) que se extiende sobre un segmento más amplio que el fonema y que puede ser la sílaba, la palabra o el enunciado (ingl. *piece*).

prosódico   Característica relativa a la prosodia: *rasgo p., lo mismo que suprasegmental*.
   análisis p. (ingl. *prosodic analysis*). Tipo de análisis puesto en marcha por

J. R. Firth (*Sounds and prosodies*, 1948) que estudia las prosodias en su acepción *c*).

prospectivo (fr. *prospectif*)   Término de Benveniste (1959) para indicar un tiempo perifrástico que puede sustituir al futuro; véase el ejemplo citado bajo *contrafactual*: *un poco más y el tren habría descarrilado*.

prótasis (lat. *protasis* del gr. *prótasis* 'premisa') o **pródosis** (en paralelo con *apodosis*)   En una frase hipotética, el período que expresa la condición: *Si os comportáis bien* (p.) *os lo compraré* (apódosis).

prótesis o **próstesis**   Adición de un sonido, casi siempre vocálico, en posición inicial para evitar una secuencia que resultaría extraña o difícil a la lengua: *vocal protética*; esp. *estándar* > ingl. *standard*.

protoforma (neol. formado probablemente sobre el alem. *Urform*)   Una forma lingüística no documentada en cuanto tal sino que ha sido reconstruida a través de la comparación entre formas atestiguadas de lenguas afines o entre formas de una misma lengua por proyección de reglas. Por convención se la distingue con un asterisco* (de aquí el ingl. *starred form*).

protolengua (trad. del alem. *Ursprache*)   Forma reconstruida de una lengua.

proximal → *distal*.

proyección (ingl. *mapping*)   Las reglas o mecanismos de p. son los dispositivos que hacen que a las indicaciones de las estructuras profundas les correspondan las formas superficiales apropiadas; por ejemplo, una regla de p. escogerá una forma en <-os> en correspondencia con la indicación de masculino plural.

pseudo- En la gramática GT se usan a menudo términos del tipo *p.x* para indicar clases de formas que se comportan como *x* sin serlo: pseudoadjetivos son los adjetivos que derivan de estructuras no adjetivales: *la ofensiva persa en el Golfo*, que deriva de *la ofensiva desencadenada por Persia en el Golfo*.

pseudoetimológico Elemento restablecido a partir de un metanálisis o de una falsa etimología: <h> en <hostaria>.

psicolingüística (cfr. ingl. *psycholinguistics,* desde 1953) Rama de la lingüística que estudia el comportamiento lingüístico desde el punto de vista psicológico y psicopatológico; objetos de la p. son, entre otros, la adquisición del lenguaje, la relación entre lenguaje y centros motores, el lenguaje patológico, etc.

psicología del lenguaje (alem. *Sprachpsychologie,* ingl. *psychology of language,* fr. *psychologie du langage*) El estudio de temas que coinciden sustancialmente con los estudios por la psicolingüística pero con mayor énfasis en los métodos psicológicos que en los lingüísticos (cfr. *sociolingüística,* más lingüística, y *sociología del lenguaje,* más sociológica).

puesta en relieve (fr. *mise en valeur, mise en relief*) Expresión genérica con la que se indica la operación mediante la que se enfatiza un elemento en la frase o una sílaba en la palabra.

punto de articulación ⇒ *lugar de articulación.*

punto de vista Concepto más intuitivo que técnico, que permite, sin embargo, dar cuenta de las oposiciones que de otra manera resultarían inexplicables: la elección de las formas de una frase depende también del p. de v. de quien la formula, dependiendo de que los hechos descritos sean vistos con los ojos de quien habla o de quien escucha o incluso de una tercera persona; nótese la diferencia entre *¿Quién va a ir a Milán?* (el hecho es visto como algo externo tanto al hablante como al oyente) y *¿Quién va a ir con vosotros a Milán?* (el hablante asume como suyo el p. de v. del oyente). → *mira, primer plano/perspectiva, perspectiva funcional de la frase.*

puntuación El sistema de signos gráficos que segmenta las partes que componen un texto escrito; en la tradición occidental la p. constituye una especie de análisis sintáctico del texto en unidades mayores y menores. En otras tradiciones, la p. puede ser reducida o casi inexistente o bien tener como finalidad no la delimitación sintáctica sino la de señalar los momentos de énfasis o de menos énfasis del texto, las pausas, etc.

puntual *a)* En fonética el tono p. es el que conlleva una elevación musical constante, sin variaciones.

b) Aspecto p. (señalado por Wackernagel 1920-1924) es aquel que manifiesta la acción en un estado preciso
de su desarrollo y no en su duración:
le pegué un puñetazo.

purismo (fr. *puriste, purisme*) Ideo-
logía lingüística que tiende a la obtención y conservación de una norma de
referencia ideal de la lengua; la tendencia debe su nombre al hecho de que
una de las constantes de los movimientos puristas es la de remitir al concepto de lengua pura o, lo que es lo mismo, coherente con su fondo originario
y sin influjos ajenos: cfr., por ejemplo, el movimiento llamado *nyelvújí-
tás* en Hungría, que ha llevado a
sustituir la casi totalidad del léxico in-
telecutal de origen alemán, francés y
latino con palabras de origen húngaro. Aunque el concepto no tiene naturalmente ningún fundamento real ya
que por definición no puede existir
una lengua pura, una actitud relativamente purista, que acuda a las posibilidades que ofrece la lengua respecto
a nuevas exigencias, puede equilibrar
y contrastar de manera útil una exce-
siva adopción de elementos externos;
de ahí la etiqueta, en parte burlesca,
de *neop.* usada por Bruno Migliorini
para sus equilibradas propuestas léxicas, muchas de las cuales, por otra
parte, han sido introducidas en el uso
corriente (→ *glototécnica*).

puro Tradicionalmente, en la lingüística histórica se oponen —aunque
el término sea más bien anticuado—
las articulaciones pp. respecto a las
mismas articulaciones que presentan
alguna modificación: velares pp. y velares palatalizadas, vocales pp. y vocales ''turbadas'' (es decir centralizadas o labializadas), etc.

putativo ⇒ *presuntivo.*

Q

querema (ingl. *chereme*, fr. *chérème*, neol. del gr. *kheír* 'mano' y *-ema**) Término propuesto por W. C. Stokoe Jr. (*Sign language structure: an aoutline of the visual communication systems of the American deaf*, "Studies in Linguistics", Occasional papers n. 8, Buffalo, 1960, p. 68) para indicar el elemento mínimo en el plano de la comunicación por gestos; el q. no es la mínima unidad significativa; ésta, que sería el morfema gestual, está compuesta por tres q., posición, configuración y movimiento.

quiasmo (gr. *khiasmós, khíasma*) Inversión sintáctica de dos parejas de construcciones simétricas, de modo que en lugar de tener AB, CD, tenemos Ab, CD: *Se tiene que comer para vivir, no vivir para comer.* El nombre griego 'con la forma de la letra khi, es decir, en cruz' alude al esquema que se podría definir:

R

radical Cuando no se encuentre usado simplemente como sinónimo de raíz*, en lingüística histórica se indica con el término r. la raíz junto a la posible vocal temática que la une a las desinencias*.

raíz En la lingüística histórica r. (alem. *Wurzel*, fr. *racine*, ingl. *root*) es el elemento último e irreducible de la palabra, prescindiendo de sufijos, desinencias, vocales temáticas, etc., es el que aporta el significado fundamental y común a las diferentes derivaciones; el carácter abstracto de tal noción se remarcaba aún más con signos, ahora caídos en desuso, como $\sqrt{gn}$; la r. puede ser un expediente útil para dar cuenta de manera simple de una serie de formas unidas entre sí, tanto si se coloca en la lengua misma (como la raíz de los lexicógrafos árabes, ár. *aṣl*, que es quizá el modelo de la noción occidental) como si se atribuye a una fase de la lengua más antigua y reconstruida (como en la reconstrucción indoeuropeística). El concepto ha sido abandonado por la lingüística descriptiva porque desde el punto de vista de la distribución sincrónica no se observan nunca rr. en el sentido indicado sino sólo alomorfos* de un determinado morfema y se prefiere más bien la noción de tema*.

ramificación (ingl. *branching*) En un diagrama en árbol, la línea que une dos nudos contiguos y que sirve para indicar que la categoría expresada por el nudo superior ha dado lugar —o domina la— categoría expresada por el inferior.

rango En general, nivel jerárquico, como puede ser el de un elemento constituyente respecto a una frase subordinada o el sitio ocupado en una jararquía (por ejemplo el r. de un fonema es el lugar que éste ocupa en su serie fonémica). Para la acepción cuantitativa → *frecuencia*.

rasgo *a*) Genéricamente, siguiendo el modelo del fr. *trait*, ingl. *feature* y alem. *Zug* en la terminología de Trubetzkoy, cada característica o carácter mínimo de expresión o contenido que interviene en la formación de una unidad de orden superior pero que no es identificable por sí sola en el enunciado.

b) En fonología (sinónimo *coeficiente*) cada uno de los elementos fónicos que participan en la realización de un fonema, por ejemplo la duración, la vibración o ausencia de vibraciones de las cuerdas vocales, la nasalidad; un r. puede ser distintivo, relevante o pertinente y servir para la distinción de un fonema del otro (como la sonoridad en <esp.> /t/ ~ /d/) o, en cambio, irrelevante, no pertinente o no distintivo (como la sonoridad para las vocales e /l,n,m/en <esp.>). En particular, con r. distintivo se hace referencia a la clasificación* de los rasgos sobre base binaria presentada por Jakobson y Halle y modificada por McCawley, Chomsky y Halle; r.redundante es aquel que, a pesar de no ser distintivo, realiza una función auxiliar en la identificación de los rasgos distintivos.

c) Junto a los rr. pertinentes o distintivos el hablante se sirve, según Jakobson, de otros dos tipos de rr. codificados y que aportan información y que son los configurativos que "marcan la división del enunciado en unidades gramaticales con diverso grado de complejidad (particularmente en frases y palabras), tanto si éstos dan relieve a estas unidades y señalan la jerarquía (rr. culminativos) como si la delimitan y la integran (rr. demarcativos)" y los expresivos o enfáticos, que "reúnen el énfasis relativo en partes diversas del enunciado o en enunciados diferentes, y revelan las actitudes emotivas del que habla" (Jakobson 1966: 84-85).

d) En el plano del contenido se pueden identificar, por analogía con el plano de la expresión, elementos mínimos que participan en la formación del significado; Prieto llama, por ejemplo, rr. noéticos a aquellos que caracterizan los sentidos (→ *noema*) (Prieto 1968: 62). El análisis de un significado en rr. semánticos se llama análisis componencial*.

realización La real ejecución* de una unidad fónica en el ámbito del discurso: *en inglés el fonema /p/ se realiza como [pᵉ] en posición inicial.*

reanálisis Extracción de un elemento morfológico: el plural del italiano antiguo *le pratora* presupone la extracción de un sufijo *-ora* quizá del par *corpo/corpora.*

reanudación Procedimiento sintáctico o textual, que nos remite a un constituyente ya expresado, a través de una anáfora*, una repetición u otros elementos; r. pronominal: *A quello lí, non glielo do* <'A ese de ahí no se lo doy'>.

rección En la terminología tradicional, la relación obligatoria que ciertas formas instauran con las formas que pueden acompañarlas (el verbo con el complemento, la preposición con el nombre): decimos, por ejemplo, que *sine* rige ablativo, *amo* acusativo, etc. El término ha sido retomado por la gramática GT recientemente: *gramática a r. y enlace* (ingl. *government and binding*).

reciprocidad En glosemática, una interdependencia o constelación en la que interviene una única especie de funtivos (o todos constantes o todos variables).

reconstrucción Procedimiento propio de la lingüística histórica que consiste en proyectar sobre una forma hipotética las características obtenidas a través del cotejo entre las formas realmente atestiguadas.

recorrido (cfr. ingl. *path*, fr. *parcours*) *a*) En gramática GT, la indicación de los diferentes pasajes necesarios para una derivación.

b) *r. narrativo*. Para Greimas, una sucesión hipotáctica de programas narrativos lógicamente encadenados.

c) *r. generativo de la significación.* Para Greimas, es el modelo de organización generativa del sentido. Constituido por diversos niveles de profundidad, permite formular una definición metalingüística de magnitud semiótica siguiendo las sucesivas fases de su generación que conducen desde el nivel profundo (sede de unidades de sentido abstractas y simples) a los superficiales (sedes de unidades cada vez más concretas y complejas). Los pasajes de una etapa a la otra se realizan a través de transformaciones llamadas conversiones*.

recto Para los gramáticos clásicos el caso r., "derecho, directo" (lat. *rectus*, trad. del gr. *orthé*) era por antonomasia el nominativo, aquél respecto al cual los otros son "caídas" (gr. *ptóseis*), "oblicuos"*, etc.

recuperabilidad del anulamiento (ingl. *recoverability condition on deletion*)

En la gramática GT, una condición que prevé que un elemento pueda ser anulado sólo si la información que contiene es recuperable, es decir si es idéntico a otro elemento presente en el indicador sintagmático*, o si es un elemento singular constante, como IMP en las frases imperativas o D en las interrogativas. Por lo tanto, en *Juan se comió una manzana y María se comió una manzana*, se puede anular sólo el segundo *se comió.*

recurrencia En la lingüística del texto, uno de los procedimientos para la cohesión textual. → *paráfrasis, paralelismo.*

recursivo *a*) En fonética, lo mismo que *eyectivo*.

b) En la gramática GT se denomina r. a una regla* que puede ser aplicada un número de veces en teoría infinito a su mismo producto; si en la regla GN → Adj + N podemos tener Adj. → Adj + Adj., aplicándola repetidamente tendríamos teóricamente GN → Adj. + Adj. + N, GN → Adj + Adj. + Adj. + N y así sucesivamente, el enunciado resultante sería del tipo *El bonito, bueno, fiel, veloz, valiente... perro*; de hecho, por razones de economía y de estrategia perceptiva la lengua aprovecha de manera limitadísima los procedimientos de tipo r.

red comunicativa (trad. de *network*) Concepto sociológico introducido en sociolingüística probablemente por J. Gumperz (por ejemplo en *Linguistic and social interaction in two communities*, en *Language in social groups*, Stanford, UP, Stanford 1971, pp. 151-

177) y más tarde retomado por S. Ervin-Tripp, J. Fishman y W. Labov para indicar la totalidad de todos aquellos que participan activa o pasivamente en un mismo circuito comunicativo, sin las implicaciones de *comunidad, grupo lingüístico*, etc.

redeterminación morfológica Proceso con el cual una forma es rehecha para evitar colisiones con otras.

redondeado o **proqueilo** *a*) Fono realizado con un redondeamiento simultáneo de los labios; sobresaliendo hacia adelante, los labios aumentan de hecho el volumen de la caja de resonancia constituida por la cavidad oral, modificando, así, el timbre de la articulación. ≠ *liso*.

b) *redondeado/no redondeado* (ingl. *rounden/unrounded*). En la teoría de Chomsky y Halle rasgo fonológico basado en la presencia de un redondeamiento labial: /y/ ~ /i/ como en fr. *lu/lit*; acústicamente, [+ r.] comporta un acercamiento de la primera y de la segunda formante.

reducción *a*) Usado como lo contrario de alargamiento en un grado apofónico: grado de r. o grado cero.

b) En la gramática GT, operación de simplificación: por ejemplo, *r. de relativa*.

reducido o **evanescente** Vocoide de muy reducida duración e intensidad, o, también, vocoide centralizado.

redundancia → *información*.

reduplicación *a*) Morfológicamente denominamos formas con r. a aquellas del tipo del lat. *tetigi* de *tango*, gr. *péphuka* de *phúō*, etc.; en las que la indicación formal del pasado es dada por la repetición de la primera consonante del tema seguida por una vocal de enlace.

b) Un procedimiento léxico muy difundido consiste en la r. de una unidad cualquiera, en general para sugerir un aumento de intensidad (frecuencia, etc.) de la noción designada: *córtemelo fino fino, que quede bien bien, id despacito despacito, quiero un café café*; rum. *si merg ei, si merg* 'y caminan, caminan'.

referencia (ingl. *reference*) La emisión del signo lingüístico a su "designatum", tanto si éste es una realidad extralingüística como si es un objeto que se puede pensar, un modelo, etc.; la r. no presupone la existencia real del referente (como lo demuestra el perfecto funcionamiento de palabras como *quimera, sirena* o *fantasma*); un juego particular de r. es el que se establece dentro de un texto.

referencial Que conlleva la remisión a un referente. Función r., para Jakobson, es aquélla en la que el mensaje nos remite al universo de las cosas del que se habla; es, por ejemplo, la función propia del lenguaje científico expositivo.

referente El objeto extralingüístico al que hace referencia el signo.

reflexivización Proceso que convierte al objeto de una frase en el correferencial de su sujeto: y *mata* y > y *se mata*; es sólo superficialmente semejante al caso de y *lava el coche de* y > y *se lava el coche*, donde el segundo *y* es un beneficiario pero no un objeto.

reflexivo Un verbo transitivo cuyo Objeto es un pronombre personal.

refonologización (fr. *rephonologisation*) o **transfonologización** Para Jakobson, un reajuste del sistema que deja inalterada una oposición a pesar de que cambia los valores de los rasgos; por ejemplo, la oposición /t/ ~ /d/ del griego clásico, realizada como [t] ~ [d] se conserva también en el griego bizantino pero realizada como [t] ~ [δ]. ≠ *desfonologización*.

reforma Una intervención planificada que modifica en sentido normativo algunos aspectos de la lengua: r. lingüística, ortográfica.

reformulación (ingl. *rephrasing*) Proceso textual por el que se vuelve a exponer un determinado contenido proposicional siguiendo diferentes selecciones de léxico, sintaxis, puesta en relieve y fuerza ilocutiva. Su utilización puede ser diversa, según la modalidad expresiva y según las características del texto: en un texto escrito o en el habla oratoria es, sobre todo, un mecanismo de cohesión textual; se retoma algo ya dicho para reforzar el concepto y garantizar su mejor comprensión, con fines estilísticos o, simplemente, para preparar la transición al contenido sucesivo. En el habla coloquial, la r. puede responder, en cambio, a una necesidad de autocorrección* comunicativa.

refuerzo Aplicado a un sonido se refiere a la pronunciación de doble grado, cfr. la diferencia entre *se* y *asse* < 'eje' > en italiano.

regido Participio de *regir* (→ *rección*): *el caso latino regido por* sine *es el ablativo*.

régimen El complemento regido por un verbo.

regionalismo Un rasgo, una forma, que a pesar de pertenecer a la lengua nacional (a diferencia de los dialectalismos*) se caracteriza por su proveniencia regional (los nombres de las comidas, de los usos locales, etc.).

registro *a)* Fonéticamente, se denomina r. a una serie de tonos, por analogía con el registro musical que es una voz de órgano.

b) Con alguna oscilación de autor a autor, se llama r. (ingl. *register*, Reid 1956) a un determinado nivel estilístico (coloquial, poético, burocrático, formal, etc.) o a un subcódigo relativo a una lengua especial.

regla (lat. *regula* 'regla', de *rego*, como *tegula* de *tego*, que pasó a indicar, como el gr. *kanón*, la 'línea de conducta', cfr. ingl. *rule*, fr. *règle*, alem. *Regel* que poseen aún los dos significados) Cada gramática, sea cual sea su planteamiento, es por definición un conjunto de reglas. La gramática tradicional, preestructural, contiene rr. normativas o prescriptivas, en cuanto establece el modo en que deben ser formadas las frases (o, como diríamos hoy, cuál debe ser su forma superficial) para que sean correctas desde el punto de vista de la variedad de referencia. En la lingüística estructural se recurre muy raramente al concepto: la labor de quien analiza es la de clasificar las formas que aparecen en los enunciados de su *corpus* o en la variedad de lengua estudiada, no la de mostrar cómo se puede llegar a producir otros. Y, al mismo tiempo, la r. parece evocar una actitud *a priori*, normativa, que contrasta con el planteamiento de la lingüística descriptiva estructuralista que quiere describir sólo estructuras que existen realmente. Podrían ser enunciadas bajo forma de rr. las relaciones entre el nivel de los fonemas y el de sus alófonos, pero en este caso se habla, normalmente, de realizaciones. En un sentido general, sobre todo cuando se trata de una descripción formalizada, se puede encontrar en ocasiones r. con un sentido no técnico como r. de correspondencia, para indicar la correspondencia sistemática entre dos órdenes de hechos, pero sin otras implicaciones. Y, por otra parte, el modelo de análisis efectuado es tal que permite únicamente rr. con estructura sintagmática, es decir, que indican los símbolos que componen una secuencia sintagmática. La noción pasa a ser fundamental cuando se empieza a ver en la competencia lingüística un dispositivo que nos permite la producción, la generación de un número virtualmente ilimitado de frases. La gramática de una lengua es, en este caso, el conjunto de las reglas que permiten generar todas

y solamente las frases posibles de aquella lengua. Las diversas fases de elaboración de modelos de gramáticas generativas o GT han llevado a hacer explícitos varios tipos de rr., desde aquellas genéricamente de formación que crean el componente base de una gramática, a aquellas más específicas que operan en los diferentes niveles y estadios de la derivación (rr. de selección, de ordenación sintáctica, etc.). En la gramática GT, una r. es la fórmula simbólica que indica cómo un enunciado que en un principio presenta un carácter abstracto puede generar, mediante la inserción de reales elementos lingüísticos, los enunciados concretos de la lengua. Debido a la forma que asume a partir de Chomsky, es llamada también regla de rescritura (*rewriting rule*): por ejemplo:

1) $\Sigma \rightarrow GN + GV$;
2) $GV \rightarrow V + Adv.$;
3) $GN \rightarrow Art. + Adj. + N$

que equivalen a

1) "rescribre como Grupo Nominal + Grupo Verbal";
2) "rescribe Grupo Verbal como Verbo + Adverbio";
3) "rescribe Grupo Nominal como Artículo + Adjetivo + Nombre".

Sustituyendo 2) y 3) en 1 obtenemos

1) $\Sigma \rightarrow GN (Art. + Adj. + N + GV + (V + Adv.)$

en la que Σ representa la construcción perteneciente al nivel más alto y los otros elementos representan sus constituyentes. Sustituyendo cada símbolo de clase por un elemento real perteneciente a esta clase se obtiene, por ejemplo: $\Sigma = El$ *pobre Juan* $<$*llegó tarde*$>$.

regla categorial (ingl. *categorial rule*) En la gramática GT, una regla que expande una categoría en otras categorías: *S Prep.* $\rightarrow$ *Prep.* $+ SN$, que a su vez se expande en $SN \rightarrow Det. + N$.

regla de caracterización fonética   En la gramática GT, una regla perteneciente a un nivel poco profundo que a partir de las representaciones fonológicas especifica los rasgos fonéticos, comprendidos los redundantes, del real enunciado final.

regla de formación de frases (ingl. *sentence-formation rule*) La regla que genera el indicador sintagmático*.

regla de proyección   Un r. prevista por el componente semántico de una GT, que establece el modo en que los significados se proyectan en la forma superficial o, también, a qué formas reales y disponibles en el léxico del hablante se tienen que asociar las configuraciones de rasgos semánticos.

regla de redundancia   Un r. que pone de manifiesto las condiciones de redundancia antes de la aplicación de las reglas más superficiales, evitando la indicación desde el léxico; las rr. de r. fonológica señalan los rasgos no redundantes de los formativos del léxico antes de que operen las reglas fonológicas, especificando la estructura fonética superficial (por ejemplo que el rasgo [+ nasal] es también [+ sonoro]; las rr. morfémicas ponen de manifiesto los rasgos redundantes determinados por el contexto, las semánticas los rasgos semánticos implícitos ya en la indicación de un rasgo ([+ animado] resulta redundante respecto a [+ humano]).

regla de segregación (ingl. *chopping rule*)   En la gramática GT a mediados de los años sesenta, una regla que mueve un constituyente desde la posición x a la y sin dejar nada detrás de sí: *I cant't stand John* $\rightarrow$ *John, I cant' stand.* $\rightarrow$ *regla de transcripción.*

regla de transcripción   En la gramática GT a mediados de los años sesenta, una regla que copia en el lugar que queda vacío una forma PRO: *John, I can't stand him* 'Juan, no puedo soportarlo', a diferencia de la regla de segregación*, que no deja huella. En la teoría más reciente, la regla ha sido abandonada, porque se considera que incluso un constituyente como el *him* del ejemplo esté contenido en la base.

regla fonológica   Regla que convierte las representaciones fonológicas abstractas de la cadena de formativos (expresadas en rasgos fonológicos) en representaciones fonéticas sistémicas; a diferencia de las reglas de realización de la fonología distribucional, influidas si acaso sólo por el contexto, las rr. ff. pueden ser sensibles a variaciones de orden morfosintático.

regla global $\Rightarrow$ *global, regla.*

regla lexical o **de inserción lexical** En una primera versión de la GT, r. que introduce los elementos terminales, formativos lexicales o palabras en el lugar de los símbolos previstos por la estructura sintagmática generada por el componente de base: en lugar de N *perro*, en lugar de V *ladra*, etc.

regla loca (ingl. *crazy rule*) o, mejor, **r. caprichosa** Término introducido por Bach y Harms en 1972 para indicar una regla fonológica que no se adapta a los criterios generales de naturalidad y plausibilidad en la mutación fonológica.

regla precíclica/postcíclica Una regla que opera respectivamente antes o después de la aplicación del ciclo de derivación.

regla variable Una regla fonológica que puede ser aplicada o no por el hablante dependiendo, por ejemplo, del nivel de formalidad, de la situación, etc. De esta manera, un hablante romano podría tender a realizar como murmuradas las oclusivas sordas intervocálicas en el habla común pero a eliminar esta realización en una dicción más cuidada; esta elección sería objeto de una r.v. que tendría como contexto de aplicación los tipos de interacción* lingüística que la exigen o la excluyen.

regresiva Aplicado a asimilación* que actúa hacia la izquierda.

regresiva, formación (ingl. *back-formation*) Proceso que se basa en el mismo principio de la normal forma-ción de palabras aplicado, sin embargo, hacia atrás; ingl. *cherry* 'cereza' formado sombre *cherris* como si fuese un plural (y, en cambio, se trata del ingl. medio *cherris*, del fr. *cérise*), ingl. *edit* 'redactar' de *editor* 'redactor', ingl. *to lase* de *laser* (que es un acrónimo*). → *metanálisis*.

regular Término genérico para indicar que el comportamiento de una cierta unidad se adapta a aquel ordinario de la clase de palabras a la que la unidad pertenece: *plural r., declinación r.*, etc.

reinterpretación Un tipo de intervención fonológica en la que un sonido vuelve a ser analizado según los hábitos de la primera lengua: un ruso pronunciará el it. *lira* como [l'ira] porque para él, precediendo a una [i] no velar, [l] no puede darse más que palatalizado.

relación (fr. *rapport, relation*, ingl. *relation*, alem. *Beziehung*, r. *otnošenie*) *a)* No es de por sí un término técnico si no va acompañado por una determinación (*r. asociativa, r. paradigmática*), sin embargo la noción de r. es fundamental y axiomática en la lingüística moderna, desde Saussure en adelante: la lengua es ante todo un sistema de rr. que une cada uno de los elementos a los otros elementos por un lado y a su referencia extralingüística por otro; de este juego de rr. —y no por causas intrínsecas— cada elemento adquiere su valor y sólo en cuanto sistema de rr. la lengua puede ser observada y analizada.
b) En glosemática, dependencia entre dos términos en un sistema lin-

güístico. → *constelación, determina-ción, interdependencia.*

relacional, gramática ⇒ *gramática re-lacional.*

relajada, articulación (ingl. *lax*) → *tensión.*

relativismo lingüístico   Teoría que se remonta a W. von Humboldt y que relaciona estrechamente los modelos expresivos de una lengua con los modelos lógicos y culturales de la cultura que en ésa se expresa; es un dato comprobado el que las lenguas son diversas entre sí, por lo que tanto unos como otros serán relativos, variables, no universales, no susceptibles de ser conocidos *a priori*. No se contradice con esta hipótesis la concepción de Saussure según la cual, explícitamente, "el pensamiento humano, por un lado no es más que una masa amorfa e indeterminada" y, por otro, la sustancia fónica es "una materia plástica que se divide a su vez en partes distintas para facilitar los significantes que el pensamiento necesita" (Saussure 1968: 155). Por lo tanto, se puede representar la lengua como "una serie de subdivisiones contiguas proyectadas al mismo tiempo, sea sobre el plano indefinido de las ideas confusas sea sobre el no menos indeterminado de los sonidos". Según un ejemplo de Whorf, si nosotros podemos decir "Mira aquella ola" es debido a que la lengua nos ofrece el medio para identificar una ola; en la realidad no existen olas por sí solas sino sólo una superficie de agua en movimiento, estamos, así, proyectando en el plano del contenido una distinción que es sólo lingüística; en hopi sería sólo posible decir *wala* que indica que existe un movimiento de líquido, sin ulteriores distinciones. Un ejemplo análogo nos lo proporcionan los colores: la distinción de matices de color es posible únicamente si se poseen los medios léxicos para hacerlo: la percepción visiva de un niño no es diversa de la de un adulto, pero aquél designará sólo con <*verde*> el color en que el adulto distinguiría un <*verde agua*>, un <*verde botella*>, un <*verde hoja*>, un <*verdastro*>, etc.

relativización   En la gramática GT el proceso de formación de una cláusula relativa: *El hombre que vino ayer me ha dicho* se obtiene de *Un hombre ha venido ayer* dentro de *Un hombre me ha dicho.*

relativo   *a*) Un elemento (pronombre, adjetivo, adverbio) que conecta una proposición subordinada a una principal remitiendo anafóricamente a un elemento de ésta; las lenguas poseen conjuntos más o menos diferenciados de formas rr.; el sistema de las lenguas indoeuropeas más antiguas, que poseían formas flexivas para el número, el género y el caso (*qui, quae, quod*, etc.), tiende a simplificarse en las modernas; confróntese la multiplicidad de uso del <*que* en español>.

b) *frase r.* Una frase incorporada cuyo sujeto es anulado y sustituido en relación a la frase principal (el pronombre relativo, el *que*, etc.); se distingue entre rr. especificativas, que delimitan un elemento de la frase en la que son incorporadas (*el amigo que me has presentado vino ayer; te he traído los libros que me has pedido*) y rr. explicativas, que añaden una información (*la actriz, que llevaba un vestido verde esmeralda, ha concedido una entrevista*).

c) Universales rr., opuestos a universales absolutos, son aquellos que se refieren a una tendencia general del lenguaje, del que se conocen, sin embargo, excepciones.

"relatum" (plur. **"relata"**) Cada uno de los dos términos (estímulo y respuesta) puestos en relación entre ellos.

relevancia ⇒ *pertinencia.*

relexificación (ingl. *rilexification*) El proceso de sustitución de partes del léxico de una variedad lingüística sin alteración de la estructura general de la lengua; una teoría sostiene, por ejemplo, que un pidgin originario con base portuguesa ha sido relexificado sustituyendo las formas lexicales portuguesas con formas equivalentes de origen francés, inglés, etc.

rema (ingl. *rhema*, fr. *rhème*, del gr. *hrêma*, → *verbo*) Como término ha sido retomado por Peirce para designar una categoría de signos ("un signo que para quien lo interpreta es un signo de existencia real", Peirce [1980: 141]). En la diversa acepción del Círculo de Praga, el término, que en ese caso corresponde al fr. *propos* de Bally y al ingl. *comment* de Hockett, indica, en una frase, la información nueva que se da sobre un elemento ya conocido (que recibe el nombre de tema*): "El libro (tema) está en la mesa (r.)", "Lo que está en la mesa (tema) es un libro (r.)". La noción es parecida a la de nuevo*; sin embargo, hay quien prefiere reservar r. para la información dada por la frase y usar nuevo para la información dada por el contexto. Así, para Halliday, la oposición tema/r. se centra en la esfera del hablante (*speaker-oriented*) y es generada por el orden lineal de los constituyentes, mientras que la oposición dato/nuevo se limita a la esfera del oyente (*listener-oriented*) y es generada por los hechos retóricos y contextuales. Halliday distingue entre tema, sujeto psicológico del proceso descrito por un determinado enunciado, el dato, la parte de información que el hablante decide considerar como recuperable por parte del oyente y, finalmente, el *topic*, la parte del enunciado que es simultáneamente tema y dato. Por ejemplo, en *Este monumento ha sido diseñado por Miguel Ángel*, el *topic* es *Este monumento*, el resto de la frase es el r. y el nuevo es *Miguel Ángel*; en *Ha sido Miguel Ángel quien ha diseñado este monumento*, *Miguel Ángel* es a la vez tema y nuevo, mientras que el resto de la frase es r. y dato.

remolque (ingl. *pied piping*) En la gramática GT (Ross), un desplazamiento de constituyentes causado por el desplazamiento del sintagma nominal del que éstos dependen; los constituyentes son de este modo "remolcados" a la nueva posición.

rendimiento funcional (alem. *funktionelle Belastung*, ingl. *functional yield* o *functional load*) En la fonología de

Trubetzkoy, el rendimiento de una oposición, en términos del número de distinciones que ésta permite; por ejemplo, en italiano la oposición /p/ ~ /b/ tiene un elevado r.f., mientras que es bajo la de /e/ ~ /ɛ/ porque son muy pocos los pares en que tal distinción es operante, y es bajísimo el de /ts/ ~ /dz/, que, de hecho, es usado en un único caso (*razza* 'tipo de pez' ~ *razza* 'raza').

reordenación (ingl. *reordering*) *a*) Sincrónicamente, se puede hablar de una r. de los constituyentes en ciertas transformaciones postuladas por la gramática GT, por ejemplo en la de la pasiva en que los constituyentes son desplazados desde un indicador sintagmático al otro.

b) Diacrónicamente, se puede hablar de una r. de reglas para explicar la divergencia entre variedades diversas (geográficas, por ejemplo) de una misma lengua; dentro de un mismo ciclo una variedad puede haber reordenado la secuencia de las reglas obteniendo resultados diferentes.

reparación (ingl. *repair*) En el discurso, todos aquellos elementos, fragmentos de frase, fórmulas estereotipadas, etc., que sirven para rectificar el sentido de un enunciado propio que aún no satisface, o de un enunciado del interlocutor: *es decir, quiero decir, no, perdona, no en el sentido que*, etc. → *reformulación*.

repertorio lingüístico (ingl. *linguistic repertoire*) Término introducido por J. Gumperz para indicar el conjunto de las variedades lingüísticas que el hablante está en grado de usar o comprender. → *red comunicativa*.

repetición Figura* que consiste en repetir más de una vez un elemento significativo: *e vidi...oh! vidi/ le tende d'Israello, i sospirati padiglion de Giacobbe* (Manzoni, *Adelchi* II, 253); *Jönnek, jönnek, jönnek elém/Bünös muḷtamnak évei* (E. Ady) 'Vienen, vienen, vienen hacia mí/ los años culpables de mi pasado'.

representación *a*) Para Büler (alem. *Darstellung*, diverso de *Vostellung* que es más bien la r. subjetiva, mental), término técnico para indicar la función que liga el lenguaje al mundo de las cosas y de los objetos extralingüísticos que éste representa mediante signos.

b) En la GT (ingl. *representation*) la matriz bidimensional (verticalmente los valores de los rasgos, horizontalmente los segmentos en sucesión) de rasgos fonológicos que da cuenta no de la realidad fonética de una frase sino de la imagen psicológica que de ella posee el hablante.

rescritura → *regla*.

resis (fr. *rhèse*, del gr. *hrêsis*) Término introducido por J. Tarneaud para indicar los grupos rítmicos en los que se subdivide la frase en el lenguaje infantil.

resonante (ingl. *resonant*) ⇒ *sonante*.

restitución → *etimológico* b).

restricción *a*) En semántica se denomina r. del significado a la reducción de la extensión del significado de un signo a través de la adición de nuevos rasgos semánticos: por ejemplo, en inglés *to starve* 'morirse de hambre', hoy opuesto a *to die* 'morir', muestra una r. respecto al significado del ingl. ant. *steorfan* 'morir', del que deriva. ≠ *extensión*.

b) En la gramática GT, una delimitación (ingl. *constraint* o *restriction*) del conjunto de las posibilidades normalmente previstas por una regla; por ejemplo, la r. de selección (ingl. *selectional restriction*) excluye ciertos nombres de la combinación con determinados verbos; un nombre que no tenga el rasgo [+ animado] no puede ser Sujeto u Objeto de un verbo que lo exija: *matar a un cadáver* es, según la norma, una expresión anómala porque viola una r. → *subcategorización*.

restricción semántica ⇒ *restricción* a).

restrictiva o **limitativa, relativa** → *relativa*.

restringido, código → *código elaborado y restringido*.

restructuración (ingl. *restructuring*) En la gramática GT, una regla lexical que vuelve a analizar una secuencia de categorías sintácticas como si fuera una sola unidad (por ejemplo, un verbo y una preposición como un único V).

"Restsprachen" (alem., 'lenguas residuales') → *lenguas de atestación fragmentaria*.

resultado (del lat. *exitus* 'salida, resolución, final') Término introducido por Ascoli para indicar la continuación histórica de una forma, el producto de una transformación fonética: *el r. latino de la labiovelar indoeuropea sonora*.

resultativo Aspecto* verbal que considera la acción según el efecto que de ella resulta.

retórica (gr. *he hrētorikè tékhnē*) Teoría del discurso, arte de la correcta expresión, de la persuasión; la técnica para la construcción del discurso epidíctico, persuasivo.

retraído (ingl. *retracted*) En fonética se llama articulador r. al dorso de la lengua que se desplaza hacia atrás, hacia la faringe; en fonología McCawley (1966) ha propuesto un rasgo r. para tratar una oposición entre dos articulaciones muy cercanas, como las labiodentales y bilabiales, o las dentales e interdentales.

retrasado Articulación desplazada hacia el interior del aparato de fonación: en it. *palla* < 'pelota' > (l) es una articulación más r. que la (l) de *lino* ⇒ posterior, *retraído*.

retroacción (ingl. *feedback*) Hablamos de r. cuando un comportamiento o un funcionamiento son susceptibles de ser modificados o corregidos paulatinamente según los resultados obtenidos y según el ambiente externo. Por r. un animal que encuentre un obstáculo en su camino toma un desvío para evitarlo. Existe también una r. lingüística: el volumen de la voz es regulado por procesos de r.; la intensidad de la emisión es regulada por un control continuo ejercitado por el oído y en función también de las condiciones ambientales, si tal control no existiese, no existiría tampoco la capacidad de regulación.

retrocomunicación   En el análisis del discurso, el efecto de retorno de un mensaje a su emisor; a partir de lo que el emisor se da cuenta de haber comunicado realmente podrá volver al mensaje, reformulándolo, corrigiéndose, etc.

retroflejo   Aplícase a la articulación en la que la punta de la lengua se curva hacia atrás; lo mismo que postalveolar* o, si se aplica al vocoide, postalveolarizado*.

retrolectura (fr. *rétrolecture*)   Para Greimas, la operación de relectura, de reconsideración de un texto, que el lector puede llevar a cabo cuando ha cumplido todo el recorrido narrativo sugerido y que puede conducirlo a modificar su primera lectura.

rima (quizá del lat. *rhythmus* 'ritmo, cadencia', directamente o a través del occitano *rime*; la coincidencia con el lat. *rima* 'grieta, hendidura' parece casual)   Procedimiento estilístico que consiste en repetir en el texto palabras con una misma terminación (en general, cuenta la secuencia que va desde la sílaba acentuada a la pausa). La r., que es un perfeccionamiento de la técnica de aliteración*, es empleada en la métrica de muchas tradiciones, sobre todo occidentales (por ejemplo en todas las lenguas románicas, en alemán,

muchos menos en inglés y en las lenguas eslavas) y funciona como expediente para garantizar la cohesión entre los versos; por lo común, la r. se da al final de cada verso, pero puede existir una r. interna o ''en medio''. Es posible incluso la r. en prosa, como en la prosa rimada árabe, equivalente a nuestra prosa rítmica o con *cursus*.* → *asonancia, consonancia*.

rinolalía   En la patología del lenguaje, una nasalización anormal de la dicción.

ripio   Palabra expletiva pero necesaria para la medida del verso o para el ritmo de la frase; en este sentido los teóricos griegos, cfr. *perì úpsous* 41,3, hablaban de *gómphos* 'cuña, cabilla' (fr. *cheville*). Posible traducción del ingl. *hedge* 'cuña' para indicar un elemento que se introduce para precisar algo: ingl. *sort of, I mean*; it. coloquial *tipo che* en è *uno, tipo che quando va a casa* < 'es uno, un tipo que cuando va a casa' >.

rítmico   Un grupo r. es una unidad prosódica formada por más de una palabra unidas por sentido y por sintaxis, dentro del cual se verifica un debilitamiento de las diferentes características acentuales en ventaja de un único acento principal.

ritmo   El desarrollo determinado por la sucesión de arsis y tesis en las lenguas clásicas (lat. *arma virumque cano*), de sílabas fuertes o acentuadas y de sílabas no acentuadas en las lenguas con acento dinámico como el italiano < o el español >.

rol (cfr. fr. *rôle*, ingl. *role*) El término pertenece al terreno del espectáculo e indica el papel, el peso de un participante en la interacción. "Nosotros nacemos individuos —escribía J. R. Firth en 1935— pero para satisfacer nuestras exigencias tenemos que convertirnos en personas sociales, y cada persona social es un haz de rr. o personajes (*a bundle of roles or personae*), de modo que las categorías situacionales y lingüísticas no escapen a nuestro control" (1957: 8).

rotación Nombre dado al cambio fonético en el que cada serie pasa a la serie contigua, con una reacción en cadena según el esquema A → B → C; entre los ejemplos más conocidos se encuentran las dos rr. consonánticas de las lenguas germánicas (alem. *Lautverschiebungen*) y la gran r. vocálica del inglés (ingl. *great vowel shift*).

rotacismo (gr. *hrōtakusmós*) *a*) Cambio fonético por el que $VsV → VrV$:

lat. **Liguses* (cfr. gr. *Ligues*) → *Ligures*.

b) En patología, perturbación que afecta a la articulación de las articulaciones vibrantes.

ruido En la técnica de la comunicación, los elementos extraños que pueden perturbar o deformar la transmisión de un mensaje reduciendo el contenido de información*; puede ser un ruido en el sentido real de la palabra o cualquier otro hecho contingente, propio del ambiente o de quien transmite el mensaje; se puede aplicar incluso, metafóricamente, a la transmisión por escrito. Dado que el r. es prácticamente inevitable en el acto comunicativo (una comunicación que carezca de r. es sólo teórica) existen varias estrategias para compensar sus efectos; en un ambiente ruidoso el hablante eleva automáticamente el tono de voz hasta alcanzar un volumen bien perceptible; la información es adecuadamente repetida y reforzada de modo que su redundancia compense las lagunas, etc.

S

S Abreviatura común de Sujeto.

s.v. Abreviatura de *sub verbo* o *sub voce* (*voz*).

sabir (del esp. *saber*) Nombre que recibe un tipo de pidgin* con base románica, hablado ampliamente en todo el Mediterráneo, sobre todo en los puertos y a bordo de los barcos con tripulaciones pluriétnicas. El nombre deriva seguramente de expresiones s. como *mi sabir* 'sé', *mi no sabir* 'no lo sé'.

salida *a*) Genéricamente, posición final de la palabra: *vocal en s., s. vocálica* (alem. *Auslaut*).

b) (ingl. *output*) Resultado de la aplicación de una regla.

sandhi (sáns. *samdhi*) ⇒ *fonología de juntura.*

sarcasmo (gr. *sarkasmós* 'burla, escarnio', de *sarkázō* 'muerdo, desgarro') Figura* que coincide sustancialmente con la ironía*; su evidente y mayor aspereza deriva de una diversa disposición e intención comunicativa del hablante (en este caso, claramente hostil hacia el destinatario del s.).

satélite Elemento que en la gramática funcional especifica propiedades del núcleo* expresado en la frase (modo, tiempo, lugar).

scevà (hebreo, *šᵉ wa'*) Término de la gramática tradicional hebraica adoptado por la lingüística histórica (en la forma alemana *Schwa*) para indicar una vocal con timbre reducido y que aparece en varias posiciones morfológicas, por ejemplo, como grado reducido de una vocal.

"scibilante" (<it. [šbilánte]> de un inexistente *scibilare*, siguiendo el modelo del ingl. *shibilant*, respecto a *sibilante*) Neologismo propuesto para indicar las sibilantes alveopalatales del tipo del sonido inicial del it. *scena*.

"scripta" Con este término del latín medieval (plur. *scriptae*) se indica una variedad de lengua escrita, característica, por ejemplo, de una corte, una curia o una sede de estudios y específica de un uso: *"s". literaria, burocrática, de cancillería.*

secuencia Firth y Palmer distinguen la secuencia a partir del orden*; la primera se refiere al discurso, el segundo a la lengua.

secundario *a)* En fonética, articulación que muestra una variación, un coeficiente de más respecto al tipo de fono elegido como referencia o como el más común en la lengua: palatalización, velarización, etc.

b) Para Bloomfield respuesta s. es la respuesta a un estímulo expresada a través de medios lingüísticos y no a través de una acción.

sede del acento   La sílaba en la que recae el acento.*

segmentación *a)* Proceso de descomposición de la cadena hablada que lleva a la distinción de las unidades fonéticas.

b) Delimitación de las unidades en el plano del contenido, *découpage* en la terminología de Saussure.

segmentada, frase (fr. *phrase segmentée* en Bally [1944 § 79], ingl. *cleft sentence*)   Una construcción en la que, por motivos de énfasis, una frase es dividida en dos partes, cada una de ellas con su verbo; una se convierte en el tema* y la otra en el rema*: *Jorge se ha comprado un Porsehe → Es un Porsehe lo que se ha comprado Jorge,* o bien *Lo que se ha comprado Jorge es un Porsehe;* fr. *Je n'arrive pas*

à résoudre ce problème → Ce problème, je n'arrive pas à le résoudre.

segmental   Relativo a los segmentos, es decir, a las articulaciones fónicas entendidas como elementos sucesivos de una progresión lineal: fonología s., rasgo s. ≠ *suprasegmental.*

segmento (ingl. *segment*) *a)* Término neutro para indicar un fragmento, determinado arbitrariamente, de la cadena hablada, sin implicaciones en cuanto a su funcionalidad fonológica: decir que el italiano presenta segmentos vocálicos largos no implica que éstos tengan también una relevancia fonemática; el término ha sido tomado por la fonología generativa para referirse a un elemento fónico superficial no especificado aún.

b) En la terminología distribucional, una sección de enunciado comprendida entre dos límites sucesivos.

"segnacaso" < it. [seŋakáso] >   El elemento, la preposición o la desinencia que caracteriza un determinado caso: *-os* para el acusado plural masculino de una clase de nombres latinos.

selección *a)* Término de Jakobson para indicar la elección* paradigmática entre las unidades a disposición; → *regla de selección.* ≠ *combinación.*

b) En glosemática, determinación* entre dos términos dentro del proceso: en latín *sine* selecciona el ablativo, éste, en cambio, no presupone necesariamente *sine.*

sema (gr. *sêma* 'signo')   Una unidad mínima del plano del contenido; su definición cambia de autor a autor. Por analogía con los rasgos distintivos en fonología, el s. es considerado como un rasgo distintivo semántico. De esta manera Pottier (*Recherches sur l'analyse sémantique en linguistique et en traduction automatique*, Nancy, 1963), retomando un ejemplo de Weisgerber, analiza el fr. *chaise* 'silla' en siete ss., todos ellos de signo positivo menos los dos últimos:

'objeto, no animado'
'para sentarse'
'con patas'
'para una sola persona'
'con respaldo'
'con brazos'
'de material sólido'

Es evidente que variando los valores de estos ss. con la conmutación obtendremos la correspondiente conmutación del signo (*tabouret, sofa, canapé, fauteuil, pouf*). Una misma articulación del concepto de s., usada sólo ocasionalmente, es aquella dada por E. A. Nida (*A system for the description of semantic elements*, "Word" 7 [1951], pp. 1-14) donde se distingue una jerarquía compuesta, en orden creciente, por s. (con sus alosemas), semema (con episemas y alepisemas), episemema, macrosema (con alomacrosemas), macrosemema; la totalidad de la jerarquía puede ser lingüi- o etno-.

ss. intrínsecos y extrínsecos son para Buyssens los ss. motivados o inmotivados respectivamente.

s. lexicógeno. Para Guiraud (1964), un sema que por su importancia es capaz de influir en la creación del signo lingüístico: el nombre del ave *occhione* < 'alcaraván' > demuestra la magnitud de un s.l. 'dotado de grandes ojos'.

semantema *a*) Usado por algún autor, como *lexema**, para indicar un morfema* que posee significado lexical; la denominación, sin embargo, es discutible (y el mismo Martinet que la ha usado en un principio —Martinet 1956— la ha abandonado más tarde) porque parece implicar que sólo el morfema léxico es el portador de significado o que, en todo caso, existe una diferencia cualitativa entre los morfemas léxicos y los morfológicos.

b) Para Pottier, el conjunto de los semas específicos. → *clasema, semema, virtuema*.

semántica (fr. *sémantique*, introducido por M. Bréal en 1883) La rama de la lingüística que estudia el significado; cfr. también A.W. Read, *An account of the word 'semantics'*, "Word" 4 (1948), pp. 78-97; L. Rosiello, *La semantica: note terminologique ed epistemoloche*, "AGI" 47 (1962), pp. 32-53. → *onomasiología, semasiología, sematología, semología*.

semántica experimental o **psicosemántica** Para C. F. Osgood, G. J. Suci y P. Tannenbaum, el estudio de la semántica con medios matemáticos y procedimientos exactos, por ejemplo, el test del diferencial semántico.*

semántica generativa Una orientación desarrollada en la primera mitad de los años setenta (el nombre de *generative semantics* no es más que uno de los varios usados para indicarla, junto a *semantax, semantic syntax*).

semántica interpretativa (ingl. *interpretative semantics*) Desarrollo de la gramática GT chomskyana (Katz y Fodor, Jackendoff): en la estructura profunda, que contiene toda la información semántica, opera un componente semántico que prevé un diccionario y reglas de proyección; en el diccionario cada voz es especificada según sus rasgos y en sus restricciones de selección.

semanticista Orientación o corriente que presupone una estructura profunda semántica.

semántico *a*) Relativo al significado: *empeoramiento s.*

b) Relativo a los procedimientos y a los criterios de análisis de la semántica.

crítica semántica. Nombre dado por Antonio Pagliaro a su método interpretativo, ejemplificado en una larga serie de ensayos (*Saggi di c.s.*, Mesina-Florencia, 1955, 1962², *Nuovi saggi di c.s.*, ivi 1956; *Altri saggi di c.s.*, ivi 1961) en el que el exacto valor de signos simples o complejos (término único, pasajes de autores) se consigue a través de una irrepetible y personal combinación de investigación histórica y etimológica, textual e intertextual.

densidad s. → *densidad*

Diferecia s. → *diferencial.*

semasiología (fr. *sémasiologie*, alem. *Semasiologie*, ingl. *semasiology)* *a*) Término acuñado en 1825 por Reisig (*Semasiologie*, en *Vorlesungen Über lateinische Sprachwissenschaft*, ed. póstuma 1839) y usado durante algún tiempo (de 1952 es el *Handbuch der Semasiologie* de Kronasser) como sinónimo de semántica*, que es el término que luego se ha afirmado.

b) Especialización de la geografía lingüística iniciada por K. Jaberg en los años treinta, que estudia los diferentes significados o los derivados diversos a lo largo del tiempo de un mismo signo lingüístico. ≠ *onomasiología.*

sematología Término usado por U. A. Canello en la acepción de la actual onomasiología*.

semelfactivo o **singulativo*** (lat. cient. *semelfactivus* del *semel facere* 'hacer una sola vez') Aspecto* verbal que designa una acción cumplida: *la flecha dio en el blanco.*

semana Para A. Noreen (1908), el aspecto del contenido de un signo lingüístico; para Bloomfield, el significado de un morfema (Bolelli 1965: 490); retomado por Pottier como la suma del clasema*, del semantema* y del virtuema*, se puede encontrar también como sinónimo de semantema*. Para Greimas es la suma de los semas nucleares o específicos y de los semas contextuales genéricos.

semía (del gr. *semeîon* según el modelo de *fonía*, etc.) Incluso donde no existen verdaderas semióticas se pueden determinar repertorios de signos llamados ss., cuyo análisis tendrá que referirse a otras semióticas base.

sémico Relativo al sema*.

semiconsonante/semivocal Términos usados de manera más o menos

equivalente (eventualmente semiconso-
nante antes de vocal, semivocal después) para indicar la clase de los
aproximantes, sobre todo [j] y [w] que
muestran un comportamiento intermedio entre los vocoides (a los que son semejantes como lugar de articulación)
y los contoides (a los que les acerca la
energía articulatoria). Acústicamente,
en el caso de un mismo lugar de articulación (y de locus*), las ss. se diferencian de los contoides oclusivos y fricativos por la mayor velocidad (menor
duración) de las transiciones y de las líquidas y de los diptongos por la menor
velocidad (mayor duración) de las transiciones.

semicultismo Rasgo o forma que
tiende a la imitación de un nivel de lengua más alto o más prestigioso, sin al-
canzarlo totalmente.

semiología (neol. rehecho tomando
como base el gr. *semeîon* 'signo' y
-logía; con el significado de 'ciencia de
signos y tratado sobre este argumento' está registrado en Tommaseo y Be-
llini, *Dizionario della lingua italiana*,
V, 725). Una rama de las ciencias
humanas que tiene por objeto todos
los sistemas de signos que constituyen
sistemas de significación y, por lo tanto, no sólo el lenguaje propiamente dicho sino también los gestos, las imágenes y los sonidos. Tal disciplina nace
en el *Curso* de Saussure (el cual, aunque estableció las bases teóricas, no
volvió a tocar el tema): "Se puede,
pues, concebir una ciencia que estudie
la vida de los signos en el seno de la
vida social. Tal ciencia sería la parte
de la psicología social, y por consi-

guiente de la psicología general. Nosotros la llamaremos s." (Saussure
1968: 33). Para Hjelmslev, la s. es uno
de los niveles de análisis de la
semiótica*. En particular, se trata de
una metasemiótica (semiótica pluripla-
na científica), cuya semiótica objeto
no es científica. Ejemplo de s. son todos los tipos de gramática formal de
una lengua histórico-natural; otros casos de semióticas pluriplanas son las
semióticas no científicas y las metase-
mióticas científicas con semiótica objeto científica.

semiosis (gr. *semeíosis*) o **función semiótica** *a)* La oposición que, creando una relación biunívoca entre forma de la expresión y forma del
contenido, produce signos.
    b) Lo que resulta del proceso de
la s.

semiótica (gr. *semeiotike tékhne* 'ciencia de los signos'; la variante *semeio-
tica* indica más bien la disciplina mé-
dica) Término retomado primero
por Ch. Peirce y luego por Ch. Morris para indicar una ciencia de los signos; hasta principios de los setenta podía ser considerado un sinónimo de
*semiología**, preferido por los americanos, los alemanes y los soviéticos
(*semiotics, Semiotik, semiotika*) respecto al uso francés. Actualmente, sin
embargo, los dos términos han dejado de ser sinónimos para todos y pueden cubrir campos o, al menos, tendencias de análisis diversos; en este
caso, semiología es la teoría general de
la investigación sobre fenómenos de la
comunicación considerada como elaboración de mensajes sobre la base de

códigos convencionales como los sistemas de signos, mientras que las ss. son los sistemas de signos singulares, tanto si han sido ya caracterizados como tal y, por lo tanto, formalizados, como si tienen que ser aún determinados y, por lo tanto, formalizables; Greimas considera la semiología como el estudio más claramente inspirado en modelos lingüísticos, y denomina su teoría s.

semipalabra Término propuesto por S. Scalise (1984: 12) para los sufijoides (→ *prefijoide*), los elementos enlazados que no son afijos y que entran en la formación de las palabras: *scopio* en *osciloscopio*, *telescopio*, *estroboscopio*.

semología Término propuesto por Noreen y retomado por M. Joos (*semology*, 1958) para el análisis de los significados. → *semántica*.

sentido La distinción de Saussure entre lengua y habla o, lo que es lo mismo, entre potencialidades previstas pero sólo virtuales y realización real del hecho de lengua, puede, de cualquier modo, trasladarse al plano de las relaciones semánticas instauradas entre un signo y todos los demás signos de la lengua. Un signo tiene un significado (o, eventualmente, más de un significado) en la lengua; un modelo rudimentario de los significados de la lengua es el que da un diccionario. Pero en la comunicación el hablante elige los signos de los que luego se sirve en modo de poder transmitir sólo ciertos específicos significados y no otros, y orientará todos sus comportamientos hacia este fin; es oportuno reservar para este significado contextual un término diferente, s., según una distinción ya corriente entre los lógicos (*Sinn* y *Bedeutung* por Frege); Prieto, en cambio, entiende por s. "la relación social que se establece como finalidad de un acto de palabra, o, en general, de un acto sémico... Por ejemplo, en el acto de palabra en que *E* pronuncia la fonía < 'devuélvamelo' >, la relación social 'orden de *E* a *R* de devolverle su abrecartas' constituye el s. de este acto y de la señal usada en él" (Prieto 1964: 24). Se llama igualmente s. a "cada relación social en el momento en que sea susceptible de constituir el sentido de un acto sémico". Lo que se consigue puede ser llamado *efecto de s.* (en Guillaume, *effet de sens*).

sentimiento de la lengua (fr. *sentiment de la langue*, alem. *Sprachgefühl*) El conocimiento de la lengua nativa en todas sus posibilidades expresivas. Coincide sustancialmente con la intuición* de la gramática GT, pero supone algo más que la simple capacidad de juzgar la gramaticalidad de las frases, que sería un adhesión y participación emotiva además del estudio y el acercamiento a las manifestaciones de lengua escrita y oral.

señal El signo que no es un símbolo.

separable En ciertas lenguas, la posibilidad que tiene un preverbo* de separarse del verbo: alem. *darstelle* pero *setellen... dar*, ingl. *winthstanding* pero *standing with*. ≠ *inseparable*.

serial Reciben el nombre de verbos ss. (ingl. *serial verbs*), o combinaciones verbales, o construcciones verbales ss., los predicados verbales compuestos por varios morfemas verbales yuxtapuestos en la misma frase y referidos a un mismo sujeto gramatical: SV_1, SV_2 (O); el procedimiento es muy frecuente en muchas lenguas africanas y sinotibetanas, donde se pueden encontrar hasta tres verbos concatenados, aunque podrían considerarse también seriales los modales ingleses del tipo *I shall give* y quizá construcciones como las del esp. 'cojo y me voy' o la del fr. *il vien m'aider*; sólo que éstos son usos relativamente circunscritos respecto a la misma utilización de las lenguas africanas. En general, el significado fundamental es el del último elemento a la derecha, y los otros elementos sirven para indicar la modalidad de la acción.

serie Genérico: *s. de formas.*
s. abierta y cerrada ⇒ *inventario limitado e ilimitado.*

serie fonemática En la fonología de Praga, el conjunto de los fonemas consonánticos que poseen el mismo modo de articulación. ≠ *orden.* → *clase natural.*

serviles, verbos En la gramática tradicional, una de las designaciones de los verbos modales*.

"shibboleth" En la narración bíblica (*Jueces* XII, 6) los varones de Galaad, secuaces de Jefté usan este término para descubrir a los efraimitas que estaban persiguiendo: obligan a cada efraimita a pronunciar la palabra hebraica [ʃibboleθ] (es decir, 'espiga' y 'torrente'); los efraimitas no consiguen pronunciarla si no es con la forma que para ellos es habitual [sibboleθ] y de esta manera son reconocidos y degollados. Haciendo referencia al episodio bíblico, el término *sh.* (o, también, *sh.-words*) ha permanecido en la literatura de la lengua inglesa para indicar un elemento diagnóstico, una variante de pronunciación, una palabra o locución que sea reconocida como algo que identifica a un grupo determinado; así el servo-croata se divide en štokavo, čakavo y, después, en iekavo, ekavo, ikavo según la realización de las dos sh. što/čo, '¿qué?' y *reka/rijeka/rika* 'río'; en Somalia es frecuente una distinción entre *af maay* (el maay o digli o somalí central) y *af maxaa tiri* (somalí común y bandir) de la sh. *maay/maxa* '¿qué?'; cfr., asimismo, la distinción entre lengua d'oc y lengua d'oïl de *oc/oïl* 'si'. → *diacrítico, lingüística areal, estereotipos.*

sibilantes En fonética, nombre tradicional para la clase de las fricativas dentales y palatoalveolares.

sigla (lat. *sigla*, plur. neutro, quizá abreviatura de *singulae litterae*) Abreviatura de una forma más larga, neologismo formado a partir de las iniciales de un grupo de palabras para conseguir una mayor brevedad: un tipo de s. es el acrónimo*, como U.R.S.S. *Unión de Repúblicas Socialistas Soviéticas.* La s. nace como abreviatura gráfica y sólo en tiempos recientes se ha convertido en una palabra de la lengua hablada como las otras; pero de su origen gráfico derivan algunas oscilaciones: puede ser realizada como la suma de los nombres de las letras (<*ucedé, efeeme*>) o como una palabra nueva (<*láser, sida*>); el aumento de frecuencia de las siglas comporta una serie de consecuencias desde el punto de vista fonológico; si en italiano, lengua que no admite consonantes finales que no sean /n,l,r,/, se convierten en usuales secuencias como *atac*, etc., naturalmente estos nuevos hábitos articulatorios (que, al nacer de hechos carentes de particulares connotaciones no son considerados fenómenos negativos) modifican la conciencia de la forma canónica* y hacen que la lengua sea menos reacia a la introducción de elementos extranjeros no adaptados.

sigmatismo (del nombre de la letra griega *sígma*) En patología, disartria que afecta a la articulación de la [s].

"signans"/"signatum" En la terminología de los escolásticos medievales, retomada por Morris, se trata de los dos términos de la oposición fundamental del proceso semiótico: la forma lingüística que significa, señala, y el significado que es señalado; la misma oposición entre activo y pasivo es transferida a significante/significado*.

significación El término es usual en Ascoli como 'significado', y vuelve a ser usado como calco del término saussuriano *signification*, la realización del significado de un signo en el habla; para Coseriu es, en cambio, la relación que se establece entre signos en la "langue". → *designación*.

significado Uno de los términos más controvertidos y ambiguos de toda la teoría del lenguaje. En sentido general lo definimos como el contenido de conocimiento que es aportado por un elemento lingüístico; para Saussure es una de las dos caras del signo (la otra es el significante); en la glosemática es, en el plano del contenido, el "recorte" correspondiente a un signo. En cada teoría lingüística este núcleo de s. del s. (repitiendo el título de una famosa obra de Ogden y Richards, 1923) es relativamente firme, aunque después los diferentes autores creen necesario distinguir, por ejemplo, entre s. gramatical y s. lexical (Bloomfield, Bloch, Trager), s. lingüístico y s. extralingüístico, s. estructural y s. lexical (Fries), s. diferencial y s. referencial, s. contextual y s. situacional. Algunas de estas distinciones son debidas sobre todo al hecho de que en la discusión sobre el s. resulta a veces necesario separar el plano lingüístico de las consideraciones extralingüísticas; en el acto de palabra todo está presente, obviamente, de forma simultánea, de manera que Wittgenstein considera el s. de una palabra, para muchísimos casos, si no para todos, como su uso (*Philosophische Untersuchungen* I, 43); cfr. R. Fowler, *A note on some uses of the term* meaning *in descriptive linguistics*, "Word" 21 (1965), pp. 411-420.

significante En la terminología de Saussure el aspecto perceptible del signo*. ≠ *significado*.

"significatum" "Aquellas condiciones que crean un *denotatum* de cualquier cosa que las satisfaga" (Morris 1949: 35).

signo (lat. *signum*, que traduce el gr. *semeîon*) En la reflexión lingüística, el elemento significativo que constituye la célula mínima de la expresión lingüística. En Saussure existe una oscilación entre los diversos valores de *signe*; en ocasiones sirve para referirse al significante: "... una lengua, es decir, una sistema de ss. distintos que corresponden a ideas distintas" (26); "los hechos de conciencia, que nosotros llamaremos conceptos, se encuentran asociados a las representaciones de ss. lingüísticos o imágenes acústicas que sirvan para su expresión" (28); "la lengua es un sistema de ss. que expresan ideas" (33). Pero el mismo Saussure, introduciendo s. como entidad psíquica con dos caras, el concepto y la imagen acústica, se da cuenta de la oscilación y de los problemas terminológicos creados: "en el uso corriente s. designa generalmente la imagen acústica sola, por ejemplo una palabra (*arbor*, etc.). Se olvida que si llamamos signo a *arbor* no es más que gracias a que conlleva el concepto "árbol", de tal manera que la idea de la parte sensorial implica la del conjunto. La ambigüedad desaparecería si designáramos las tres nociones aquí presentes por medio de nombres que se relacionen recíprocamente al mismo tiempo que se opongan. Y proponemos conservar la palabra *signo* para designar el conjunto, y reemplazar *concepto* e *imagen acústica* respectivamente con *significado* y *significante*; estos dos últimos términos tienen la ventaja de señalar la oposición que los

separa, sea entre ellos dos, sea del total del que forman parte. En cuanto al término *signo*, si nos contentamos con él es porque, no sugiriéndonos la lengua usual cualquier otro, no sabemos con qué reemplazarlo" (Saussure 1968: 99); y, dado que el s. es el resultado de la asociación de un significante y de un significado, "podemos decir más simplemente que el signo lingüístico es arbitrario" (100); la acepción de Saussure es la más difundida aún hoy; por ejemplo, para Martinet "un enunciado como *me duele la cabeza* o una parte de tal enunciado que tenga sentido, como *me duele, duele*, se llama s. lingüístico. Cada s. lingüístico conlleva un significado que es su sentido o su valor y un significante gracias al cual el s. se manifiesta". Pero "es al significante al que en la lengua corriente se reserva el nombre de s." (Martinet 1960: 20). Para Hjelmslev, el s. es la unidad que consiste en forma del contenido y forma de la expresión, establecida por la solidaridad que llamamos función sígnica o función semiótica.

signo unisituacional "Un vehículo sígnico* que no pertenezca a una familia de signos es un s.u. porque posee significado en una sola situación" (Morris 1948: 39). → *signo plurisituacional*.

sílaba (lat. *syllaba*, del gr. *sullabé*) Según una de las posibles difiniciones, un s. es la estructura elemental que se encuentra en la base de cada agrupación de fonemas (Jakobson 1966: 94): en un nivel inmediatamente superior al fonema se colocaría la s. que reúne un número mínimo de vocales y consonantes: V, CV, CVC, etc.; desde el punto de vista acústico, en cambio, la s. se puede considerar como una cumbre en la curva de perceptibilidad. Hay que decir, de todas maneras, que la definición de s. es problemática: para definir el concepto se ha ido recurriendo a toda clase de criterios: articulatorios (como espiración, tensión, movimiento diafragmático, etc.), acústicos (como la sonoridad), rítmicopsicológicos, o funcionales (prosódicos) (Belardi y Minissi 1962: 116) y se la ha considerado incluso una pura asunción psicológica, sin realidad fonética. Pero si es difícil dar una definición *a priori* de validez universal, es innegable que los hablantes, aún sin llevar a cabo una reflexión lingüística, poseen instintivamente la conciencia de la posibilidad de dividir la cadena hablada en segmentos (por ejemplo, si tienen que deletrear una palabra que no han entendido bien) y estos segmentos no son ciertamente los fonemas del análisis fonológico sino más bien las ss., como si existiesen en el continuo fónico bisagras naturales con las que es posible detener o moderar la emisión. Naturalmente, estas ss. "naturales", fonéticas, pueden no coincidir con aquellas que puede postular un análisis fonológico. Incluso los sistemas de escritura llamados silábicos, aunque sean una manifestación de una atención muy profundizada en los hechos de lengua, muestran esta misma conciencia en cuanto establecen una correspondencia entre símbolos gráficos y sílabas y no entre símbolos gráficos y sonidos únicos, según módulos de escansión más o menos parecidos en todas partes y no diferentes de aquellos que aplicaría empíricamente un fonetista occidental.

silabación (ingl. *syllabi(fi)cation*, calcado en italiano como *sillabificazione*) El tipo de escansación en sílabas sugerido por cada una de las lenguas.

silabario (lat. tardío *syllabarius*, derivado de *syllaba*) La secuencia de los signos gráficos en los sistemas de escritura basados en el principio de la notación de sílabas y no de sonido único, como las escrituras mesopotámicas, las etiópicas, las indias, etc.

silabema En la terminología distribucionalista, la unidad central y condicionante de la sílaba respecto a aquellas marginales, condicionadas y asilábicas.

silábico *a)* Sonido s. (en ingl. *syllabic* como sustantivo) es un sonido consonántico que asume la función de vocal en la sílaba, es el ejemplo de [l] en *bottle* [bɔtl].
b) corte s. El límite entre sílaba y sílaba, lo mismo que *silabación**.

silepsis (gr. *súllēpsis*) Concordancia* basada en el sentido y no en el número o el género, como en el caso de un predicado en singular que se refiera a más de un sujeto. → *zeugma*.

símbolo (gr. *súmbulon* 'nota' 'señal de reconocimiento') *a)* Para Peirce y Morris, un signo que representa su objeto por convención y que se basa en una relación arbitraria entre concepto y sujeto sígnico: "un signo producido por su intérprete que actúa como sustituto de cualquier otro signo del cual éste es sinónimo'' (Morris 1949: 45).

b) En el metalenguaje de la lingüística y de la lógica, un elemento gráfico (una letra o una sigla, una flecha, un par de paréntesis) que sirve para representar en la notación convencional una categoría lingüística o lógica o una operación. S. vacío → *vacío b*).

simplicidad, cálculo de la Valoración de una teoría fonológica que se basa en su coste en número de rasgos y de reglas y en la naturalidad (→ *natural*) de los procedimientos asumidos.

simplificación Reducción de segmentos fonológicos, en general para evitar secuencias no admitidas por la lengua: lat. *fulme* de **fulgmen* (cfr. *fulgur*).

sinalefa (gr. *sunaliphé*, también *-lei-* o *-loi-*, 'unión, articulación') Nombre general de los fenómenos de fusión de dos segmentos vocálicos en uno solo: *contracción*, elisión*, sinéresis**.

sinapsis (fr. *synapsie*, del gr. *súnapsis* 'conexión', 'conjunción') Un tipo de compuesto que por su constancia de significado es particularmente frecuente en las terminologías científicas y en las nomenclaturas: los elementos que lo componen se encuentran unidos sintáctica y no morfológicamente como determinante y determinado y, por lo tanto, no son separables (el elemento determinado no puede ser determinado a su vez). En italiano < y en español> las ss. o formas sinápticas (del gr. *sunaptikós*) son caracterizadas por la forma plena de los elementos (que pueden ser tomados de cualquier clase de palabra) y por la carencia de artículo en el segundo elemento: it. *agente de custodia* < 'carcelero' > *aereo a reazione* < 'avión a reacción' > , *freni a disco* < 'frenos de disco', esp. *guardia civil, policía a caballo,* > etc.

síncopa (gr. *sunkopé*, lit. 'el acto de desmenuzar') Supresión de un segmento vocálico en el interior de un contexto. ≠ *ecthlipsis*.

sincretismo (*sunkrētismós*, lit. 'coalición, confederación') Desaparición desarrollada en el curso del tiempo de una cierta oposición en un lengua dada; en la sincronía puede hablarse sólo de neutralización*; usamos el término s. de los casos para indicar que en un momento dado en el ablativo del latín confluyen las funciones de varios casos precedentes (de manera que se obtiene un ablativo agente, uno de materia, uno de lugar, etc.).

sincronía (fr. *synchronie*) Para Saussure, la situación de un estado de la lengua (*un état de langue*), en el que los diferentes elementos coexisten y pueden establecer relaciones de oposición diferenciadas entre ellos. El hablante tiene conciencia sólo de la s.: no puede ni necesita saber que detrás de la "langue" a la que se refiere se extiende una larga sucesión de modificaciones en el tiempo, la diacronía*; este estado de lengua es el que tiene que interesar, por lo tanto, al lingüista y "hacer tabla rasa de todo lo que ha producido". "La intervención de la historia sólo puede falsear su juicio.

Sería absurdo dibujar un panorama de los Alpes tomándolo simultáneamente desde varias cumbres del Jura; un panorama tiene que trazarse desde un solo punto. Lo mismo para la lengua: no se puede ni describirla ni fijarle normas para el uso más que colocándose en un estado determinado'' (Saussure 1968: 117).

sincrónico (lit. 'contemporáneo, que se verifica en un mismo momento') El término, aplicado a elementos lingüísticos presentes en el mismo momento histórico, se encuentra en Gabelentz (*gleichzeiting*, 1891) y es adoptado después por Saussure como *synchronique*. Lingüística s. es la que tiene por objeto la sincronía*.

sinécdoque Figura* que consiste en sustituir la parte por el todo, un objeto a través de una de sus partes: *las ruedas azules* (es decir, los ciclistas del equipo azul) *han dominado la carrera*.

sinéresis o **sinícesis** (gr. *sunaíresis* 'contracción, agregación') En métrica, el procedimiento inverso al de la diéresis*: dos vocales contiguas pasan a convertirse en una.

sinestesia (gr. *sunaísthēsis* 'percepción conjunta') Traslación o asociación semántica usada como procedimiento estilístico en el cual se ponen en contacto sensaciones relativas a esferas sensoriales diversas: un olor y un color, un sonido y un sabor: *un fresco verde, el silencio verde, un amarillo estridente, un verde ácido, un ruido algodonado*.

singular → *número*.

singulativo *a*) Término propuesto por Devoto para el aspecto semelfactivo*.

b) En algunas lenguas se prefiere hablar de s. en lugar de singular para indicar un número que se opone al colectivo y al plural: ejemplo, ár. egip. *šagara* 'un (solo) árbol', distinto de *šagar* 'árboles (colect.)' y de las otras diversas formas de plural (→ *paucal*); galés *plant* 'hijos' ~ *plantyn* 'un solo hijo'.

sinícesis (gr. *sunízēsis* 'fusión') ⇒ *sinéresis*.

sinonimia (gr. *sunonimía*) Una relación de identidad entre dos signos que comparten el mismo significado.

sinónimo (gr. *sunónimos*) Dos signos se consideran sinónimos si tienen el mismo significado, o si, empíricamente, pueden ser sustituidos en un mismo contexto sin que sea modificado de modo apreciable el significado; en realidad, probablemente porque no es económico que convivan en una misma fase de la lengua signos completamente equivalentes, es muy difícil que se den pares realmente sinonímicos; cuando el significado designativo es el mismo, si no se encuentran en juego especializaciones más sutiles, variarán las connotaciones (afectiva, despectiva, etc.), el nivel de uso (familiar, neutro-impersonal, oficial-burocrático, etc.), los contextos de uso: por ejemplo, *fanciulleria* < 'niñez, niñería' > y *fanciullaggine* < 'niñería' > son sinónimos pero no siempre intercambiables. → *antónimo*.

sinsemánticas, palabras → *autosemánticas, palabras.*

sintagma (fr. *syntagme*, del gr. *súntagma*) Término de Saussure y de Baudouin de Courtenay (r. *sintagma*, 1910), retomado por H. Frei (1941) para denominar cualquier combinación de varios signos, lineal e irreversible, que tiene como soporte la extensión; de manera más simple, se usa genéricamente en el ámbito lingüístico para indicar (también como trad. del ingl. *phrase*) cualquier combinación de más de un morfema en una unidad superior.
   s. fosilizado. Un s. que existe ya en la lengua y que no resulta de una libre combinación de morfemas hecha por el hablante; sintácticamente se comporta como un morfema único → *sintema.*

sintagmático La relación entre los términos de un mismo enunciado, en el que cada elemento asume su valor a través de sus oposiciones con los otros.
   gramática con estructura s. (ingl. *phrase-structure grammar*) → *gramática generativa.*
   s. indicador → *indicador sintagmático.*
   La *Sintagmática* será el estudio de los morfemas en la cadena hablada.
   ≠ *paradigmático*

sintaxis (gr. *súntaksis* 'disposición, organización') Combinación de las unidades significativas en las unidades mayores.

sintema (fr. *synthème*, neol. de *synth-* de *synthèse* y *ème* de *phonème*) Término de Martinet para indicar una construcción que no es fruto de una elección sino que el hablante encuentra ya formada en la lengua y que se comporta como un morfema único (→ *sintagma fosilizado*), en oposición al sintagma*, que es una combinación de morfemas en la que el elemento 'elección' está presente por parte del hablante. *Sintemática* será el estudio de la formación de estos grupos (equivalente, en sustancia, al estudio tradicional de la formación de la palabra y de la composición, alem. *Wortbildungstheorie*).

sintético Procedimiento que consiste en reunir varias informaciones morfológicas en una misma forma lingüística; por ejemplo, en latín *patribus*, que es una palabra autónoma (en el sentido de que se puede encontrar sola) transmite simultáneamente las tres informaciones; 'dativo' (o 'ablativo', 'plural', 'padre' (o 'senador').

sintópico → *diatópico.*

sistema (gr. *sústēma* 'conjunto de varias partes') Un conjunto de elementos ordenado y regido por relaciones internas; para la lingüística estructural la lengua es un s. cuyas partes, los signos, están conectados por relaciones de solidaridad e interdependencia que las definen y delimitan: una vez afirmado, el concepto no sufre sustanciales modificaciones. Noción y término son usuales, por lo menos para los sonidos, en la labor de los lingüistas históricos; así, en 1902, J. Vendryes puede hablar de "évolution du système" y, por ejemplo, decir que "la alteración de un fonema presupone la alteración concominante de muchos otras fonemas"; figuran también en Saussure ("la lengua es un s. que conoce sólo el orden que le es propio", 43; "la lengua no puede ser más que un s. de valores puros", 155, cfr. G. C: Vicenzi, *"Sistema" e "fonema" nel primo Saussure*, "SILTA" 5 [1976], 229-251) y son adoptados por el Círculo de Praga, que une al concepto de s. (definido por Jakobson como la "piedra angular de la teoría lingüística contemporánea") aquel, que contaría en seguida con un gran éxito, de estructura*. En particular, para los de Praga la lengua es un s. de ss., desde el momento en que ésta es dada por la interacción de los tres ss., fonológico, morfológico y sintáctico, o, también, de los dos, fónico y semántico. En la lingüística americana, por ejemplo en Sapir y Bloomfield, la conciencia de la variación es bien neta; sin embargo, la práctica de la descripción, afirmada particularmente en la lingüística americana con respecto a la europea, tiene necesariamente que forzar la abstracción de un s. unitario que puede ser circunscrito para poder referir y describir de manera exhaustiva las unidades que lo componen. Si, por ejemplo, se admiten más de un alomorfo*, es decir elementos que no son únicos, ello es debido precisamente a que éstos pueden coexistir como representantes de un mismo morfema que por sí solo tiene el estatuto de pertenencia al s. como unidad funcional. Pero ya que en la práctica descriptiva la no sistematicidad de la lengua emergía por todas partes, para poderla circunscribir de algún modo se delimita-

ba lo más posible la variedad descrita, el idiolecto* único al que se refería. La unidad artificial del s. se rompe de alguna manera cuando en 1949 Fries y Pike introducen la noción de ss. fonémicos coexistentes dentro de la competencia de un mismo hablante, pero sigue sobreviviendo incluso con la llegada de la gramática GT y conserva aún su valor, aunque no se insista en ella explícitamente, cuando se habla de gramáticas formales. En cambio, entra completamente en crisis con los variacionistas, de Stewart en adelante —con el descubrimiento del continuo* y con el estudio más reciente de las lenguas criollas— hasta perder casi del todo su utilidad.

sistémico   Referido al sistema de la lengua (análisis, etc.), se opone a autónomo.

sitio   En un análisis semántico de la predicación verbal se dirá que un verbo posee uno, dos o tres ss. según las valencias que pueden ser ocupadas por el sujeto y los complementos superficiales: *morir* tiene un s. (el del sujeto), *llevar* dos (sujeto y objeto), *cortar* tres (sujeto, objeto e instrumento).

situación   El concepto se remonta a Ph. Weneger, que en sus *Untersuchungen Über die Grundfragen des Sprachlebens*, 1885, pp. 19-27, elabora una "Situationstheorie"; retomado por Malinowski en Ogden y Richards (1923), se convierte en usual a través de la Escuela de Londres; cfr. C. Germain, *Origine et évolution de la notion de "situation" de l'École linguistique de Londres: de Malinowski à Lyons*, "la Linguistique" 2 (1972), pp. 117-136. Puede definirse generalmente como el contexto en que se da el enunciado. En la creación de la s. contribuyen varios componentes, verbales y no: los relativos papeles que desempeñan los participantes, sus intenciones, las condiciones pragmáticas de la comunicación. Desde dentro, la s. será estructurada en más de un evento lingüístico, y, en ocasiones, incluso en diversas unidades de interacción comunicativa. En glotodidáctica, se usa a menudo la expresión *lenguaje en s.*, que no es otra cosa que la real comunicación puramente gramatical de una lengua.

situacional   Relativo a la situación*: *contexto* s.*

"slang" (ingl., [slæŋ]) → *jerga*.

"slot" (ingl., 'fisura')   En la lingüística distribucional, si el enunciado es considerado como una estructura, un marco (ingl. *frame*), cada posición sintáctica puede ser considerada como una apertura prevista en el marco; con *slot and filler* se indica un modelo que prevé posiciones sintácticas y clases de formas que se pueden introducir en ellas.

sobrentendido   Como sustantivo (fr. *sous-entendu*), un concepto de naturaleza no explícita, que puede ser simplemente una parte no dicha pero recuperable y, por lo tanto, inmanente al mensaje mismo, o una información externa al significado literal del mensaje, una finalidad perlocutiva, etcétera.

sobresdrújulo   Una unidad acentual en la que el acento recae en la cuarta sílaba: *cuéntaselo*.

sobretono   Rasgo del morfema léxico portador de una información emotiva (correspondiente, por lo tanto, al rasgo emotivo de Jakobson); éste puede encontrarse en la fonética, en el contexto, en el valor evocativo, etc.

sociativo (neol. del tema del lat. *socius* 'compañero', *societas* 'compañía')   Para algunos autores lo mismo que acompañativo* o instrumental-acompañativo*.

sociofonología   El estudio de las variaciones fonéticas y fonológicas en un cuadro de referencia sociolingüística.

sociolecto (ingl. *sociolect*, alem. *Soziolekt*)   Variedad característica de un grupo social.

sociolingüística   Rama de la lingüística que se enfrenta al estudio, en sentido amplio, de las relaciones entre sociedades y actividad lingüística: diferenciaciones lingüísticas y diferencias de clase, *status* y uso de las diversas variedades presentes en una sociedad, aprendizaje social de la lengua, uso de los comportamientos lingüísticos destinados al control social, etc. El área cubierta por la s. corresponde a la de la "linguistique exterieur" o "externe" de Saussure, que, sin embargo, no se encuentra bien precisada; uno de los primeros que estableció la conexión entre lingüística y sociología ha sido W. Doroszewski (cfr. su *Sociologie et linguistique (Durkheim et* *de Saussure*), en *Actes du Deuxième Congrès international de linguistes, Genève 25-29 août 1931*, Maisonneuve, París, 1933, pp. 146-148); Meillet hablaba de "linguistique sociale", delineando solamente un programa que sería colmado por su discípulo Marcel Cohen, autor de un *Pour une sociologie du langage* (París, 1956); en tiempos más recientes, y hasta los años setenta, ha sido corriente en francés el uso de la denominación *dialectologie sociale*. En la Unión Soviética, encontramos muy pronto el término de *sociologičeskaja lingvistika* (cfr. B. A. Larin, en "Izvestija Leningradskogo Gosudarstevennogo Pedadogogičeskogo Instituta imeni A. I. Gercena za 1928 goda", vpy. 1, p. 175), aunque se usa más bien *sociolingvistika*. En la literatura de lengua inglesa debemos recordar que en 1935 J. R. Firth veía en la "sociological linguistics" un potencial y extenso campo de investigación, pero se trataba aún de un programa que había que completar; el primer testimonio de *sociolinguistics* (siguiendo el modelo de *ethnolinguistics*) aparece en H. C. Currie, *A projection of sociolinguistics: the relationship of speech to social status*, "Southern Speech Journal", 18 (1952), pp. 28-37, y del inglés se han ido calcando las actuales denominaciones en francés, español, portugués e italiano. → *sociología del lenguaje*.

sociología del lenguaje El uso reciente es el de distinguir de la sociolingüística*, que estudia las manifestaciones dentro de la lengua, la s. del l. (ingl. *sociology of language*, alem. *Sprachsoziologie*, r. *sociologija jazyka*), según la cual la lengua no es más que una de la variables en un conjunto de agrupaciones de orden más bien alto (y que, por lo tanto, estudia planificación y políticas lingüísticas, actitudes, etc.); otros usan para cubrir esta oposición, el par *micro-* y *macrosociolingüística*. La obra de Cohen *Pour une sociologie du langage*, de 1956, se ocupa de sociolingüística y no de s. del l. en el sentido aquí indicado.

sociopragmática → *lingüística pragmática*.

solecismo (gr. *soloikismós*) Error*, violación de una regla de sintaxis.

solidaridad En glosemática, la relación de interdependencia: tenemos s. entre A y B respecto a C si no se puede encontrar en C un elemento de A sin encontrar asimismo uno de B, y viceversa. En los verbos < españoles >, por ejemplo, existe una s. entre las categorías de persona y las de número. El término es retomado por Coseriu, que habla de s. lexical (alem. *lexikalische Solidarität*) para referirse a las relaciones sintagmáticas que se establecen entre lexemas (afinidades, implicación, selección), a través de la remisión a un rasgo o a un archilexema; un lexema dado puede implicar sólo otro (*disipar: sombras, sospechas; mano: coger, aferrar*).

soliloquio (lat. med. *soliloquium*) Monólogo interior. → *endofásico, discurso*.

sonante Clase de articulación, que comprende las nasales, las vibrantes y las laterales, que prevé una interrupción o constricción de la corriente de aire espiratoria, a menudo acompañada por una sonoridad espontánea pero sin efecto de fricción local.

sonido *a*) En lingüística s. es el s. lingüístico, es decir, una concreta manifestación sonora obtenida a través de la actividad de los órganos fonadores. *b*) El de los ss. es también un nivel abstracto de análisis, en oposición al del léxico y al de la sintaxis; en varias lenguas el nivel está indicado, en la terminología, por el equivalente de 's.' usado como determinante (ingl. *sound system*, alem. *Lautgesetze*, etc.).

sonorante/no sonorante (ingl. *sonorant*) Rasgo introducido por Chomsky y Halle que recoge las características comunes de las articulaciones vocálicas, semivocálicas, nasales y líquidas [+ sonor], oponiéndolas a las obstruyentes (oclusivas, africadas, fricativas, aproximantes), que son [— sonor].

sonoridad Si las cuerdas vocales se mantienen cercanas de modo que se cierra la laringe, la presión del aire espiratoria pulmonar que se acumula por debajo fuerza la apertura y las obliga a abrirse; las cuerdas vocales se cerrarán de nuevo debido a su tensión muscular de manera que estos movimientos continuos de aperturas y cierres determinarán una vibración produciendo un efecto típico, la s. o voz*, que es el ruido del aire espiratorio al que se sobrepone la vibración de las cuerdas. En <español> la s. constituye un rasgo pertinente en numerosas correlaciones, por ejemplo entre los fonemas /p,t,k/ y /b,d,g/. Como correlatos acústicos que aparecen durante la s. tenemos la barra de s. (ingl. *voice bar*), un menor V.O.T.* (con alargamiento de F_1) y una menor energía de explosión para las oclusivas y de fricción para las fricativas.

sonorización La transformación de una articulación sorda en una sonora, en general por asimilación a otros segmentos sonoros: lat. *acus* > it. *ago* <,lat. *lacus*> esp. *lago*>.

sonoro Dícese de la articulación que va acompañada por la vibración de las cuerdas vocales. ≠ *sordo*.

sordo Dícese de la articulación en la que las cuerdas vocales permanecen distendidas y separadas.

"spelling" (ingl., [spellIŋ]) Término a menudo dejado sin traducción en it. para indicar *ortografía*: ¿cuál es el *"s." de esta palabra?*; en particular, se denominan *spelling pronounciations*, alem. *Schreibaussprache*, las pronunciaciones causadas por la grafía: por ejemplo, el decir *camici-e* <'camisas' en lugar de *camicie* [kamíĉe]>.

"Sprachgefühl" (alem. [ʃpRa:xgəfy:l/] → *sentimiento de la lengua*.

"Sprachmischung" (alem. [ʃpRa:xmIʃuŋ], 'mezcla entre lenguas') → *lengua mixta*.

"squish" Término de J. R. Ross para indicar el continuo de clases gramaticales que se puede constituir entre nombre y verbo.

status (ingl. *status* [del lat. *status*]) o **estatuto** En sociolingüística, por analogía con el s. sociológico, la consideración social de una particular variedad, o pronunciación a forma. Por extensión, se puede hablar de s. fonológico de un fonema para indicar su posición relativa en el sistema, su rendimiento*, etc.

"stock" (ingl., [stɔk] 'cepa') En la clasificación genética de la lengua, una unidad clasificatoria intermedia entre la familia y el phylum*.

subcategorización (ingl. *subcategorisation*) En la gramática GT, una clasificación de las categorías lexicales (nombre, verbo, adjetivo) en subclases caracterizadas por propiedades de compatibilidad y concordancia: por ejemplo, el sujeto de un verbo que prevea el rasgo [+anim], como *comer*, tendrá que ser seleccionado dentro de la subclase que prevea también este rasgo.

subcódigo → *código*.

subconmutación o **hipersustitución** Para U. Rapallo (*Tra fonema e variante: la subcommutazione en medioebraico e in aramaico giudaico*, en *Scritti in onore de Giuliano Bonfante*, Paideia, Brescia, 1976, pp. 867-881) "una correlación con rasgos fónicos comunes en el plano de la expresión que tiene función respecto a una correlación con rasgos sémicos en el plano del contenido" (p. 879); se trata, sobre todo, de

una diferenciación obtenida cambiando un único segmento fonológico de una palabra y obteniendo un significado cercano pero diverso al de partida.

subfonemático Relativo a diferencias en el plano fonético que no alcanzan el nivel fonológico; podría ser un rasgo s. la sonoridad de /ts/ inicial en italiano: *zio* [tsio] o [dzio] < 'tío' >; para Frei el subfonema es el rasgo portador de diferencias, es decir, el rasgo distintivo.

subjetivo *a*) Genitivo s. → *objetivo*.
b) *conjugación s*. Conjugación que se usa si el Verbo no presenta un Objeto expresado, como en húngaro.

subjuntivo (lat. *subiunctivus*, forma sustituida a partir del s. VI por *coniunctivus*, de ahí la forma it.; en gr. *hupotaktiké*) Modo que originariamente se oponía al indicativo —expresión de certeza— y que expresaba varias modalidades. En las lenguas donde se ha conservado a menudo no posee una verdadera autonomía semántica, sino que es introducido por motivos sintácticos; en lenguas como < el español o, sobre todo, > el italiano aparece normalmente en oraciones subordinadas, casi siempre en relación con los "verba sentiendi"*: *penso que basti, che venga* (es decir, *que possa bastare* < 'que pueda bastar' >, *che debba venire* < 'que tiene que venir' >); cuando en italiano es posible elegir entre el indicativo y el s. existe un matiz de probabilidad, de eventualidad: *leggigli una storia finché non sarà stanco* < 'léele una historia hasta que se canse' > (es decir, se cansará con seguridad)/*finché non sia stanco*

< 'hasta que esté cansado' > (podría ser que no se cansara).

sublativo Caso* que indica 'movimiento, salida hacia la superficie de un lugar': húng. *hajó-ra* '(subir) a la cubierta del barco'.

sublógico Hjelmslev llama s. al lenguaje natural, en oposición al lenguaje lógico "tout court".

subordinación o **hipotaxis** Relación de varios elementos en la cual uno rige al otro o, lo que es lo mismo, depende del otro.

subordinada Una proposición que depende sintácticamente de la principal, a la que se relaciona a través de conjunciones, pronombres relativos, etcétera.

subvocal, lenguaje ⇒ *lenguaje subvocal*.

subyacente (como trad. del ingl. *underlyung*; para el étimo → *sustancia*) Con referencia a la distinción entre estructura profunda* y estructura superficial, la forma s. es la parte de la estructura profunda (sea cual sea el nivel de profundidad) que corresponde a una determinada representación superficial.

sufijación El proceso de derivación por medio de sufijos.

sufijado Una forma obtenida a través de la derivación mediante sufijos.

sufijo ⇒ *afijo*.

sufijoide En paralelismo con *prefijoide**, un elemento que se comporta como un sufijo aunque derive etimológicamente de una forma con significado autónomo (→ *semipalabra*): es el caso de *-grama, -logía, -visión*. ≠ *prefijoide*.

suireferencial (fr. *suiréférentiel*) El verbo performativo* es s. en cuanto hace referencia a una realidad que él mismo constituye; de hecho, debe ser enunciado en condiciones tales que permitan transformarlo en acto real (Benveniste 1966: 271-274).

sujeto (lat. *subiectum*, que es la traducción dada por Boecio del gr. *hupokeímon*, 'quos praedicati suscipit dictionem') En la gramática tradicional, el s. es la posición sintáctica del actante que realiza la acción expresada por el verbo, al que generalmente le corresponde el caso superficial del nominativo. Si se toma en consideración la estructura semántica o lógica de una frase podemos obtener una noción de s. que no coincide con el de esta gramática: en *a mí me parece justo* yo soy el s. lógico de la frase, mientras que gramaticalmente se habla de algo que parece. Si se adopta una estructura con predicados y argumentos, el s. no es más que uno de los argumentos y no posee una posición privilegiada respecto a los otros: en *yo como fruta* se predica la acción del comer referida a mí y restringida a la fruta.

superesivo Caso* espacial que indica 'estado en la superficie de algo': húng. *hajó-n* 'en la cubierta del barco', *kéz-en* 'en la palma de la mano'.

superestrato Término introducido por W. von Wartburg para referirse a la influencia desde fuera de una lengua A sobre una lengua B, debido a contactos, colonizaciones, invasiones, etc. → *sustrato*.

superficial, estructura ⇒ *estructura superficial*.

superlativo Tradicionalmente, se distingue entre un s. relativo (*el más guapo de, entre*) y un s. absoluto (*guapísimo*; arcaico el tipo *guapísima entre todas*).

superposición (cfr. ingl. *overlapping*, fr. *chevauchement*) *a*) En fonología, una interferencia parcial entre dos correlaciones que vienen a coincidir en uno de los dos elementos; corresponde al concepto de neutralización* de los de Praga.
b) Superposición de contenido entre dos narraciones dentro de una narración más amplia.

supino (lat. *supinum*, porque 'se apoya' en el verbo) Forma nominal pero derivada del tema verbal del infinitivo de algunas lenguas indoeuropeas; el latín posee dos formas, una activa en *-um* (*dormitum ire* 'ir a dormir') y una pasiva en *-u* (*horribile dictu* 'cosa horrible para ser dicha'); en sueco expresa la factividad verbal y no el resultado.

supletivismo o **polimorfía lexemática** Se presenta cuando un paradigma está compuesto por varios morfemas que no pueden ser considerados variantes el uno del otro.

supletivo Término de W. Porzig para una forma que completa el paradigma de otra, o para un paradigma o una declinación compuesta por los derivados de varias formas.

supraglótico ⇒ *postalveolar*.

suprasegmental (ingl. *suprasegmental* en Ch. F. Hockett, *A system of descriptive phonology*, "Lg" 18 [1942], p. 100) En la terminología distribucionalista americana los hechos prosódicos son llamados ss., como si se "superpusiesen" al segmento* fónico. Desde el punto de vista auditivo esta sobreposición no es obvia, dado que es imposible pronunciar un sonido sin sus valores prosódicos, pero la imagen se explica si se piensa en nuestra visión usualmente grafocéntrica: si escribimos una frase cualquiera, lo que representamos en primer lugar son los fonemas segmentales; podemos indicar los otros hechos añadiendo sólo acentos y otros expedientes gráficos, que, efectivamente, se sobreponen a la transcripción. → *prosodia*.

supresión o **anulamiento** (ingl. *deletion*, fr. *effacement*) En GT, la operación que elimina un constituyente: *s. del SN idéntico* (ingl. *equi-NP-deletion*) s. de un SN en una frase complemento.
s. interna (ingl. *gapping**). En una proposición coordinada, la supresión de un verbo presente ya en la oración principal, se abre así un "gap"; *tú comes carne, yo* /gap/ *arroz*.

surcado (ingl. *grooved*) Dícese de los sonidos fricativos en los que la masa de la lengua se coloca de modo que pueda dejar al aire un pasaje a surco: cfr. [s] respecto a [f].

sustancia (como el fr. *substance*, ingl. *substance*, etc., se trata del lat. *substantia*, trad. del gr. *tahupokeímena* 'las cosas que están puestas debajo') Uno de los principios fundamentales del estructuralismo es la idea saussuriana de que la lengua es forma* y no sustancia (cfr. *Cours*, p. 157); tanto el pensamiento como la s. fónica son materia indistinta, amorfa, hasta que la lengua no proyecta sobre ellos la sustancia de sus signos. Hjelmslev adopta como suya esta intuición y en los *Prolegomena* la precisa en la tripartición forma/ s./materia; tanto en el plano de la expresión como en el del contenido, la s. es la materia ya formada, en virtud del proceso semiótico, y la materia "permanece, cada vez, como s. para una nueva forma, y no tiene otra existencia posible más allá del ser s. para esta o aquella forma" (56-57; cfr., asimismo, G. Graffi, *Struttura, forma e sostanza in Hjelmslev*, Il Mulino, Bolonia 1974).

sustancial, universal → *universal*.

sustantivado Tradicionalmente, adjetivo, infinitivo s.: *lo bueno, lo bello, el comer* → *nominalización*.

sustantivo (lat. *nomen substantivum*) → *nombre*.

sustitución *a*) La s. de fonos es un aspecto de la interferencia para Weinreinch; un fono de la lengua B es sustituido por el más cercano de la propia lengua A: it. [f] o [s] por ingl. [θ].

b) *s. de la lengua* (ingl. *language shift*). Proceso de abandono de una lengua A en favor de la adopción de una lengua B; esto es debido a la presión de varios factores: prestigio* de B, disminución del sentimiento de fidelidad lingüística* por A, etc.

c) Para Hjelmslev es la no conmutación o no mutación entre los miembros de un paradigma. Sirve para señalar las variantes de una lengua.

sustrato (lat. *substratum* 'extendido debajo', algo así como 'estrato subyacente') Noción introducida por Ascoli (*substrato*, de 1867) para indicar un estrato lingüístico preexistente a otro. En la visión ascoliana, después tradicional en la lingüística histórica, un nuevo oleaje lingüístico se extiende sobre un estrato lingüístico precedente que intenta reaccionar y en ocasiones reemerge en este o aquel fenómeno. Por ejemplo, el latín se ha difundido también en áreas de lengua celta; las lenguas celtas han desaparecido, pero alguno de sus rasgos ha emergido como hecho de s. en el latín y, por lo tanto, en las lenguas románicas que han derivado de él; serían fenómenos de sustrato el paso del lat. [u:] > fr. [y] o la lenición de las consonantes intervocálicas en francés y español (fr. *aigu*, esp. *agudo*, pero it. *acuto* del lat. *acutus*); en las lenguas indoeuropeas habladas en torno al Mediterráneo volverá a florecer un buen número de términos del s. mediterráneo, propios de las lenguas habladas durante la época de los embates indoeuropeos, etc. Según el mismo principio se ha distinguido posteriormente entre un superestrato (un estrato lingüístico que se sobrepone, como el elemento árabe en el siciliano), un adstrato y un parastrato que son, en cambio, elementos lingüísticos que se añaden lateralmente, por así decirlo, al elemento principal. Los fenómenos de s. se han vuelto a formular en nuestros días según la teoría de las lenguas en contacto, utilizando los conceptos de mayor o menor prestigio*, bilingüismo*, interferencia*, etc.

T

T Abreviación corriente de Transformación y < en italiano > de Tratto 'rasgo' (en este caso, casi siempre en minúscula).

tabú lingüístico (de un término de origen polinesio: tongano *tabu*, maorí, tahitiano, samoano, marquesano *tapu*) Lo mismo que interdicción lingüística*; la acentuación aguda es debido al influjo de las formas del fr. *tabou* /ta'bu/ y del ingl. *taboo* /tə bu/ y se coloca en la misma línea de otros extranjerismos como *bambú, cebú*, etc.

tagmema o **gramema** Término de B. Bloch para indicar la unidad gramatical mínima significativa. En la tagmémica* el t. es la correlación entre una función gramatical o posición* y una clase de formas mutuamente sustituibles entre ellas y que pueden ocupar la misma posición; la posición se refiere sobre todo a la función gramatical, y sólo en un segundo momento a su real colocación en el enunciado.

tagmémica Teoría lingüística de K. L. Pike basada en el presupuesto de que los enunciados pueden ser analizados simultáneamente según una jerarquía lexical (cuya unidad mínima es el morfema*), una fonológica (unidad mínima, el fonema* o rasgo distintivo) y una gramatical (unidad mínima el tagmema o gramema*).

tautología (gr. *tautología* 'repetición de lo que ya ha sido dicho') La repetición, involuntaria o con fines estilísticos, de un concepto ya expresado con la misma forma o con una forma equivalente. Considerada por lo general como una trivialidad lógica (en cuanto equivale a afirmar que A es igual a A), la t. puede ser en realidad una especie de lapsus de la enunciación, por ejemplo, en un discurso descuidado o estereotipado, pero funciona también, mucho más a menudo, como una figura* en todos los sentidos: en ejemplos como *La guerra es la guerra, los negocios son los negocios, un Cartier es un Cartier, he nacido en Roma, soy romano*, la identidad entre las dos partes simétricas es sólo formal; el signo cuenta en el primer caso por su designación y en el segundo por su connotación.

tautológico Genéricamente puede significar lo mismo que *repetitivo*: *una afirmación t.* Se denominan formaciones tt. los compuestos del tipo *Mongibello, Punta Raisi, Linguaglosso,* ingl. *pizza pie* en los que los dos miembros pertenecen a dos lenguas diversas pero tienen un significado sustancialmente semejante.

tautosilábico Dos segmentos se llaman tt. si forman parte de la misma sílaba.

taxema *a*) En la terminología distribucionalista americana, unidad simple o compleja de disposición sintagmática: por ejemplo, la característica que presenta el adjetivo inglés por la cual precede siempre al nombre al que se refiere.
b) Para Hjelmslev "elemento virtual que se da en el estadio del análisis en el cual la selección es usada por última vez como base del análisis" (*Def.* 94), es decir, "*grosso modo* las formas lingüísticas manifestadas por los fonemas" (1943: 106)

taxófono ⇒ *alófono, variante combinatoria.*

taxonomía (neol. del gr. *táksis* 'ordenación') Una clasificación ordenada y jerárquica de los hechos de la lengua según los diversos niveles.

taxonómico Método, análisis, orientación, que se prefija describir la lengua asignando las diversas formas observadas a clases de formas; es llamada t. la lingüística americana desde Bloomfield a Hockett, en contraposición con la de orientación generativa, que estudia, en cambio, procesos dinámicos.

tecnolecto o **microlengua** Subcódigo de una lengua de uso especializado en un dominio particular y orientado hacia una única función referencial; se caracteriza por la carencia de ambigüedad, polisemia, sinonimia o connotación, por la esencialidad de los módulos sintácticos y por falta de una evolución interna: ejemplos de ello pueden ser el t. de la electrónica o el de los operadores turísticos (en cuanto se refieren a una gama de argumentos previsibles como las reservas, el modo de pago, el alojamiento, etc.).

télico (ingl. *telic*, del gr. *telós* 'término') Término introducido por H. B. Garey (*Verbal aspect in Frencg*, "Lg" 31 [1957], pp. 91-110) para definir el aspecto de una actividad que sólo puede darse por realizada con su culminación: *besar* (algo o alguien) ~ *amar* (atélico). En italiano muy a menudo son tt. los verbos con prefijo *a-* (< lat. *ad*), *in-* (< lat. *in*): *abbellire* < 'embellecer' > *incenerire* < 'reducir a cenizas' 'incinerar' >; en otros casos el verbo posee aspecto t. sólo si el objeto es expresado, en caso contrario es atélico: *pintar un paisaje, gastar mil* <*pesetas*> (t.), pero *te gusta pintar, gastar* (atélico).

tema *a*) Morfológicamente, t. es la raíz + vocal temática: *t. verbal, t. nominal.*

b) o *dato*. En una frase, el elemento que es dado como conocido y que contiene una nueva información (ingl. *topic* en Hockett, fr. *thème* en Bally); lo que es dicho, en cambio, es el rema*: *El libro* (t.) *está en la mesa* (rema), *Lo que está en la mesa* (t.) *es un libro* (rema).

c) Para Hallyday, la noción de t., análoga a *b*) se refiere no a la frase, sino a las relaciones con el contexto.

temático *a*) Vocal t. es la que se añade a la raíz (formando el tema) para poderla unir a la desinencia.

b) Flexión t. es aquella en la que aparecen vocales tt.: lat. *regit* respecto a *vult* (atemático).

tematización La puesta en relieve, es decir, la transformación en tema*, de un elemento determinado del enunciado, obtenida a través de uno o de más mecanismos entre aquellos previstos por la lengua: modificación del orden de las palabras, hechos de entonación y acento contrastivo, partículas específicas (como *wa...ga* en japonés).

Respecto a la frase no marcada "Juan ha pagado la comida", podemos tener: "Es Juan quien ha pagado la comida", "Ha sido Juan el que ha pagado la comida" o, con el uso de entonación y pausa, "Juan // ha pagado la comida" (como si se respondiese a la pregunta "¿Quién ha pagado la comida?").

temporal (lat. *temporalis* 'relativo al tiempo') Caso que indica la situación del evento en un punto determinado del tiempo: húng. *karácsonyi-kor* 'en Navidad'.

tendencia (fr. *tendence*) Una noción que A. Meillet prefería a la de ley* de los Neogramáticos, y en la cual recogía los procesos de mutación debidos a causas comunes más antiguas que, manifestándose de forma separada en la historia de una lengua, producen los mismos efectos en momentos diversos.

tenor Para Halliday, uno de los tres macrofactores situacionales, que comprende las relaciones de rol entre los participantes (niveles de formalidad, etc.).

tensión *a*) Característica articulatoria que consiste en un aumento (respecto a los valores de su opuesto, la laxitud*) de la coerción de las cuerdas vocales y en la consecuente variación cuantitativa del canal de aire que las atraviesa; respecto a la correspondiente relajada, una articulación tensa es producida con un alejamiento mucho mayor de la posición neutra del aparato vocal.

b) En la aproximación localista a la morfología, como en el caso de Hjelmslev y Brøndal, la t. de una categoría (por ejemplo, de la categoría del caso) implica una disminución de la densidad cuantitativa de los términos que entran en aquella categoría; lo contrario sucede si la categoría es relajada o dilatada.

tenso/flojo Rasgo distintivo; por ejemplo, en francés *ai* [ai] (con vocal tensa) ~ *ail* [ai] 'ajo' con vocal floja.

tenue *a*) En la terminología del siglo XVIII, lo mismo que sonora.

b) Grado t., opuesto a un grado fuerte, referido a un tipo de pronunciación no reforzado. → *scempio*.

teóforo (gr. *theóphoros*, lit. 'que es portador de un dios'; *tehóphora onómata* son los nombres tt.) Nombre propio* que contiene como uno de sus componentes un nombre divino: ár. *'Abdallāh*, gr. *Diódoros*, it. *Graciano*.

teoría de la información → *información*.

teoría del estar marcado (ingl. *markedness theory of*) En fonología generativa se asume como hipótesis la existencia de algunos principios de orden universal que podemos esperar encontrar en todas las lenguas y que, por lo tanto, para ser más previsibles, son no marcados con respecto a otros, menos previsibles y, en consecuencia, marcados.

teoría localística Una teoría de los casos profundos (→ *gramática de casos*) que presupone la presencia de un elemento localitivo incluso en expresiones que aparentemente no poseen un valor espacial: así, podríamos suponer que en la base de una relación como 'yo tengo *x*' exista un 'conmigo está *x*' (que de hecho, es lo que es lexicalizado en ruso, *u menjá* x y en árabe, *'indi* x').

terminación Término genérico para indicar la parte final de un morfema (eventualmente la desinencia*, pero también el último segmento, vocálico o consonántico).

terminal En general, el símbolo final de una taxonomía o de una estructura en árbol; en particular, el último lexema de una taxonomía.

terminativo Caso* espacial que indica 'dirección hacia un punto determinado': húng. *hajó-ig* 'hasta la embarcación'.

término técnico Un elemento léxico (palabra sola, locución) que pertenece al subcódigo de una determinada especialización y que posee un significado unívoco, sólo denotativo: por ejemplo, *ojiva, capitel, ribete, sintagma*.

terminología El conjunto de términos técnicos de un campo o de una especialización.

tesis (gr. *thésis*, traducido en latín con *positio* 'descenso de la voz') En la métrica tradicional, la parte débil del verso, es decir, la que no está marcada por el "ictus"*. ≠ *arsis*.

tesoro Probablemente por influjo del algún uso oriental (aramés *gaza*, ár. *kanz*, pers. *ganj*, etc.), en la erudición occidental a partir del siglo XVII se empieza a llamar t. (en lat. *thesaurus, gazophylacium*, y el alem. *Wortschatz* significa precisamente 't. de palabras') a un catálogo de datos lexicográficos (o, eventualmente, arqueológicos, numismáticos, etc.) de tan enorme proporción que tiende a la totalidad. De 1852 es el famoso *Thesaurus of English words and phrases* de P. M. Roget, sobre bases semánticas, y en el mismo año es fundado el

Thesaurus linguae latinae, que registra la documentación latina al completo. La expresión *t. de la lengua* se encuentra en Saussure para indicar el conjunto de los conocimientos depositados en la comunidad y al que el individuo puede acceder.

texto (lat. *textus*, part. de *textere*, y, por lo tanto, leído como 'tejido', con el valor moderno de Quintiliano en adelante) *a*) Con una metáfora que encuentra correspondencias en un gran número de culturas, la actividad de la palabra es asimilada a la operación del tejer; de aquí la existencia de una serie de paralelismos: el hilo del discurso, la trama de una narración, etc.; naturalmente, el producto de esta actividad es el discurso, el producto total del habla, cuyas unidades se conectan y se concatenan como los hilos en el tejido (*textus*). Reservado en un principio al producto escrito (piénsese a cómo las líneas escritas sugieren de cerca la imagen de la trama), t. ha pasado a indicar las unidades lingüísticas de orden superior a la frase, un conjunto de *n* frases sin extensión determinada pero caracterizado por la función comunicativa, el tema*, la cohesión* y la correferencia*.

tipo de texto (ingl. *text-type*, alem. *Textsort*). Un tipo de texto socialmente prefigurado o regulado.

b) En glosemática t. o proceso o transcurso es el término opuesto a sistema o lengua; ésta (en cierto sentido, la "langue" saussuriana) es la estructura potencial que presupone el proceso o t.; el uno presupone el otro. → *avantexto, contexto, cotexto, discurso, pretexto.*

textología (r. *tekstológija*, de 1927) El estudio de las fluctuaciones del texto escrito.

textual *a*) *lingüística t.* ⇒ *lingüística del texto.*

b) *Función t.* Para Halliday, la macrofunción* que permite construir textos, es decir las "conformaciones lingüísticas objeto de una espectación social" (Schmidt), apropiados a la finalidad social y a la situación a la que se refieren.

"thesaurus" ⇒ *tesoro.*

tiempo (lat. *tempus*, gr. *khrónos*) *a*) En fonética, por analogía con el tiempo musical, se distingue entre un t. "allegro"* y un t. lento* en la velocidad de elocución; el t. entra en correlación natural con el grado de formalidad y de solemnidad de la elocución y conlleva determinadas reducciones fonológicas. En el t. "allegro", característico del habla más coloquial y en éste las formas más frecuentes, se prevén las caídas de segmentos (lat. *caldus* de *calidus*, pol. *pono* de *podobno*), las asimilaciones, etc.; en el t. lento, por el contrario, vuelven a surgir formas profundas que normalmente no se realizan nunca como tales; por ejemplo /n $\#$ p/ en juntura* (como en *...la colaboración con partidos...*) podría ser realizado realmente [n $\#$ p] y no [mp].

b) Gramaticalmente, una de las especificaciones previstas por el paradigma verbal; si bien en cada lengua ciertas formas verbales están más influidas por el aspecto de la acción que por el tiempo en el que la acción es colocada, se puede decir de todas maneras que existen formas específicas (formas verbales, adverbios) para situar la acción en el futuro, en el pasado o en la simultaneidad respecto al momento de la enunciación. Sin embargo, el t. gramatical (ingl. *tense*) es una dimensión exclusivamente lingüística, construida dentro del discurso y no debe coincidir necesariamente con el tiempo cronológico.

timbre En fonética, la cualidad perceptiva de un vocoide (abierto, cerrado o, incluso, usando términos impresionistas, oscuro, claro, etc.); acústicamente, el t. es generado por la posición relativa de las formantes.

tipo *a*) Genéricamente, tiene el mismo sentido que esquema, modelo; para t. lingüístico → *tipología lingüística*; t. sintático es un determinado módulo sintáctico, que es ejemplificado a través de una frase t.: el t. *"ese loco de Jorge"*, < *"va de mal en peor"*>; t. léxico es una forma asumida como base para recoger una serie de variantes: *el tipo del dialecto friulano* urticon.
b) Con el mismo sentido que el ingl. *type*, opuesto a *ocurrencia**, cada una de las unidades representadas en un texto.

tipología lingüística La clasificación de las lenguas del mundo no según el parentesco genético o la distribución geográfica, sino según su pertenencia a un tipo, es decir, según sus características de formación y construcción de las unidades en los diferentes niveles. Partiendo del presupuesto, difícilmen-

te discutible, de que todas las lenguas son isomorfas o, lo que es lo mismo, que en la base de su estructura sintáctica se encuentran principios comunes, es posible determinar un número relativamente estrecho de tipos morfológicos, fonológicos, sintácticos (por ejemplo, las características fonemáticas, la formación de las palabras con sufijos y prefijos, los procedimientos sintácticos, etc.) que reagrupan entre ellas las diferentes lenguas siguiendo mapas que muy a menudo no coinciden con aquellos genéticos o geográficos: "El isomorfismo puede conectar entre ellos diferentes estados de una misma lengua o dos estados, simultáneos o remotos en el tiempo, de dos lenguas diferentes, tanto si son contiguas o lejanas, parientes o no" (Jakobson 1966: 48).

tipológica, lingüística ⇒ *lingüística tipológica*.

tmesis (gr. *tmêsis*) ⇒ *hipérbaton*.

tonema Unidad distintiva de entonación en las lenguas tonales.

tonética (ingl. *tonetics*) El estudio de fenómenos ligados a los tonos.

tonía La última parte de un enunciado, portadora generalmente de los elementos distintivos de entonación.

tónico Elemento en el que recae el acento: *sílaba, vocal t.*

tono (gr. *tónos* 'tensión' y, después, 'altura de la voz, acento') Corrientemente t. es usado con el sentido de entonación: *¡no te permito que me hables con este t.!* En fonética, un rasgo de altura relativa de la entonación que es usado en modo distintivo; las lenguas tonales son aquellas que usan sistemáticamente este procedimiento y en las cuales cada sílaba del enunciado se entona según un t. distintivo.

topicalización   Calco del ingl. *topicalization* por *tematización**.

tópico, espacio   En la teoría de la narración, el espacio de referencia, el aquí, en oposición a *heterotópico**.

topodeíctico   Específicamente, un deíctico ligado a la indicación de lugar: *aquí, allí,* etc.

toponimia   El conjunto de los topónimos de una determinada área: *la t. del valle es de origen celta.* El estudio de los nombres de lugar o topónimos, el nombre de hagiot. referido al estudio específico de los derivados de nombres de santos es introducido por G. Rohlfs (en *Kirchenheilige in der italienischen Toponomastik*, "Germ. - Rom. Monatsschrift", 31 [1943], pp. 250-264 = Rohlfs [1972: 75-89]; hagiot. es usado también, incidentalmente, en G. Imbrighi, *I santi nella toponomastica italiana*, "Memorie geografiche dell'Ist. di Scienze Geogr. e Cartogr." Roma, 1958, pp. 1-102, p. 43).

toponímico   Relativo a los topónimos.

topónimo (del gr. *tópos* 'lugar' y *-ónimo**)   Nombre de lugar; se distingui-

rá ulteriormente entre los hagiotopónimos (derivados del nombre de un santo: *Santa María de Leuca, San Carlos de la Rápita*) y los deantropónimos (derivados de un nombre de persona: *Alejandría, Ladispoli, Estalingrado*).

"topos" (gr. 'lugar')   De la teoría de los lugares, lugar común, unidad argumentativa o narrativa ya fosilizada, en la que pueden cambiar las variables: *el t. del antiguo manuscrito encontrado.*

trabalenguas → *juego verbal.*

traducción   Corrientemente, transposición y adaptación en una lengua B de un texto en una lengua A: t. literal es la que reproduce de manera más fidedigna el orden y la selección de A con los medios de B; t. libre es la que busca conseguir en la lengua B los efectos de sentido y no las soluciones aisladas de A. Quizá fuera oportuno ampliar el sentido de t. y hablar, con Jakobson (1966: 57) de t. endolingüística o reformulación (ingl. *rephrasing*), es decir, la interpretación de los signos lingüísticos por medio de otros signos de la misma lengua (→ *paráfrasis*), de t. interlingüística, es decir, la interpretación de los signos lingüísticos por medio de otra lengua y de t. intersemiótica, o lo que es lo mismo, la interpretación de los signos lingüísticos por medio de signos no lingüísticos. // *t. automática o mecánica* (ingl. *machine translation*, MT) T. llevada a cabo usando como traductor el ordenador electrónico; se llama lengua de entrada a aquella que se traduce y lengua de salida a aquélla en la que se traduce; algoritmo-máquina o algoritmo de t. es el programa de operaciones lógicas que el ordenador tiene que llevar a cabo para analizar el texto y convertirlo en otra lengua, *splittung* 'escisión' o *parsing* es la segmentación del vocablo a partir del morfema, interlengua o lengua intermedia o lengua perno*, la lengua artificial lógico-simbólica que sirve de trámite entre las dos lenguas naturales, permitiendo traducir en código desde un principio las estructuras sintácticas de la lengua de entrada y, después, traducir el código en la lengua de salida.

trama (ingl. *texture*)   En Halliday, lo dicho por un texto*.

transcategorización   Un tipo de formación de palabras que consiste sólo en el cambio de categoría, sin formantes especiales.

transcripción   Cada uno de los procedimientos que registre un enunciado verbal por medio de un sistema de signos gráficos (distinto, por lo tanto, de la transliteración* que se da de escrito a escrito). Se llama t. fonética (entre []) a una representación gráfica que tiende a distinguir el mayor número posible de las particularidades fonéticas del enunciado, independientemente, por lo tanto, de su relevancia, pero sólo en relación con un sistema fonético cardinal y que lo comprenda todo (eventualmente más estrecha* o más ancha*); se difunde cada vez más el uso de servirse del sistema API; se llama t. fonológica o fonémica (entre

//) a aquella que da cuenta sólo de los rasgos pertinentes del enunciado y que presupone, por lo tanto, un análisis fonológico; dado el carácter más abstracto y convencional de esta última t., los símbolos usados pueden ser elegidos según criterios de economía con tal que quede a salvo el principio de la distintividad.

transfert → *interferencia*.

transfonologización (fr. *transphonologisation*) ⇒ *refonologización*.

transformación   El cuadro teórico de la gramática generativa, que hipotiza la generación de las estructuras superficiales a partir de la estructura profunda por medio de la aplicación de reglas, no explica la forma real asumida por los enunciados y pide el ser integrado con la noción de t. Una t., concepto que se prefigura en aquéllos como *échange fonctionnel* o *transposition* en Bally (1949: §§ 179-196) y Benveniste (1974: 113-125) y de *translation* en Tesnière (en el que se refería a la transferencia de una palabra plena de una categoría a la otra), es el procedimiento que en un estadio relativamente tardío de la derivación modifica de varios modos el resultado de la aplicación de las reglas (con supresiones, adiciones o inversiones); una t. puede ser facultativa u obligatoria, local o estrechamente local, singular o generalizada. Para Greimas, una t. o conversión* es un cambio de un nivel a otro en el cuadro del recorrido generativo de la significación; la oposición entre t. y estado distingue dos tipos primitivos de enunciados elementares.

transformacional (ingl. *transformational*) Componente t. → *componente*. Historia t. es la descripción del recorrido que desde la estructura profunda de una construcción nos lleva a su estructura superficial, en un cuadro teórico que admita, naturalmente, el concepto de transformación*.

transformativo Verbo que indica una mutación de estado, el pasar a una condición diversa de la inicial: *conseguir, surgir*, etc.

transfrástico Procedimiento que supera el límite entre una posición y la otra y que afecta al texto en su totalidad.

transición *a*) En fonética acústica, parte no estable de las formantes de una señal vocálica. Sus características acústicas dependen del contexto consonántico.
b) En fonética articulatoria, usado en ocasiones por *ligamento**.
c) En geografía lingüística, área de t. es aquélla cuyas hablas muestran la presencia simultánea de características de las áreas limítrofes; por ejemplo, en Italia la Lunigiana, área intermedia entre hablas ligures y toscanas y las Marcas septentrionales, área intermedia entre las hablas emilianas y las marquesanas.

transitivo (lat. *transitivus*, de *transire* 'pasar') Tradicionalmente, un verbo que rige un complemento* objeto directo, expresado y potencial (*amar, besar, ver*); un mismo verbo puede ser usado de modo t. o intransitivo. El nombre indica que la acción "pasa" al objeto; los verbos tt. puede ser reflexivos o pasivos ya que la relación S-V-O es, en cierto sentido, la más lineal y puede ser invertida: *yo* → *me como* → *la carne/la carne* ← *es comida* ← *por mí*.

transliteración Proceso de sustitución de las unidades gráficas de un texto escrito con las unidades de otro sistema gráfico, según un criterio preestablecido de equivalencias biunívocas, y sin que sea integrado ningún elemento que no se encuentre ya presente en el texto. La operación será llevada a cabo de modo apropiado si el nuevo texto que resulta de ella puede ser restituido a su forma originaria, en el caso de que sea necesario, sin pérdidas de información. Se puede hablar, por lo tanto, de t. de la escritura cirílica o griega o, también, de las escrituras sólo consonánticas como aquellas derivadas de la aramea, pero, en rigor, no se puede hablar de t. para indicar sistemas gráficos como el chino o el japonés (de los cuales se transcribe en realidad, más o menos fonéticamente, las lecturas de los ideogramas); para sistemas como el del árabe se lleva a cabo generalmente una t. en la que son integrados los valores vocálicos, no expresados normalmente en el original. ≠ *transcripción*.

transmisión Término genérico usado a menudo por la lingüística histórica para indicar la secuencia de cambios a través de fases y estratos de lengua que caracteriza la historia de una palabra: *palabras de t. culta; la t. lat. pluvia lat. vulg.* *ploia *it.* pioggia.

transparencia En diversos cuadros teóricos, el grado de motivación que una regla o un proceso de derivación presentan para el hablante.

trapecio fonético o **cuadrilátero de las vocales** Según una convención creada en 1781 por Ch. F. Hellwäg, un esquema que reproduce de forma plana el espacio en el que se sitúan los diversos lugares de articulación de los sonidos vocálicos: cada uno de los vocoides posibles es caracterizado, respecto a la intersección entre dos ejes, anterior-posterior y bajo-alto, como un punto en el esquema. En trabajos menos recientes, o si se tienen que describir lenguas con una sola vocal baja, se usa un triángulo en lugar de un cuadrilátero. Convencionalmente se señalan en el esquema algunas posiciones equidistantes usadas como referencia, los vocoides cardinales. El esquema permite indicar con una cierta precisión de manera no equívoca el lugar de articulación; no puede dar indicaciones, en cambio, sobre otros coeficientes, como [+redondeado] o [+sonoro].

traslativo *a*) Caso* que indica un cambio o una transformación, como en finés.

b) En algunas teorías (Tesnière y otros) un tipo de palabra funcional que conlleva una modificación de elementos al cual se une.

tratamiento, formas de (cfr. ingl. *address forms*, alem. *Anrederformen*, fr. *allocutifs* o *formes de traitement*) Término genérico para indicar los elementos que tienen como finalidad explícita la alocución, que sirven para introducir en la enunciación* al alocutario*: los pronombres personales, los títulos o las expresiones de deferencia y cortesía.

trayecto vocálico El canal recorrido por el aire cuando entra o sale durante la fonación, desde la laringe a los labios.

traza o **indicio** *a*) Genéricamente, la noción de t. aflora periódicamente en la especulación lingüística, desde Saussure a Derrida, para indicar una correspondencia incompleta, un eco de los hechos de un nivel en otro nivel de la lengua.

b) En la gramática GT, en la versión de la teoría de las tt., un constituyente que ha sido movido de su lugar deja detrás de sí como t. un nudo vacío, con índice: la transformación *ayer el chico leyó el libro* → *ayer el libro fue leído por el chico*, se puede esquematizar diciendo

ayer [el chico]$_1$ PASADO *leer* [*el libro*]$_2$

ayer- t_2-PASADO *leer el libro por* [el chico]$_1$

ayer [el libro]$_2$ PASADO *leer* t_2 *por el* chico.

trial Determinación del número que se refiere a tres personas; el t., que se da sólo en algunas familias lingüísticas, se refiere únicamente a los pronombres o a las formas personales, no a un nombre cualquiera: bislama *yumitri* 'nosotros tres'.

triángulo semántico o **semiótico** El esquema de Ogden y Richards (1923)

que une sentido, referente y significado.

triptongo Segmento vocálico en cuya
prolongación* es posible distinguir
tres timbres diversos: ingl. *squire*
(skwaiə).

tríptoto (gr. *tríptōtos* 'que posee tres
terminaciones de caso') Dícese del
paradigma nominal que comporta tres
determinaciones de caso: nombre t. →
díptoto.

trópico → *neústico*.

tropo (gr. *trópos* 'movimiento, modo
de expresión') En la retórica clásica,
una figura retórica que conlleva un
cambio de sentido; cfr. M. del Rosa-
rio García Arauce, *Figura y tropo: historia de los términos y diferencias*,
"Anuario de lingüística española", 1
(1985), pp. 71-93.

"Trümmersprachen" (alem. 'lenguas
fragmentarias') → *lenguas de documentación fragmentaria*.

truncamiento *a*) Elisión* en posición final; en la lengua escrita las formas truncadas pueden ser escritas sin
el apóstrofe, signo del t.: *cual, fan.* →
<apócope>.
    b) (ingl. *sluicing*). En la gramática
GT, transformación que suprime la última parte de una frase.

turno (ingl. *turn*) En el discurso, el
cambio de un locutor al otro; *turn-
taking*, 'coger el t.', es la estrategia con
que cada interlocutor entiende que ha
llegado su turno de palabra y así se lo
da a entender a los otros.

U

"una tantum" (ingl. *nonce forma-tions*, alem. *Augenblickformatio-nem*) Formaciones que no existen como tales en la lengua pero que son previstas y permitidas por el sistema, y que son producidas por el hablante como un acto de habla.

unidad Término genérico (ingl. *item*, etc.) para indicar un elemento léxico.

univerbación (ingl. *univerbation*) En la lingüística indoeuropea se usa para indicar aquellos casos en que, como en el védico, el Preverbo y el Verbo, usualmente separados, se convierten en una forma única.

universales lingüísticos Rasgos tipo-lógicos que es dado encontrar en to-das las lenguas y que son considera-dos una especie de invariantes lingüísticas (análogamente a las cate-gorías de la lógica) → *tipología lingüís-tica*.
uu. absolutos
uu. de discurso
uu. formales (ingl. *formal univer-sals*, fr. *universels formels*) Las con-diciones formales abstractas que cada gramática de una lengua natural tiene que observar.
uu. implicados, son aquellos que prevén, dada la presencia del rasgo A, la presencia simultánea del rasgo B que es implicado por A: existen len-guas en las que hay sólo fonemas sor-dos pero no existen aquéllas en las que haya sólo fonemas sonoros, porque és-tos implican los fonemas sordos.
uu. relativos
uu. sustanciales (ingl. *substantive universals*, fr. *universels substantiels*) Los inventarios de elementos de los que están constituidas las gramáticas de las lenguas naturales (rasgos fono-lógicos y semánticos, categorías, etc.).

urbano/rústico (cfr. lat. *urbanitas/ rusticitas*) Una contraposición con valor sociolingüístico que posee un valor muy general: los rasgos propios de la ciudad, del centro, tienen mayor prestigio* que aquellos característi-cos del campo, de la periferia, etc., y son, por lo tanto, imitados (hasta la hipercorrección*, en este caso hiper-urbanismo*).

uso lingüístico   Para Brøndal ("Acta lingüística", 1,1939, *Essais* 96) noción intermedia entre la lengua y el habla, una especie de norma secundaria permitida por el sistema abstracto y superior de la lengua sin posibilidad, por lo tanto, de suprimir y modificar ésta; para Hjelmslev (alem. *Sprachgebrauc,* fr. *usage*) es la lengua, como conjunto de hábitos de una determinada sociedad.

uvular   Articulación que se produce entre el postdorso de la lengua y la úvula: árabe [q]; el aproximante u. es [ʁ] en francés, como en *retard* [ʁ əta: ʁ].

V

V Abreviatura corriente de Verbo o, en un contexto fonológico, de Vocal.

vacío *a*) *Símbolo v.* (ingl. *dummy symbol*). Un elemento carente de valor semántico, que sirve sólo para completar formalmente una construcción; a veces, como expediente de notación, puede ser oportuno introducir en la estructura profunda un s.v. que no aparece en la superficie; puede ser indicada con la *delta* griega mayúscula (Δ).

b) *Palabra v.* → *autosemántica, palabra.*

valencia *a*) Término de la química adoptado por Tesnière (fr. *valence*) para designar el número de actantes que puede ser regido por un verbo, o, en otra terminología, el número de sitios previsto por un determinado predicado. Los verbos serán, por lo tanto, avalentes (*llueve*), monovalentes (*duerme*), divalentes (*lava*), trivalentes (*dar*).

b) Para Mackey y Savard v. léxica (ingl. *coverage*, fr. *valence*) de un vocablo es el número de conceptos que éste puede expresar; constituye su medida el número de unidades léxicas que éste puede sustituir.

valor (fr. *valeur*) Noción saussuriana. Para Saussure la lengua "es un sistema de puros vv. no determinado por otra cosa que no sea el estado momentáneo de sus términos" (Saussure 1968: 116). En el ámbito de cada lengua se establece, por lo tanto, un sistema de vv. relativos en el que no existe ningún elemento impuesto desde fuera; es la colectividad la que se sirve de la lengua para establecerlos y la única razón de ser de cada v. "se encuentra en el uso y en el consenso generales; el individuo, por sí solo, es incapaz de fijar ninguno". Dado que en la lengua todos los términos son solidarios el v. "no resulta más que de la presencia simultánea de los otros". Por ejemplo, el v. de una palabra en el plano semántico es distinto de la significación*, aunque si es "tomado en su aspecto conceptual, es, sin duda, un elemento de la significación" (Saussure 1968: 158). Esto es determinado por la situación recíproca de las partes de la lengua. "El valor de una palabra, pues, no estará fijado mientras nos limitemos a consignar que se puede permutar por tal o cual concepto, es decir, que tiene tal o cual significación, hace falta además compararla con los valores similares, con las otras palabras que se le pueden oponer. Su contenido no está verdaderamente determinado más que por el concurso de lo que existe fuera de ella. Como la palabra forma parte de un sistema, está revestida no sólo de una significación, sino también, y sobre todo, de un valor, lo cual es cosa muy diferente'' (Saussure 1968: 160).

valorativo Una clase de adjetivos que implica una valoración cuantitativa o cualitativa dentro del objeto y propia del sujeto que emite la valoración: en la terminología de C. Kerbrat-Orecchioni pueden ser axiológicos* (*bello*) o no axiológicos (*largo*), según comporten una mayor o menor intervención subjetiva del observador.

variabilista, método Método de análisis que quiere dar cuenta de las variaciones en la lengua y estudia la distribución y la motivación de las variables.

variable *a*) En general ''cada uno de aquellos fenómenos que se colocan en los escalones más altos de la escala ascendente de las posibilidades combinatorias entre las unidades de la lengua, donde la libertad de innovación es mayor y viene a coincidir con las exigencias de relevancia estilística'' (Rosiello 1965: 66).

b) En glosemática (en contraposición a constante) y análogamente al uso que v. tiene en la lógica, un funtivo* cuya presencia no es una condición necesaria para la presencia del funtivo respecto al cual éste posee una función.

c) En sociolingüística, cada una de las características fonológicas, morfológicas, etc., que consideramos que pueden ser distintivas con vistas a un determinado comportamiento lingüístico.

variable, regla → *regla variable*.

variación (ingl. *variation*) o **variabilidad** En general, la propiedad de la lengua de presentar oscilaciones, fluctuaciones o áreas esfumadas. Hasta la llegada de la sociolingüística (que la convierte en su objeto de estudio y que busca los expedientes incluso formales para describirla, como las reglas variables*), la v. es ignorada en la lingüística moderna, tanto estructural como generativa: las oscilaciones son consideradas si acaso hechos individuales, de habla ''''parole'''').

variante *a*) En general, cada realización individual, cada acto de palabra tiene que ser considerado como una v. con respecto a la ''langue''*. Se puede hablar de vv. individuales, expresivas, sociales, facultativas, etc.

b) En fonología, v. combinatoria es cada realización fónica de un fonema condicionada por el contexto*: el fonema /n/ tiene un rasgo dental en /santo/, uno labiodental en /ánfora/, una velar en /ancla/. Estas tres realizaciones son debidas al sonido dental, labiodental o velar que sigue y no representan tres fonemas distintos, sino tres vv. combinatorias.

c) En glosemática es v. o sustituible un miembro de un paradigma que *no* es conmutable.

d) En sociolingüística, el valor específico realizado por una determinada variable*.

e) En filología y crítica textual, la v. de autor es una modificación introducida por el mismo autor en el manuscrito o en el borrador que tiene que ser impreso; la comprobación y la valoración crítica de estas vv. recibe el nombre de "variantística" (también como adjetivo: *dinámica variantística*).

variedad   *a*) Término genérico para indicar una aparición no mejor especificada de sonido, pronunciación, cualidad de voz, etc.: *una variedad de [a] retrasado*.

b) Para Belardi, lo mismo que los diáfonos* de Jones, es decir, todas y cada una de las posibles variaciones de orden no fonemático, dialectal, social, estilístico, sexual, rítmico, emotivo o individual (Belardi y Minissi 1962: 86).

c) Término no connotado para indicar cada conjunto de formas lingüísticas reconocible en cuanto tal y que debe ser usado con preferencia sobre *lengua*, *dialecto*, *habla*, *idioma*, etc.

vehículo sígnico   Uno de los elementos que participan en la semiosis (Morris 1955: 34).

velar   Articulación que tiene su diafragma en el velo; dicho de vocoide, lo mismo que posterior*.

velarizado   Articulación que, unido a los otros coeficientes, presenta la ele-vación del postdorso de la lengua hacia el velo del paladar.

"verba dicendi, putandi, sentiende" (lat., 'verbos para decir, para creer, para sentir')   Locución de la gramática tradicional para indicar grupos de verbos que presentan un significado general y propiedades sintácticas comunes; tanto unos como otros son indicadores de modalidad.

verbalización   *a*) En general, el proceso de expresión de un contenido de conciencia en una modalidad lingüística.

b) Paralelamente a nominalización*, la transformación de un nombre en un verbo; en algunos tipos lingüísticos éste es el procedimiento preferido; así, en japonés 'la flor florece' sería más bien 'el florecer de la flor'.

verbo (lat. *verbum*, trad. del gr. *hrêma* que para Platón era el predicado y para Aristóteles una parte del discurso)   El término griego *hrêma* muestra cómo en el pensamiento filosófico antiguo la categoría del verbo representaba el decir por excelencia: el hablar es un decir a propósito de las cosas que poseen un nombre. Esta visión, obviamente simplificada, no se encuentra muy distante de la de los modernos; hoy se retiene que sólo el nombre* y el verbo son las categorías verdaderamente universales, de las cuales ninguna lengua puede prescindir; y la visión no es muy diversa si en lugar de prestar atención a la realización superficial del enunciado (en el que encontramos categorías gramaticales) lo hiciésemos a la estructura profunda semántica, con un predicado y con argumentos. → *aspecto, modo, tiempo.* //

verbo frasal → *frasal.*

veredictivo (fr. *véridictoire*) Un enunciado modal* que rige un enunciado asertivo, con valor de verdad.

vernacularización (fr. *vérnacularisation*) El proceso por el cual una determinada variedad se convierte en L₁ de un grupo que antes la hablaba sólo como L₂; un ejemplo de v. es el de las lenguas pidgin* que se convierten en lenguas maternas y, por lo tanto, criollas*, de un grupo.

vernáculo (lat. *vernaculus* 'relativo a los esclavos nacidos en casa' y, por lo tanto, 'doméstico, local, indígena') Como el ingl. *vernacular* v. es término genérico para indicar una variedad de lengua de uso local, contrapuesta a la lengua más difusa. Por lo tanto, puede ser un sinónimo de dialecto: *poesías vernáculas, musa v.*

viaje temporal (ingl. *temporal journey*) Término introducido por P. Berrettoni para designar una determinada conceptualización de una acción prolongada: el actuar es visto como un recorrido que se desarrolla en el tiempo y no en el espacio, como un inicio y una meta (que es la finalidad de la acción); que se trata de una metáfora muy a menudo subyacente lo demuestran las frases del tipo *en vía de curación, ¿a qué punto estás?*, fr. *oú on est*, etc.

vibrante Articulación en la que uno de los articuladores en contacto vibra ligeramente (punta de la lengua contra los alveolos, úvula contra el dorso de la lengua); según el número de vibraciones se distinguirá entre vibrante múltiple y vibrante simple.

virtual → *pausa.*

virtuema (fr. *virtuème*) Para Pottier, la clase de los rasgos semánticos virtuales connotativos, que pueden emerger sólo en determinados contextos: por ejemplo *manzana* puede no tener ninguna connotación erótica, pero puede adquirirla si el contexto la sugiere. → *clasema, sema, semantema, semema.*

vital ⇒ *productivo.*

vocabulario a) Obra lexicográfica que recoge el léxico de una determinada lengua o la tarea que precede esta obra: *ha salido un nuevo v. del latín, la primera edición del V. della Crusca ha sido publicada en 1612.*
b) El conjunto del léxico a disposición: *del alemán conozco la sintaxis pero tendría que ampliar mi v.* → *diccionario, léxico.*

vocabulario básico (ingl. *basic vocabulary*) Un núcleo de voces entre las más frecuentes en el léxico de una lengua, núcleo que tendría que constituir un muestrario para usos estadísticos, de comparación, o para la preparación de gramáticas.

vocal (lat. *vocalis* 'relativo a la voz', trad. del gr. *phonèeis* 'sonido que puede ser pronunciado con la voz') Un fonema realizado con un vocoide.

v. temática → *temático*.

≠ *consonante*.

vocálico/no vocálico Un rasgo fonológico caracterizado, acústicamente, por la presencia, frente a la ausencia, de una estructura de formantes claramente definitiva, y, articulatoriamente, por el paso libre, respecto a obstruido, del aire en el canal de fonación, con actividad de las cuerdas vocales.

vocalismo El conjunto de los vocoides o de los fonemas vocálicos de una lengua: *el somalí presenta un v. muy desarrollado, posee veinte fonemas vocálicos*.

vocalización *a*) Una fase del lenguaje infantil, en la que son producidas series de sonidos sin significado como ejercicio articulatorio (lalación, etc.).

b) Para los sistemas de escritura con base consonántica como los de casi todas las lenguas semíticas, la v. es la integración de las vocales.

vocativo (lat. *vocativus* 'que llama, que invoca') En algunas lenguas flexivas, como las indoeuropeas, es necesario disponer de una forma especial, libre de relaciones sintácticas, para el uso alocutivo*; por simetría con el resto del paradigma, se habla de caso v., pero se trata en realidad de un no caso, como lo demuestra la ausencia de desinencias específicas.

formas v. Las formas abreviadas de ciertas formas de tratamiento y ciertos nombres propios usados en el tiempo* más rápido o al máximo nivel de familiaridad: en algunos dialectos italianos como el napolitano, por ejemplo, se usan formas como *a zi', a pa', a ma', Anto', Bru'*, etc. 'tío, papá, mamá, Antonio, Bruno' (caen todas las sílabas después de aquella acentuada).

vocoide (ingl. *vocoid*) Articulación caracterizada por la ausencia de obstáculos a la corriente de aire espiratoria y determinada sustancialmente por la voz, caracterizada de forma diversa por la resonancia de las cavidades orales y, eventualmente, de las nasales; además de estar determinada por la posición de la masa de la lengua con respecto a los ejes anterior-posterior y vertical de la cavidad oral (anteriores, centrales, posteriores y altos, medioaltos, medios, mediobajos, bajos), los vv. pueden ser tensos o flojos, redondeados (o labializados) y no redondeados.

volumen de voz La característica de la fonación que corrientemente es llamada altura, término que, en cambio, se tiene que reservar para la trayectoria melódica.

voluntad En muchos casos puede ser oportuno recurrir al concepto de v. del emisor, que puede, obviamente, no coincidir con la emisión (fónica, gráfica) real; Q. Skinner (*Motives, intentions and the interpretation of texts*, "New Literary History", 3 [1971-72], pp. 393-408) distingue en el escritor dos tipo de v. a las que hay que referirse en la interpretación de su obra, la v. ilocutiva —qué es lo que él ha querido escribir realmente— y la v.

perlocutiva —lo que se proponía hacer escribiendo lo que ha escrito.

V.O.T. (acrónimo del ingl. *voice onset time* 'retraso del inicio de las vibraciones de las cuerdas vocales') En una secuencia de contoides oclusivos + vocoide el V.O.T. indica el intervalo de tiempo que separa el inicio de la explosión del contoide del inicio de las vibraciones de las cuerdas vocales, es decir, el inicio de la F_1 del vocoide; usualmente, el valor es más alto para los oclusivos sordos.

voz   *a*) En el lenguaje corriente es el resultado total de la fonación, considerada según su aspecto articulatorio y acústico: *hablar en v. alta, con un hilo de v., v. de tenor*, etc. Técnicamente, asimismo, se entiende como cualidad de v. (ingl. *voice quality*) el conjunto de volumen, tensión de la laringe, etc., con que se articulan los sonidos.

b) En fonética, en sentido técnico, el sonido producido por las vibraciones de la glotis; aplicados a articulaciones, *voisée* en francés y *voiced* en inglés significan lo mismo que 'sonora'.

c) *v. verbal.* En la gramática tradicional se llama v. verbal cada una de las tres modalidades posibles del verbo: activa, media y pasiva.

d) *v. léxica* (ingl. *lexical entry*) es una unidad del léxico en la gramática; en los diccionarios, lo mismo que lema*: *este diccionario cuenta con 120.000 vv.*

vs.   Abreviatura del lat. *versus* 'contra', usado como símbolo de la oposición entre dos elementos: /p/ vs. /b/ significa 'existe oposición entre /p/ y /b/, /p/ se opone a /b/'.

W

"**wanderwöter**" (alem., 'palabras viajeras', cfr. ingl. *migratory terms* y el fr. *mots voyageurs*). Expresión sin equivalente usual en italiano o español, para indicar aquellos términos relativos casi siempre a la cultura material (mercancías, vestuario, etc.) que se puede esperar encontrar en un gran número de lenguas y en una gran área geográfica y que no pueden ser utilizados para demostrar parentescos genéticos.

X

X-barra, sintaxis o **sintaxis X** (ingl. *X-bar syntax*)   Una versión de la GT de los años cincuenta que se remonta en parte a propuestas de Z. S. Harris y que se diferencia de aquélla con estructura sintagmática. Reconoce categorías intermedias entre N y SN y permite *n* expansiones o proyecciones frasales para cada símbolo categorial; por ejemplo *el rey calvo*:

Y

y/o Fórmula abreviada para indicar que entre dos miembros existe una conjunción o asociación o una exclusión o disyunción.

yotacismo (del gr. *iotakismos* 'duplicación de la letra *iôta*') En gramática histórica, proceso fonético que lleva a la desaparición de un elemento palatal /j/ o de una palatalización.

yusivo Modo que expresa una orden, se construye con varias formas verbales como, por ejemplo, el subjuntivo: *que se vaya inmediatamente*.

yuxtaposición (ingl. *juxtaposition*) Para J. R. Firth, la disposición de palabras en la frase distinta de la colocación*.

Y

Z

zetacismo (neol. del nombre de la letra gr. *zêta,* siguiendo el modelo de *betacismo,* etc.) En la patología del lenguaje, disartria que afecta a la articulación de sonidos africados como [ts, dz].

zeugma (gr. *zeûgma* 'juntura, vínculo') Figura* en la que un mismo predicado se refiere a más de un sujeto. → *silepsis.*

Zipf, leyes de Algunas leyes estadísticas, formuladas por G. K. Zipf, que definen el principio del mínimo esfuerzo (→ *economía*) y la relación entre frecuencia* y rango*.

zoosemiótica Disciplina que estudia los sistemas de comunicación, a menudo de gran complejidad y con un alto grado de organización, usados en el reino animal. En oposición a z., algunos, como Sebeok, indican con antroposemiótica el lenguaje humano y los sistemas secundarios propios de la comunicación humana que impliquen infraestructuras verbales.